中华人民共和国法律释义丛书

全国人民代表大会常务委员会法制工作委员会　编

中华人民共和国
农产品质量安全法释义

主　编：安　建（全国人大常委会法制工作委员会副主任）

张　穹（国务院法制办副主任）

牛　盾（农业部副部长）

副主编：张玉香（农业部市场与经济信息司司长）

王振江（国务院法制办农林资源环保司司长）

何永坚（全国人大常委会法制工作委员会经济法室副主任）

法律出版社

图书在版编目(CIP)数据

中华人民共和国农产品质量安全法释义 / 全国人大法工委编. -- 北京 : 法律出版社, 2006.8(2018.11 重印)
(中华人民共和国法律释义丛书)
ISBN 978-7-5036-6569-1

Ⅰ.①中… Ⅱ.①全… Ⅲ.①农产品质量安全法－法律解释－中国 Ⅳ.①D922.45

中国版本图书馆 CIP 数据核字(2006)第 092165 号

中华人民共和国农产品质量安全法释义
ZHONGHUA RENMIN GONGHEGUO NONGCHANPIN ZHILIANG ANQUANFA SHIYI

全国人大法工委 编

责任编辑 麦 锐
装帧设计 李 瞻

编辑统筹 法规出版分社
出版 法律出版社
开本 850 毫米×1168 毫米 1/32
总发行 中国法律图书有限公司
印张 10.125
经销 新华书店
字数 220 千
印刷 北京玺诚印务有限公司
版本 2006 年 8 月第 1 版
责任印制 吕亚莉
印次 2018 年 11 月第 3 次印刷

法律出版社/北京市丰台区莲花池西里 7 号(100073)
网址/www.lawpress.com.cn
投稿邮箱/info@lawpress.com.cn
销售热线/010-83938336
举报维权邮箱/jbwq@lawpress.com.cn
咨询电话/010-63939796

中国法律图书有限公司/北京市丰台区莲花池西里 7 号(100073)
全国各地中法图分、子公司销售电话:
统一销售客服/400-660-6393
第一法律书店/010-83938334/8335 西安分公司/029-85330678 重庆分公司/023-67453036
上海分公司/021-62071639/1636 深圳分公司/0755-83072995

书号:ISBN 978-7-5036-6569-1 **定价**:46.00 元

总　　序

人类文明的历史上,还没有哪一个时代像中国的改革开放40年一样,在历史长河中掀起如此巨大的浪花——它不仅深刻改变了一个国家的面貌与精神气质、使数亿人摆脱贫困,还极大地改变了世界格局。

1978,在那一年的年底,中共中央一次全体会议——十一届三中全会扭转了中国的前进方向,开辟了一个时代。回首过去,我们发现,一些观念从那时开始在中国出现,一些声音从那时开始逐渐响起,一些人物开始登上历史舞台。从这一年开始,随着"加强社会主义民主,健全社会主义法制"历史性任务的提出,"法制"两个字进入了人们的视野;政法机关开始恢复重建;法律院系开始蓬勃发展。一部部法律从庙堂走进了人们的生活,一次次裁决推动着国家前进的脚步。从"有法可依、有法必依、执法必严、违法必究"到"科学立法、严格执法、公正司法、全民守法";从"法制"到"法治";从法治观念的形成到"依法治国,建设社会主义法治国家"写进宪法,再到"法治国家、法治政府、法治社会一体建设",人们对法治的认识步步深入,中国的改革不断向前推进,结出丰硕的果实。在中国共产党的带领下,这个励精图治的古老国度,再一次创造了改革的奇迹。

40 年发生了无数故事,40 年产生了许多事物。为了纪念这难忘的 40 年,本社组织编辑出版了一批"纪念改革开放 40 周年"主题图书。这些图书,将 40 年来颁布的重要法律及其释义甄选汇集,将法学领域有代表性的学术论文萃取精编,把有关政法机关的重建、法律院系的重生与发展进行展现,将一批被时代改变命运的人物再次唤起。我们希望从法律与法律人的视角,重新审视过去的 40 年,认真体会这不平凡的 40 年。

如江河东下,逝者如斯。岁月总会过去,人事总有代谢,但一个不平凡的时代留下的深刻痕迹,永远不会磨灭。"不忘初心,牢记使命",习近平总书记在党的十九大报告中向全党发出的号召,使我们有理由期待,下一个 40 年,中国将更加惊艳!

法律出版社编辑委员会

2018 年 10 月

编委会和编写组组成

一、编委会

主 任 委 员：杜青林

副主任委员：路　明　安　建　张　穹　尹成杰

委　　　员：范小建　牛　盾　刘振伟　黄建初
王超英　王振江　何永坚　贾　静
陈晓华　张玉香　李　生　张延秋
徐肖君

二、编写组

主　　　编：安　建　张　穹　牛　盾

副　主　编：张玉香　王振江　何永坚

成　　　员（按姓氏笔画排序）：

王乐君　王　伟　王　芳　王　敏
王青立　方晓华　宋丹阳　宋　芳
张延秋　李　生　李迎宾　杨永明
周云龙　周其文　岳仲明　罗怀熙
金发忠　施春风　徐肖君　郭文芳
钱永忠　高　飞　曹兵兵　董洪岩
魏启文

出 版 前 言

《中华人民共和国法律释义丛书》是由全国人大常委会法制工作委员会组织编辑的一套系列丛书。

该套丛书由一系列法律释义组成。邀请有关专家、学者和部分参与立法的同志编著。该丛书坚持以准确地反映立法宗旨和法律条款内容为最基本要求,在每部法律释义中努力做到观点的权威性和内容解释的准确性。

我们相信,该套丛书的陆续出版,将会给广大读者进一步学好法律提供有益的帮助。

重印说明

本次重印，是为改革开放40周年制作的特别纪念版，为了保持内容原貌，未对正文和附录作实质修改。个别法条内容有修订或修正的，以脚注形式作了标注。特此说明。

2018年10月

目　录

第二部分 附 录

贯彻实施农产品质量安全法
全面提高农产品质量安全水平

农业部部长　杜青林

《中华人民共和国农产品质量安全法》(以下简称农产品质量安全法)已经十届全国人大常委会第二十一次会议审议通过,并于2006年11月1日起施行。这是我国农业法制建设史上的一件大事,也是社会主义新农村建设进程中的一件大事。我们要认真贯彻实施好这部法律,为保障农产品质量安全,维护公众健康,为推进现代农业发展和社会主义新农村建设做出应有的贡献。

一、充分认识农产品质量安全法出台的重大意义

出台农产品质量安全法,是贯彻落实科学发展观,推进现代农业和社会主义新农村建设的重要举措。我国农业已经进入新的发展阶段。资源和市场对农业发展的约束加剧,消费者对农产品的质量安全要求提高。必须走科学发展的道路,加快农业增长方式转变,建设现代农业,并为新农村建设奠定坚实的产业基础。农产品质量安全法坚持以人为本,把维护公众健康放在突出位置,强调数量与质量并重,发展高产、优质、高效、生态、安全农业。这充分体现了科学发展观的要求,必将有效提升全社会农产品质量安全法律意识,加强农产品质量安全依法监管,为现代农业和社会主义新农村建设提供坚实的支撑。

出台农产品质量安全法，是提高农产品质量安全水平，维护广大人民群众根本利益的可靠保障。农产品质量安全状况直接关系人民群众的日常生活和生命安全，关系社会的和谐稳定。如何解决好农产品质量安全问题，确保人民群众农产品消费安全，一直是生产者和消费者共同关心的重大问题。制定并出台农产品质量安全法，从法律上对农产品质量安全标准、产地、生产、包装和标识以及监督检查、法律责任等方面做出规定，为从根本上解决农产品的质量安全问题提供了法律保障，有利于规范农产品生产、销售行为和秩序，保证公众农产品消费安全和广大人民群众的根本利益。

出台农产品质量安全法，是提升我国农产品竞争力，应对农业对外开放和参与国际竞争的有力武器。随着经济全球化进程的加快，特别是我国加入世界贸易组织后，农业对外开放不断扩大，农产品国际竞争日趋激烈。质量安全是农产品市场竞争的关键因素，是导致贸易争端的重要原因，也是一些国家设置农产品贸易技术壁垒的主要借口。出台农产品质量安全法，严格按照法律规定，推进农业标准化，提高农产品质量安全水平，能够更好地挖掘我国优势农产品的市场潜力，提升我国农产品竞争力，增强我国农业应对国际竞争的能力。

出台农产品质量安全法，是促进农业领域依法行政，填补我国农产品质量安全监管法律空白的有效手段。长期以来，我国农产品质量安全管理缺乏专门的法律依据，一定程度上加大了农产品质量安全监管工作的难度，影响了农产品质量安全管理的有效性和权威性。农产品质量安全法的出台，填补了法律空白，必将促进体制、机制和管理创新，加强依法行政、依法监管，开创农产品质量安全管理的新局面。

二、正确理解和把握农产品质量安全法的基本精神

农产品质量安全法充分体现了我国农业和农产品质量安全管

理的特殊性，吸收和借鉴了国外的有益经验，构建了一套既符合国际惯例，又符合我国国情和农情的法律规范。

一是立足农产品质量安全，促进农产品质量提高。当前和今后一个时期，农产品质量安全工作的重点是解决农产品消费安全问题，大力发展无公害农产品，让老百姓吃上放心农产品。但从长远来看，安全性问题得到基本解决后，全面提高农产品的质量，满足人民群众对优质农产品的需求，增强我国农产品的国际竞争力将会上升为主要矛盾。加强农产品质量安全管理，既要着眼于解决消费安全问题，也要考虑提高农产品质量的长远目标。要通过加强农产品质量安全工作，不断提高农产品的品质，努力提升农产品的竞争力。农产品质量安全法确立了保障农产品质量安全，维护公众健康，促进农业和农村经济发展的宗旨，不仅明确禁止生产、销售不符合国家规定的农产品质量安全标准的农产品，而且明确国家引导、推广农产品标准化生产，鼓励和支持生产优质农产品。

二是突出源头治理，加强全程监控。农产品生产链条长，生产环境开放，不可控因素多，各个生产环节对农产品的质量安全都有不同程度的影响，必须确立全程监管的理念，对农产品生产经营的各个环节进行全程控制，确保消费者购买到符合要求的农产品。但农产品生产源头，特别是产地环境、农业投入品的科学合理使用和生产过程等对农产品质量安全具有直接、重大影响，在遵循全程控制的基础上必须把源头治理作为重点，加强对农产品生产源头的管理。农产品质量安全法对农产品产地和生产专章规定，对农产品产地环境、投入品使用、生产过程管理提出了明确的要求。

三是严格市场准入，实行农产品质量安全责任追溯制度。健全、规范的市场准入制度，是防止和杜绝不符合标准的农产品进入市场与消费环节的重要措施。农产品质量安全法明确了农产品的市场准入条件，禁止五种不符合标准的农产品上市销售；同时，进一步明确了销售企业应承担的义务，要求销售企业建立健全进货检查验收制度，农产品批发市场应对进场销售的农产品质量安全状况进行抽查检测，发现不符合农产品质量安全标准的农产品，要立即停止销售，并向农业部门报告。建立农产品质量安全追溯制度，是加强农产品质量安全监督管理和处理农产品质量安全事故的基本措施，受到世界各国的普遍重视。农产品质量安全法借鉴国际上通行的做法，从生产经营记录、包装标识、赔偿责任主体等方面做了具体规定。

四是强化风险评估，实现科学管理。开展农产品质量安全风险评估，是当今世界各国的普遍做法，也是WTO《实施卫生与植物卫生措施协定》的基本要求。通过风险评估，对农产品中的农药、兽药等化学物质残留或重金属、生物因素等对人类健康和动植物生长的潜在危害进行风险分析和评价，为农产品质量安全管理和决策提供科学的依据。农产品质量安全法确立了风险评估的法律地位，要求把风险评估结果作为制定农产品质量安全标准的重要依据，农业部门要根据风险评估结果采取相应的管理措施。

五是区别不同主体，加强分类指导。我国农业生产经营主体多而分散、生产经营方式和规模差异很大。农产品质量安全管理必须符合我国国情和农情，针对不同的生产经营主体，采取不同的管理措施。农产品质量安全法分别对农户、农产品生产企业、农民专业合作经济组织、批发市场等，确立了不同的义务和责任。同时，确立了引导与处罚相结合，重在引导的原则。要求各级人民政府及有关部门，引导农产品生产者、销售者加强质量安全管理，通过农业科研教育机构和农业技术推广机构的培训，不断提高农产品生产者的质量安全知识水平和生产技能。农民专业合作经济组织和农产品行业协会要建立质量安全管理制度，加强行业自律，不断提高为其成员开展技术服务的水平。

三、以贯彻实施农产品质量安全法为契机，推动农产品质量安全工作迈上新台阶

农产品质量安全法的颁布实施，标志着农产品质量安全工作迈入了法制化轨道，揭开了我国农产品质量安全工作的新篇章。它明确规定了监督管理部门特别是农业部门的法定职责与义务，这就要求今后农产品质量安全工作必须由注重行政管理向注重运用法律手段管理转变。各级农业部门要站在推进依法治国、维护法律尊严的高度，加快职能转变，以学习、贯彻和实施农产品质量安全法为契机，全面提高依法行政水平，认真履行市场监管、公共管理和社会服务职责，努力推动农产品质量安全工作迈上新台阶，促进农产品质量安全事业进一步向前发展。当前和今后一个时期，要结合法律的贯彻实施，重点做好以下几方面工作：

一要依法加强产地建设和投入品监管。控制农产品源头污染是做好农产品质量安全工作的第一道关口。加强农产品产地建设，强化环境保护，改进基础设施，规范投入品使用，防止产地污染。特别是对不适宜特定农产品生产的区域，要坚决按照法律规定，认真落实农产品禁止生产区域制度。加强农业投入品监管，组织农业投入品生产许可和监督抽查，严厉打击制售假冒伪劣农业投入品行为，积极推广连锁经营等流通方式，净化农业投入品市场。

二要依法加强农业标准化工作。实行农业标准化全程控制，是提高农业产品质量的关键。首先要抓标准制修订。以制定通则类标准为重点，加快完善以国家标准和行业标准为主体，以地方标准和企业标准为补充的农业标准体系。其次要抓标准实施。以国家级农业标准化示范县和无公害生产示范基地创建活动为突破口，加强农技推广人员标准知识培训，全面提高农业标准化水平。再次要抓标准监督。依法实施农产品生产记录制度，强化农产品质量安全追溯管理，逐步实现生产记录可存储、产品流向可追踪、储运信息可查询。

三要依法加强农产品质量安全监测。实行质量安全监测和监督抽查，是保障农产品质量安全的重要手段。抓紧完善体系，尽快启动实施农产品质量安全检验检测体系规划，加强质检体系和机构建设。加强能力建设，改进仪器设备等检测手段，提高检验检测能力和水平。健全完善制度，深化例行监测制度，制订监测计划，完善检测程序和办法，延伸检测区域，扩大监测范围。健全信息发布制度，提升质量安全预警水平，防范质量安全风险。推进机制创新，针对我国农户生产经营分散的特点，探索有效的农产品质量安全监管手段和方式。

四要依法加强优质农产品营销促销。严格按照法律规定，实施农产品质量安全市场准入制度，禁止质量安全不合格产品入市销售。同时，努力促进产销衔接，强化营销促销服务，提高优质农产品的市场份额。加强农产品质量安全标志管理，立足终端产品质量，强化产前农业投入品、产地环境、产品质量从源头到加工的全过程质量控制，不断扩大标志农产品的覆盖面。促进农业品牌化发展，在大力推进农产品认证，继续培育无公害农产品（绿色食品、有机农产品）品牌的基础上，积极开发农业名牌产品，加强诚信体系，提高我国农产品知名度和美誉度，增强市场竞争能力。

学习、贯彻和实施农产品质量安全法是一项长期艰巨的任务。要把深入贯彻实施农产品质量安全法与学习贯彻科学发展观结合起来，与学习贯彻中央关于建设社会主义新农村的方针政策结合起来，与推进新时期农产品质量安全工作结合起来。一要抓好宣传培训。大力普及法律知识，宣传农产品质量安全法的内容和精神实质，增强全民质量安全法制观念和法制意识，提高农业部门依法治农的自觉性和主动性。二要加快出台配套制度。根据法律的授权和相关规定，制定完善农业标准化、农产品质量安全检测机构资格认定、农产品质量安全监测、农产品产地安全、农产品包装与标识等配套制度，各地农业部门要结合本地实际，积极配合立法机关做好地方性法规、规章制定和修订工作。三要加强执法队伍能力建设。不断推进农业行政综合执法，提高执法人员素质，将农产品质量安全执法纳入日常工作范围，努力做到有法必依、执法必严、违法必究，不断开创农产品质量安全工作的新局面。

第一部分　释　　义

第一章　总　　则

总则是对法律中的若干重要问题原则性、概括性的规定，是立法基本精神的核心体现，对整部法律中其他各项具体规定具有统率和指导作用。本章共 10 条，主要包括立法目的、调整范围、管理体制、政府在农产品质量安全工作中的职责、农产品质量安全风险评估制度、农产品质量安全状况信息发布制度，以及国家对农产品标准化生产、优质农产品生产、农产品质量安全科研和先进生产技术的推广和支持，农产品质量安全知识的宣传等内容。

第一条　为保障农产品质量安全，维护公众健康，促进农业和农村经济发展，制定本法。

【释义】　本条是关于本法立法目的的规定。

人们每天消费的食物大部分是直接来源于农业的初级产品，即农产品质量安全法所称的农产品。因此，农产品的质量安全状况如何，直接关系着人民群众的身体健康乃至生命安全。“民以食为天，食以安为先”。保证老百姓吃得安全、吃得放心，是坚持以人为本、对人民高度负责的体现。在党中央的高度重视和各有关方面的共同努力下，我国农产品质量安全状况总体上不断提高，但亟待依法规范，加强管理。全国人大常委会虽已制定了食品卫生法和产品质量法，但食品卫生法不调整种植业、养殖业等农业活动；产品质量法只适用于经过加工、制作的产品。为了从源头上保障农产品质量安全，维护公众的身体健康，促进农业和农村经济的发展，专门制定了本法。

本条包括以下内容

1. 保障农产品质量安全

农产品作为城乡居民的主要食物来源，其质量安全问题直接关系着广大人民群众的身体健康和生命安全。因此，制定农产品质量安全法的首要目的就是保障农产品质量安全，为广大人民群众提供放心农产品。

党中央、国务院十分重视农产品质量安全工作。国务院 1992 年就做出了《关于发展高产优质高效农业的决定》，并采取了一系列措施，不断加强农产品质量安全工作。20 世纪 90 年代中后期，我国农产品实现了总量基本平衡、丰年有余的历史性转变，农业发展进入数量安全与质量安全并重，更加注重质量安全并提升农业效益的新阶段。按照党中央、国务院的要求，农业部将农产品质量安全监管作为一项工作重点，从 2001 年开始，以启动实施"无公害食品行动计划"为主线，以提高农产品质量安全水平为核心，以强化农产品质量安全保障体系建设为基础，以农产品产地环境、生产过程、投入品监管、质量追溯和市场准入等环节为重点，全面推进农产品质量安全监管的各项工作。经过几年的努力，我国农产品质量安全的整体状况已有所改善，农产品源头污染得到初步遏制。2002 年 5 月，农业部发布公告，公布淘汰和禁止使用以及限制使用的兽药、农药清单，禁止氯霉素、瘦肉精等 29 种兽药用于食用动物，限制 8 种兽药作为动物促生长剂使用；停止受理一批高毒、剧毒农药的登记申请，撤销一批高毒农药在一些作物上的登记，并禁止使用 18 种农药，规定 19 种高毒农药不得在蔬菜、果树、茶叶、中草药材上使用。此外，还启动了种植业产品中农药残留、饲料和畜产品中违禁药物及兽药残留、水产品中药物污染等专项整治工作，狠抓农业投入品产销管理和市场执法监督工作。各地各部门联合在全国范围内开展了多次大规模农资打假护农行动，一批大要案得到查处，一批假冒伪劣农资产品被依法查封，一批假劣农资的生产和经营黑窝点被铲除，农资市场秩序逐步好转，农业投入品质量得到有效改善，一批禁用、限用农业投入品在农业生产中得到有效监管，为从源头上提高农产品质量安全水平提供了重要保障。根据农业部监测，以京、津、沪、深四城市为例，2005 年与 2001 年相比，蔬菜中农药残留监测合格率提高了近 29 个百分点，畜产品中“瘦肉精”污染监测合格率提高了近 32 个百分点。但是，自 2003 年以来，农产品质量安全水平提高的难度在加大。从农业部每年开展的例行监测结果看，我国农产品质量安全的合格率在经历了一个较大幅度的提高后，开始进入缓慢上升和徘徊阶段。此外，个别地区的农产品不合格率还时有反弹，进一步提高农产品质量安全水平非常困难。面对我国农产品质量安全的严峻形势，必须客观分析、准确把握农产品质量安全监督管理的自身特点和关键环节，以进一步提高我国农产品质量安全水平。

农产品与工业产品相比较，具有生物活性（鲜活、易腐、难储藏）和规格不易统一的特点。同时，农产品生产也不同于工业品生产，从农田到餐桌，要经过农业产地环境、农业投入品使用、收获屠宰捕捞、储藏运输、保鲜、包装等多个环节，供应链条长，生产环境复杂，污染源多，监管方式具有特殊性，农产品质量安全监管的难度大。针对上述特点及我国农产品生产经营方式分散、生产规模小、品种和产品品牌不统一、加工水平和产业化经营水平低、工业污染和农业生产自身污染严重的现实，并借鉴国际通行的“从农田到餐桌”全程控制管理农产品质量安全的先进经验，农产品质量安全法从我国农业的实际出发，遵循农产品质量安全管理的客观规律，针对保障农产品质量安全的主要环节和关键点，确立了相关的基本制度，主要包括：一是政府统一领导，农业主管部门依法监管，其他有关部门分工负责的农产品质量安全管理体制。二是农产品质量安全标准的强制实施制度。政府有关部门应当按照保障农产品质量安全的要求，依法制定和发布农产品质量安全标准并监督实施；不符合农产品质量安全标准的农产品，禁止销售。三是防止因农产品产地污染而危及农产品质量安全的农产品产地管理制度。四是农产品包装和标识管理制度。五是农产品质量安全监督检查制度。六是农产品质量安全的风险分析、评估制度和农产品质量安全的信息发布制度。七是农产品质量安全事故报告制度。八是对农产品质量安全违法行为的责任追究制度。上述各项基本制度的具体内容，在农产品质量安全法中都有明确规定。这些法定基本制度具有很强的针对性和可操作性，严格贯彻执行上述制度将使我国的农产品质量安全得到有力保障。

2. 维护公众健康

目前，由于农产品产地环境污染、投入品的不科学使用、运输和经营过程的污染等因素，特别是一些不法生产者违规使用高残留农（兽）药、饲料添加剂等投入品的违法行为，使得一些农产品中重金属、农药等有毒有害物质残留超标引起的人畜中毒事件时有发生，严重危害了人民群众的身体健康和生命安全。这反映出农产品质量安全面临的形势很严峻，农产品质量安全管理工作任重道远。同时，随着我国经济社会的发展和人民生活水平的提高，消费者对农产品质量安全的要求也日益提高，我国农产品的品质也必须符合人民群众日益增长的生活水平的需要。本着对人民负责的态度，应当以法律的形式规范农产品生产经营的各个环节，确立各种有效的制度，使各种违法行为都承担应有的法律责任，从而做到在确保农产品安全的基础上逐步提高农产品品质，保证广大人民群众的身体健康和生命安全。因此，本法的第二个立法目的就是维护公众健康。

本法在对农产品的产地管理、投入品规范、生产过程控制、质量追溯等制度的设置上都体现了保障农产品质量安全、维护公众健康的立法目的，特别是设立了严格的市场准入制度，在农产品进入市场时把好三道关：一是对农产品生产企业和农民专业合作经济组织，要求其所生产的经检测不符合农产品质量安全标准的农产品，不得销售；二是对农产品批发市场，要求其应当对进场销售的农产品质量安全状况进行抽查检测，发现不符合农产品质量安全标准的，应当要求销售者立即停止销售，并向农业行政主管部门报告；三是对农产品销售企业，要求其对所销售的农产品，应当建立健全进货检查验收制度，经查验不符合农产品质量安全标准的农产品，不得销售。同时，明确规定含有国家禁止使用的农药、兽药或者其他化学物质的；农药、兽药等化学物质残留或者含有的重金属等有毒有害物质不符合农产品质量安全标准的；含有的致病性寄生虫、微生物或者生物毒素不符合农产品质量安全标准的；使用的保鲜剂、防腐剂、添加剂等材料不符合国家有关强制性技术规范的以及其他不符合农产品质量安全标准的农产品，不得销售。并对违反上述规定的行为，设定了相应的法律责任。这些规定都是对维护公众健康这一立法目的的有力保障。

3.促进农业和农村经济发展

制定农产品质量安全法的目的还包括提高我国农产品的国际竞争力，进一步推进现代农业建设，促进农民增收和农业农村经济发展。

我国是农产品出口大国。2004年，中国农产品出口额已达到233.9亿美元，居世界第五位，仅次于美国、欧盟、加拿大和巴西。农产品出口对农业和农村经济发展、农民增收起到了重要的推动作用。以山东为例，2004年，山东的农产品出口创汇占全省农业增加值的比重达到了36.9%，全省农民可通过农产品出口实现人均增收600元，带动农民人均纯收入增加4个百分点，还大大拓展了农民的就业空间。

加入 WTO 以后，我国农产品日益融入国际市场，同时遇到越来越多的贸易壁垒。近年来，因质量安全问题导致我国出口农产品遭遇退货、扣押、销毁、索赔、终止合同等现象十分突出。出口受阻农产品从个别品种扩展至一般动物源性食品与果蔬产品。一些进口国凭借体系健全、技术领先、设备先进的优势，以质量安全为由不断提高农产品进口市场准入门槛，设置技术性贸易壁垒。它们不仅关注特定批次农产品的品质，更关注出口国对农产品产地环境、投入品的使用和对生产经营全过程是否进行有效的监管，出口国有没有科学的农产品质量安全标准等。据统计，2002 年我国 90% 的农产品出口企业不同程度地受到国外技术壁垒的影响，经济损失高达 90 亿美元。因此，以法律的形式建立农产品标准化体系、监测检测体系等相关体系，完善各项制度，对提高我国农产品质量，增强我国农产品的国际竞争力，增加农民收入，促进农业结构调整，推进农业现代化建设都具有重要意义。

第二条　本法所称农产品，是指来源于农业的初级产品，即在农业活动中获得的植物、动物、微生物及其产品。

本法所称农产品质量安全，是指农产品质量符合保障人的健康、安全的要求。

【释义】　本条是关于农产品和农产品质量安全的定义及本法调整范围的规定。

本条包括以下内容

1. 关于本法所称农产品的定义

本法所称的农产品与日常生活中使用农产品的概念有所不同。《中国大百科全书·农业》将农产品解释为：广义的农产品包括农作物、畜产品、水产品和林产品；狭义的农产品则仅指农作物和畜产品。《经济大辞典·农业经济卷》将“初级产品”定义为：初级产业产出的未加工或只经初加工的农、林、牧、渔、矿等产品。其中有的直接用于消费，有的用作制造其他产品的原料。初级产品有的是未经加工的原始形态的产品，有的是经过初步加工的产品。法律中相关用语的定义可以是自然科学的定义，也可以是根据法律所调整的社会关系做出的解释。本条关于农产品的定义，属于后者。

加强农产品质量安全监督管理，才能保障直接食用的农产品或者以农产品为原料加工、制作的食品的质量安全。因此，农产品质量安全法规定：本法所称农产品，是指来源于农业的初级产品，即在农业活动中获得的植物、动物、微生物及其产品。这里讲的“农业活动”，既包括传统的种植、养殖、采摘、捕捞等农业活动，也包括设施农业、生物工程等现代农业活动。“植物、动物、微生物及其产品”，通常是指在农业活动中直接获得的以及经过分拣、去皮、剥壳、粉碎、清洗、切割、冷冻、打蜡、分级、包装等加工，但未改变其基本自然性状和化学性质的产品。

2. 关于本法所称农产品质量安全

加强农产品质量安全管理工作，是新世纪新阶段加快发展优质、高产、高效、生态、安全农产品生产，推进现代农业建设的重要举措，是坚持以人为本、对人民负责的具体体现。保障农产品的食用安全是农产品质量安全法的核心内容。通常说，农产品质量既包括涉及人体健康、安全的质量要求，也包括涉及产品的营养成分、口感、色香味等非安全性的一般质量指标。需要由法律规范、实行强制监管、保障的，主要应当是农产品质量中的安全性要求。为此，农产品质量安全法规定：本法所称农产品质量安全，是指农产品质量符合保障人的健康、安全的要求。农产品质量安全标准是强制性的技术规范，市场上销售的农产品必须符合农产品质量安全标准，禁止生产、销售不符合国家规定的农产品质量安全标准的农产品。符合这种标准的农产品通常称为无公害农产品,等同于其他国家的安全农产品。无公害农产品是指使用安全的农药、兽药、饲料和饲料添加剂、化肥等农业投入品,按照规定的技术要求生产的农产品,其产地环境、产品质量符合国家保障农产品质量安全的强制性的最低要求。对符合农产品质量安全标准的农产品,本法还规定,生产者可以申请使用无公害农产品标志。这样便于消费者识别和责任追究。

无公害农产品作为农产品市场准入的基本条件,目的是保证消费的基本安全,法律对此做出明确的安全要求是必要的。至于农产品的非安全性的质量指标,主要应通过政策的指引、扶持和政府部门的指导、帮助,以及优质优价、优胜劣汰的市场机制,来引导、促使生产者提高农产品质量,满足消费者的特殊需求。在实践中绿色食品等已成为我国优质农产品的代名词,得到了国内外的认可,在农民增收、农业增效和促进农产品出口方面发挥了重要作用。因此,本法同时规定,国家鼓励、支持生产优质农产品;农产品质量符合国家规定的有关优质农产品标准的,生产者可以申请使用相应的农产品质量标志。

第三条　县级以上人民政府农业行政主管部门负责农产品质量安全的监督管理工作;县级以上人民政府有关部门按照职责分工,负责农产品质量安全的有关工作。

【释义】 本条是关于农产品质量安全管理体制的规定。

规范和明确农业行政主管部门依法监管,其他有关部门分工负责的农产品质量安全管理体制。

县级以上人民政府农业行政主管部门负责农产品质量安全的监督管理工作。在本法中明确农业行政主管部门在农产品质量安全监管中的职责有:(1)设立农产品质量安全风险评估专家委员会;(2)发布农产品质量安全状况信息;(3)组织实施农产品质量安全标准;(4)禁止生产区域的划分和调整;(5)建设各类标准化示范区;(6)制定保障农产品质量安全的生产技术要求和操作规程;(7)农业投入品监督抽查和结果公布;(8)农业投入品使用管理和引导;(9)农产品包装和标识管理;(10)农产品质量安全监测和对生产中、市场上销售农产品的监督抽查;(11)质检机构资质认定和审核;(12)快速检测方法的认定;(13)对经检测不符合农产品质量安全标准的农产品采取查封和扣押的行政强制措施;(14)对农产品质量安全事故进行处理;(15)对检测机构违反法律规定、生产记录违法行为、保鲜剂等使用的违法行为、生产企业和农民专业合作经济组织销售的农产品不符合农产品质量安全标准行为给予处罚。

县级以上人民政府有关部门按照职责分工,负责农产品质量安全的有关工作。农产品质量安全管理还涉及工商、质检、卫生、食药等有关部门的工作。有关部门应当按照国务院和地方政府确定的职责分工,依照本法规定,各负其责,与农业行政主管部门密切配合,做好农产品质量安全的有关工作。

第四条　县级以上人民政府应当将农产品质量安全管理工作纳入本级国民经济和社会发展规划,并安排农产品质量安全经费,用于开展农产品质量安全工作。

【释义】　本条是关于人民政府须将农产品质量安全管理工作纳入本级国民经济和社会发展规划以及农产品质量安全经费的规定。

农产品质量安全关系到广大人民群众的身体健康和生命安全,关系到新时期农业和农村经济的健康发展。党中央、国务院历来高度重视农产品质量安全工作,国务院领导对此多次批示,国家也采取了一系列措施,如开展农药等农业投入品的专项整治,推进“无公害食品行动计划”,对提高农产品质量安全起到了积极的促进作用。但是存在的问题依然突出，如农产品质量安全管理的经费不足、人员力量不够。为此，本法特别要求县级以上人民政府应当将农产品质量安全管理工作纳入本级国民经济和社会发展规划，并安排农产品质量安全经费，用于开展农产品质量安全工作。

国民经济和社会发展规划是我国社会主义现代化建设的宏伟蓝图，国家通过国民经济和社会发展规划实现统筹规划和部署经济发展和社会发展。国民经济和社会发展规划要根据经济社会发展需要和社会财力、物力的可能，合理地确定经济社会发展战略和宏观调控目标。国民经济和社会发展规划包括中长期计划和年度计划，无论是中长期计划还是年度计划，都是对经济和社会发展的统一部署，从而使各项社会事业在经济发展的同时也相应得到发展。农产品质量安全工作是国民经济和社会发展的重要内容之一，通过将其依法纳入国民经济和社会发展规划，有计划地安排农产品质量安全经费，有利于保障农产品质量安全工作的各项措施顺利实施。同时也表明，国家将农产品质量安全工作作为保障农产品质量安全、维护公众健康、促进农业和农村经济发展的一项重要战略任务。

按照本条的要求，县级以上人民政府应当将农产品质量安全管理工作纳入本级国民经济和社会发展规划，并安排农产品质量安全经费，用于开展农产品质量安全工作。本条有两层含义：一是县级以上各级人民政府，即包括国务院、省（自治区、直辖市）、市级和区（县）级人民政府，都应当将农产品质量安全管理工作纳入本级国民经济和社会发展规划。二是县级以上各级人民政府应当安排农产品质量安全经费，用于开展农产品质量安全工作，保证农产品质量安全工作的顺利开展。农产品质量安全经费应当包括用于开展农产品质量安全各项行政工作及支撑农产品质量安全工作的公益事业开支等。

第五条 县级以上地方人民政府统一领导、协调本行政区域内的农产品质量安全工作,并采取措施,建立健全农产品质量安全服务体系,提高农产品质量安全水平。

【释义】 本条是关于地方人民政府应当采取措施加强农产品质量安全管理的规定。

1. 县级以上地方人民政府统一领导、协调本行政区域内的农产品质量安全工作

《国务院关于进一步加强食品安全工作的决定》(国发〔2004〕23号)要求,坚持"全国统一领导、地方政府负责、部门指导协调、各方联合行动"的食品安全工作机制。强化地方政府对食品安全监管的责任。地方各级人民政府对当地食品安全负总责,统一领导、协调本地区的食品安全监管和整治工作。国务院决定是针对食品安全工作,把农产品作为食品原料和食品安全的源头来界定,因此本法明确了农产品质量安全工作由县级以上地方人民政府统一领导协调的职责,强化了地方人民政府的职责。

2. 县级以上地方人民政府要采取措施,建立健全农产品质量安全服务体系,提高农产品质量安全水平

农产品质量安全工作不是孤立的体系,而是一个复杂的系统工程。真正做好农产品质量安全工作,不仅需要内在体系的不断完善,还要求外在体系的强力支撑。因此,本条规定由县级以上地方人民政府采取措施,建立健全农产品质量安全服务体系,提高农产品质量安全水平。农产品质量安全服务体系,是与农产品质量安全工作相关的内在发展和外在支撑各类服务工作的有机系统,包括农产品质量安全科研技术、经费保障、人员编制、检验检测及相关基础设施建设等内容。

第六条 国务院农业行政主管部门应当设立由有关方面专家

组成的农产品质量安全风险评估专家委员会，对可能影响农产品质量安全的潜在危害进行风险分析和评估。

国务院农业行政主管部门应当根据农产品质量安全风险评估结果采取相应的管理措施，并将农产品质量安全风险评估结果及时通报国务院有关部门。

【释义】 本条是关于农产品质量安全风险评估制度的规定。

制定本条的目的

一是明确国务院农业行政主管部门应当设立农产品质量安全风险评估专家委员会；二是规定了要以风险评估结果作为农产品质量安全管理的科学基础。

本条主要概念解释

危害：它是指农产品中潜在的将对人类、动植物健康或环境产生不良效应的生物、化学或物理性因子或条件。

风险：它是指将对人类、动植物健康或环境产生不良效应的可能性和严重性，这种不良效应是由农产品中的某种危害所引起的。

风险分析：它是指对人类、动植物健康或环境可能产生不良效应的危害进行评价，并在此基础上采取的规避或降低危害影响的措施。风险分析是由风险评估、风险管理和风险交流三个部分共同构成的一个过程。

风险评估：它是指在特定条件下，对动植物和人类或环境暴露于某危害因素产生或将产生不良效应的可能性和严重性的科学评价。风险评估包括危害识别、危害描述、暴露评估和风险描述四个步骤。

风险管理：它是指根据风险评估结果，对备选的管理方案进行权衡，并且在需要时选择和实施恰当的控制措施，包括管理和监控的过程。

风险交流：它是指在风险评估人员、风险管理人员、生产者、消费者和其他有关团体之间就与风险有关的信息和意见进行相互交流。

本条包括以下内容

1. 国务院农业行政主管部门应该开展农产品质量安全风险分析和风险评估工作

风险评估是风险管理的技术基础，本法中明确指出国家应该进行农产品质量安全风险评估，从法律层面为今后农业行政主管部门实施的农产品质量安全管理工作奠定了科学的基础。第一，明确风险评估法律地位，顺应了有关国际条约要求和世界各国农产品质量安全立法的立法趋势。世界贸易组织（WTO）的 SPS 协定第二条和第五条，以及 TBT 协定第二条均赋予风险评估极高的贸易争端仲裁地位。另外，2002 年生效的《欧盟新食品法》第六条明确了构建欧盟风险分析的框架。日本 2003 年制定的《食品安全基本法》也明确强调食品质量安全管理必须基于风险评估等。国外农业部门已经开始启动农产品质量安全的风险评估工作，如美国农业部在原有风险评估工作的基础上，于 2003 年 7 月成立了食品安全风险评估委员会，加强各机构之间风险评估计划和行动的合作与交流，为管理和决策提供统一的科学依据。加拿大农业和农业食品部所属的食品检验署（CFIA）负责风险评估。我国农产品质量安全法突出风险评估地位，顺应了国际发展趋势。第二，开展风险评估工作，有利于实现我国农产品质量安全管理科学化。风险评估的事实认定来源、评估手段及结论鉴定方法等都基于科学性原则，而风险管理源自风险评估结论，从而使管理从感性决策过渡到理性决策，最终提高农产品质量安全。第三，风险评估是全球认同并致力推广的模式，符合国际做法。农药、兽药、生物因素及转基因产品等的出现，使人类饮食安全受到极大挑战，管理无的放矢日趋严重。风险评估的出现解决或部分解决了该问题，在满足农产品质量安全要求的同时又降低了监管成本。继 SPS/TBT 协议后,WTO 成员方都遵循此框架共同积极推广风险评估模式。最后,风险评估是各国打破和建立农产品技术性贸易措施的重要技术基础。一方面,农产品贸易过程中必然涉及进出口标准及检验检疫措施,风险评估的技术合理性及科学性是有效打破技术性贸易措施的重要手段。近年来发达国家在农产品贸易摩擦中直接或间接应用风险评估解决贸易争端,凸显了风险评估的重要性。另一方面,风险评估技术在全球运用不成熟、各国掌握程度不一及该技术本身不完善等因素,导致该项技术领先国家,以此构建农产品贸易技术性壁垒或作为贸易保护手段,因此在我国开展风险评估工作刻不容缓。

目前,农业部在农产品质量安全监管方面已做了大量的工作,如负责农业行业标准的制定(修订)、官方评议工作、投入品管理、农产品产地管理等,但大多管理工作都是对现实状况和实践经验的总结,只在宏观层面上明确了管理的方向。由于农产品本身的特殊性,其存在的潜在风险较多,因而本法首次给予了农产品质量安全风险评估的法律地位,这将为农业部门更加科学、合理和有效地对农产品质量安全进行管理奠定基础。

2. 农产品质量安全风险分析和风险评估工作由国务院农业行政主管部门设立的农产品质量安全风险评估专家委员会进行,专家委员会应由来自各方面的专家组成

风险分析和风险评估是一项技术性和政策性很强的工作,必须组织多个专业、学科领域的专家共同协作去完成。同时,风险分析和风险评估工作代表国家的整体利益,应该由国家这一层次去开展,以避免人力、资金等资源的重复投入,所以本法规定由国务院农业行政主管部门设立专家委员会承担风险评估和分析工作。委员会的成员应来自与农产品“从农田到餐桌”整个供应链相关的监管及研究部门,包括农业、卫生、食药、质检、环保等,其研究领

域涉及微生物学、化学、动物兽医学、临床预防医学、毒理学、经济学、统计学等。

3. 风险分析和风险评估的对象是可能影响农产品质量安全的潜在危害

农产品是在农业活动中获得的产品。根据农产品特殊的生产过程及随着科学技术的发展可能出现的各种潜在危害,农产品质量安全风险评估针对的主要危害因素有:一是农业种养殖过程可能产生的危害,包括因不合理使用投入品造成的农药、兽药、添加剂等有毒有害物质残留污染,以及因产地环境造成的本底性污染和汞、砷、铅、铬、镉等重金属毒物、氟化物及持久性有机污染物等非金属毒物;二是农产品保鲜、包装、储运过程可能产生的危害,包括贮存过程中使用的保鲜剂、催熟剂和包装材料中有害化学物等产生的污染,以及流通渠道中导致的二次污染;三是农产品自身的生长或发育过程中产生的危害,如花生中的黄曲霉毒素等农产品本身的天然毒素就是目前农产品所面临的危害之一;四是农业生产中新技术的应用产生的危害,主要是由于技术发展(转基因技术)或物种变异而带来的新危害。

4. 国务院农业行政主管部门应当根据专家委员会的风险评估结果采取相应的管理措施

按照危害因素可能产生的危害级别,对于一些危害严重的因素,国务院农业行政主管部门应该采取相应管理措施。这些措施包括对于预防危害发生的预警和应急管理措施,如禁止剧毒农兽药和添加剂的使用等;根据风险评估结果及时制定或修订有关强制性的农产品质量安全标准,指导生产者按照生产技术规程进行生产,包括推广应用危害分析和关键控制点(HACCP)技术、良好农业生产规范(GAP)等;根据风险评估结果制订农产品质量安全监测计划,对发现已经造成危害以及可能产生重大影响的危害因素实施定点监测等。

此外，国务院农业行政主管部门在得到专家委员会的风险评估结果后，应该将结果通报国务院食品药品监督、卫生、质检、工商等管理部门。

第七条　国务院农业行政主管部门和省、自治区、直辖市人民政府农业行政主管部门应当按照职责权限，发布有关农产品质量安全状况信息。

【释义】　本条是关于农产品质量安全信息发布的规定。

制定本条的目的

一是通过法律手段规范农产品质量安全信息的管理，明确农产品质量安全信息发布部门为农业行政主管部门，其他部门不得发布，以建立统一有序的信息发布制度；二是公开农产品质量安全方面的政府信息，保障人民群众的知情权，推动农产品质量安全管理。

本条主要概念解释

农产品质量安全信息：它是指在监测检查或研究过程中获得的关于农产品质量安全方面的数据、新闻和知识等信息。本条中提到的农产品质量安全信息主要包括：一是农产品质量安全总体情况及趋势预测信息，例如全国或某个省的农产品质量安全状况；二是农产品质量安全监测、评价信息，例如对全国或某个省进行农产品质量安全监测获得的信息；三是农产品质量安全事件信息，例如类似香河毒韭菜、染色橙等突发事件的有关信息；四是其他农产品质量安全监管信息。

本条包括以下内容

1. 国务院农业行政主管部门和省、自治区、直辖市人民政府农业行政主管部门发布有关农产品质量安全状况信息

本条从法律上明确了农产品质量安全信息由农业行政主管部门统一发布，其他部门不可以发布。同时规定农产品质量安全信

息由国务院农业行政主管部门和省、自治区、直辖市人民政府农业行政主管部门发布，省级以下人民政府农业行政主管部门不得发布农产品质量安全信息。如特别需要，必须得到所在省、自治区、直辖市农业行政主管部门授权。

2. 农产品质量安全信息统一由国务院农业行政主管部门和省、自治区、直辖市人民政府农业行政主管部门按照职责权限予以发布

本条从法律上明确规定了发布农产品质量安全信息的国务院农业行政主管部门和省、自治区、直辖市人民政府农业行政主管部门，必须按照职责权限予以发布。一般而言，国务院农业行政主管部门负责发布全国性的、跨省域、综合性的农产品质量安全信息，例如全国农产品质量安全例行监测信息、普查信息、重大质量安全事故和区域性的农产品质量安全状况等方面的信息；省、自治区、直辖市人民政府农业行政主管部门负责发布本辖区内的农产品质量安全信息，包括全省的农产品质量安全状况、省内发生的突发事件、通过对本省农产品质量安全监测得到的数据信息等。值得注意的是，本辖区内的农产品质量安全信息中，也包括外省市农产品在本辖区内销售而被监测得到的信息。

本条执行中应注意以下问题

1. 农产品质量安全信息要向社会公开

农产品质量安全信息属于政府信息的一部分。政府信息公开是推进民主政治、推进政治体制改革、推进政治文明的重要措施，是确保公众充分享有农产品质量安全方面的知情权、监督权的有效途径。

2. 农产品质量安全信息发布要制度化

国务院农业行政主管部门和省、自治区、直辖市人民政府农业行政主管部门要建立规范的农产品质量安全信息发布制度。要根据农产品质量安全工作的实际情况，制定相应的信息发布管理的规章制度，明确信息的内容（哪些信息可以发布）、发布的范围、时

间和方式、方法等,使信息发布工作有章可循。

3. 信息发布部门要增强责任感

信息一旦向社会公开发布,信息发布部门的工作就接受了全社会的监督,因此,国务院农业行政主管部门和省、自治区、直辖市人民政府农业行政主管部门必须增强责任感,确保信息发布的真实性、可靠性、实效性和权威性。

第八条　国家引导、推广农产品标准化生产,鼓励和支持生产优质农产品,禁止生产、销售不符合国家规定的农产品质量安全标准的农产品。

【释义】　本条是关于推行农业标准化生产、发展优质农产品,以及禁止生产、销售不符合标准农产品的规定。

制定本条的目的

一是明确国家政策取向,引导、推广农产品标准化生产;二是支持发展优质农产品,保证生产出符合农产品质量安全标准的农产品,以保证消费安全,提高农产品品质和市场竞争力。

本条主要概念解释

标准化:它是指为在一定范围内获得最佳秩序,对实际的或潜在的问题制定共同的和重复使用的规则的活动,也就是制定、发布及实施标准的过程。它的作用是改进产品、过程和服务的适用性,防止贸易壁垒,促进技术合作和流通贸易。

农产品标准化生产:是指按照标准要求,对农产品生产的产前、产中、产后进行全过程规范和控制。其根本目的,一是保证农产品质量安全水平达到市场准入门槛,保障农产品的消费安全;二是提高农产品的品质规格,满足消费者对农产品优质化、规格化的要求,促进农产品流通,提高农产品的市场竞争力。

优质农产品:是指质量优良的农产品,即不仅质量符合保障人的健康、安全的要求,而且在外观、营养、口感、风味等方面也能得到消费者青睐的农产品。

本条包括以下内容

1. 国家引导、推广农产品标准化生产

农产品标准化生产是现代农业的一个重要标志，没有农业的标准化就没有农业的现代化。实行农产品标准化生产，是保障农产品消费安全，提高农产品质量和市场竞争力的治本之策。

(1)国家引导、推广农产品标准化生产，坚持以工业化理念发展农业，提升农业产业竞争力和农业综合生产能力。在农业领域推进标准化，既是市场经济发达国家提升农业产业素质的一条基本途径，也是以工业化理念谋划农业，实现农业与工业对接，两大部类经济协调发展的一条基本经验。我国一些农业现代化水平较高的地区，在积极探索农业发展道路的过程中，都不约而同地通过农业标准化最终使农业的产业水平得到提升。实施农业标准化，用工业化的理念谋划农业发展，用工业化的生产经营方式经营农业，能够有效促进农业内部分工，实行专业化生产、集约化经营、社会化服务，提高农业产业的整体质量和效益。实施农业标准化，可以实现农业行业各环节、各方面资源的优化配置，有利于在现有自然资源和科学技术水平条件下实现最大的产出，提升农业产业的竞争能力。实施农业标准化，是新时期以工业化理念指导农业发展的“着陆点”和“切入点”。

(2)国家引导、推广农产品标准化生产，要促进现代管理和现代技术有机结合，加速传统农业向现代农业转变。标准化集现代科学技术和现代管理技术于一体，具有科技推广和科学管理的双重属性。农业标准化以农业科学技术和实践经验为基础，运用简化、统一、协调、选优原理，把科研成果和先进技术转化为标准，在农业生产和管理中加以实施应用，能够实现对农业生产从农田环境、投入品、生产过程到产品的全过程控制，从技术和管理两个层面提高农业产业的素质和水平，加快传统农业向现代农业的转变，实现经济效益、社会效益、生态效益的“三统一”。

(3)国家引导、推广农产品标准化生产,要利用“两种资源”、“两个市场”,促进生产与市场的对接。农业发展进入新阶段以来,我国主要农产品实现了供求大体平衡、丰年有余。与此同时,市场流通对生产的导向作用也变得越来越明显,市场的倒逼作用也越来越显现。生产与市场能否实现有效对接,已成为当前推进农业和农村经济发展不容回避的重要问题。从国内看,随着人民生活水平显著提高,对发展高产、优质、高效、生态、安全农产品的要求更加紧迫,无公害农产品、绿色食品、有机农产品、地理标志农产品广为消费者青睐。农产品的“标准”成为实现安全消费,评价产品质量优劣和衡量产品价值的重要依据。从国际看,我国加入世界贸易组织后,农产品参与国际市场竞争的机会增加了,但我们的农产品出口没有达到预期水平,主要障碍是遭遇技术性贸易壁垒。因此,无论是从我国农业发展的阶段性内在要求出发,还是从参与国际竞争的现实压力出发,都必须把农业标准化作为当前农业和农村经济工作的主攻方向。

(4)国家引导、推广农产品标准化生产,就是要转变农业部门的职能,使其履行好农产品质量安全监管职责。如何从国情、农情出发,在小农户、大市场的基础上提高农产品质量安全水平,履行好农产品质量安全监管职能?答案是必须确立新思路、采取新措施。积极推行农业标准化,充分运用标准集管理和技术为一体的独特优势,用标准来规范各责任主体在农业产地环境治理、农业投入品使用、农业生产过程、农产品收获、农产品包装上市各个环节的行为,以标准为手段,向农业各行业、各环节渗透农产品质量安全监管措施,是市场经济条件下各级政府和农业部门行政职能强化的具体体现。

2. 国家鼓励和支持生产优质农产品

大力发展适销对路的优质农产品,是实现农业增效、农民增收的必由之路。1992 年,《国务院关于发展高产优质高效农业的决定》提出,以市场为导向继续调整和不断优化农业生产结构;以流通为重点建立贸工农一体化的经济体制;依靠科技进步发展高效农业,加快农业高新技术开发及产业化。《国民经济和社会发展“十一五”规划纲要》明确提出,要发展高产、优质、高效、生态、安全农产品。因此,本法进一步明确国家鼓励和支持生产优质农产品,从政策导向上推进和促进优质农产品的生产和发展。从现实的农产品生产、消费看,优质农产品主要是指绿色食品、有机农产品、地理标志农产品、名牌农产品和一些地方特色农产品。

我国的绿色食品是国家为提高农产品质量安全水平和市场竞争力而推出来的农业精品品牌。其特点是:产品质量安全达到发达国家水平,是我国优质农产品的代名词;以初级农产品为基础、加工农产品为主体;推行“两端监测、过程控制、质量认证、标志管理”的技术制度,重点控制 4 个环节,即产地环境的监测、生产过程管理、产品质量的检测,包装标识的规范;采取质量认证与证明商标管理相结合的方式,绿色食品标志是质量证明商标,用于证明产品无污染、安全、优质特性,依据本法及商标法、《集体商标、证明商标注册和管理办法》、《绿色食品标志管理办法》来监督、管理;以保护农业生态环境、增进消费者健康为基本理念,不以营利为目的,采取政府推动与市场拉动相结合的发展机制。

有机农产品是有机农业发展的产物,是为保持农业可持续发展,保护生态环境而开展起来的一种认证农产品。其特点是:产品质量安全达到国际同类产品水平,主要服务于出口贸易和高端市场消费;产品以初级和初加工农产品为主;按照有机农业方式生产,强调对生产过程的控制和常规农业向有机农业转换,推行不用化学投入品的技术制度,保护生态环境和生物多样性,维护人与自然的和谐关系;按照国际惯例,采取市场化运作的发展机制。

地理标志农产品是指来源于某地区,产品的特定质量、信誉或者其他特征主要由该地区的自然因素或者人文因素所决定,冠以地域名称的农产品。我国是通过商标法以注册证明商标或集体商标的方式来保护地理标志的,这也是国际上保护地理标志的一种主要方式。对农产品实施地理标志保护,是国际通行的做法,世界贸易组织(WTO)《与贸易有关的知识产权协定》(TRIPS)对此有专门规定。《中华人民共和国农业法》第二十三条规定:"符合规定产地及生产规范要求的农产品可以依照有关法律或者行政法规的规定申请使用农产品地理标志。"《中华人民共和国商标法》规定,地理标志可以通过申请注册证明商标或集体商标进行保护。

3. 禁止生产、销售不符合国家规定的农产品质量安全标准的农产品

不符合国家规定的标准的农产品在人、动物食用或用于加工后可能对人体或动物的健康、安全或环境造成危害。为此,本法针对实际中存在的违反国家规定的生产或销售行为,做了明确的禁止性规定。

第九条　国家支持农产品质量安全科学技术研究,推行科学的质量安全管理方法,推广先进安全的生产技术。

【释义】　本条是关于农产品质量安全科研与推广的规定。

制定本条的目的

农产品质量安全管理工作是一项科学性很强的工作,要以风险评估为科学基础,因此本条以法律的形式明确要推动农产品质量安全的科研与推广工作,各有关部门必须将其作为法定任务,认真完成。

本条包括以下内容

1. 国家应当支持农产品质量安全技术研究

农产品质量安全工作,是一项涉及生态、环境、资源、经济、人

口、社会等问题的系统工程，与农产品的产地环境、生产过程的投入品使用、产后的收获储运和加工等一系列环节密切相关，必须给予强有力的科学技术支撑，才能实现系统良性循环，才能有效地提高农产品质量安全水平，增强农产品的市场竞争力。在我国农业和农村经济实行战略性调整后，农产品质量安全管理工作得到了各级政府和社会各界的极大关注，农产品质量安全的技术研发工作也得到了各级政府的高度重视，在国家的各类科技计划中都已把有关农产品质量安全的相关技术研究作为重点内容。尽管我国农产品质量安全水平迈上了新的台阶，但是，当前我国农产品质量安全存在的问题依然突出，农产品质量安全水平的整体提升速度滞缓，农产品质量安全事件和出口受阻现象时有发生。影响我国农产品质量安全状况的因素很多，有直接的因素，也有间接的因素，有生产、加工、流通的因素，也有技术、管理方面的因素。从技术角度看主要存在以下几点：一是科技力量薄弱，长期以来缺乏专职从事农产品质量安全源头控制和检测技术研究的机构。二是科研投入不足，影响了农产品质量安全科技的发展。三是农产品质量安全标准体系有待健全，现行标准的配套性、针对性和国际对接性都还有一定的差距。四是农产品质量安全生产和检测技术缺乏，无害化生产技术、高效低毒低残留农业投入品、快速高效的检验检测方法等技术非常缺乏。五是风险分析与安全性评价等基础工作尚处于起步阶段。因此，国家今后应该加强农产品质量安全科研工作，重点支持农产品质量安全过程控制技术、产地溯源技术、质量安全评价技术、产地环境调控技术等研发。

2. 国家要推行科学的质量安全管理方法

近年来，国家在推进“无公害食品行动计划”中强调对农产品实施“从农田到餐桌”的全程管理、以风险评估为基础的科学管理等管理理念，通过加快农产品标准化生产能力、农业投入品监管能力、农产品质量安全例行监测能力、农产品质量安全追溯能力和农产品质量安全技术创新能力建设,有效地提升了我国农产品质量安全管理能力和水平。全国各地已经发展和创新各种有效的质量安全管理方法,今后应该进一步加大推广和实施力度。一是在农业投入品监管上,严格农业投入品市场准入管理,健全农药、兽药、饲料及饲料添加剂等重要农业投入品质量监测制度,完善标签、标识等监管手段,加快对高残毒农业投入品的禁用、限用和淘汰进程。二是在农产品质量安全追溯制度建设上,逐步推行和实现生产记录可存储、产品流向可追踪、储运信息可查询。结合优势农产品生产基地、标准化生产基地和无公害农产品生产示范基地建设,探索推广农产品生产档案登记制度。争取在农产品生产、加工、包装、运输、储藏及市场销售等各个环节,建立完备的质量安全档案记录和农产品标签管理制度,把产品标签与农产品认证标志、地理标志、产品商标等结合起来,逐步形成产销区一体化的农产品质量安全追溯信息网络。三是在农产品质量安全认证工作上,尽快形成以无公害农产品为基础,以绿色食品为重点,以有机农产品为补充的认证体系和工作格局。四是在农产品市场准入制度上,结合农产品产地认定和产品标识认证管理,大力推进农产品质量安全市场准入制度,强化生产基地和批发市场的自律性检测制度。各地对获得无公害农产品、绿色食品标志使用权的农产品,可以免予检测直接进入市场销售。鼓励批发市场、农贸市场和超市与生产基地建立产销合作机制,推行连锁经营和直销配送。积极开展对农产品生产、加工、运销等各环节的监管,使农产品准出与准入制度紧密连接。推进农业品牌战略,加快推行农产品分级包装上市。

3. 国家要推广先进安全的生产技术

优质安全农产品是生产出来的,因此,如何从生产这个源头去控制农产品的质量安全就显得十分重要。中央和地方政府近年来通过支持农产品质量安全方面的科研项目,已经取得了一些先进的安全生产技术成果,特别是各级政府在实施“无公害食品行动计划”中，总结出一大批无公害农产品生产技术，这些先进安全的生产技术在推广应用中成效显著。同时，中国的农业生产组织方式和生产者的基本素质等现实状况，决定了中国的农业技术推广工作应主要由政府扶持，而且农业技术推广法中也明确规定了政府和各级农业技术推广机构的职责。农产品质量安全生产技术作为农业生产技术的重要组成部分，需要政府加大推广力度。

第十条　各级人民政府及有关部门应当加强农产品质量安全知识的宣传，提高公众的农产品质量安全意识，引导农产品生产者、销售者加强质量安全管理，保障农产品消费安全。

【释义】　本条是关于各级政府及有关部门在农产品质量安全知识宣传方面责任的规定。

1. 加强农产品质量安全知识宣传对保障农产品质量安全具有重要意义

由于我国的农业生产长期以来都以千家万户分散经营为主，农业机械化水平较低，农业标准化、现代化生产与发达国家还有很大的差距。我国加入世贸组织后，这一问题更加突出。国家必须采取措施，解决这一问题。而农产品质量安全知识宣传是发展标准化、现代化农业的前提条件之一。只有让社会、农产品生产者，特别是广大农民了解、掌握农产品质量安全知识，提高公众的农产品质量安全意识，才能保证标准、先进的农业生产技术及其相应的技术规程和操作规范在农业生产中得到有效应用，才能保证农产品质量安全，保障农产品消费安全。

2. 按照本条规定，各级人民政府及有关部门应当加强农产品质量安全知识的宣传，提高公众的农产品质量安全意识，引导农产品生产者、销售者加强质量安全管理，保障农产品消费安全

由于开展农产品质量安全知识宣传也是科学技术普及的内容之一，各级人民政府及其有关部门应当依照科学技术普及法的相

关规定，结合本地实际，因地制宜地普及农产品质量安全知识，提高公众的农产品质量安全意识。宣传的内容可以包括农产品质量安全知识、优质农产品、优良品牌以及好的质量安全管理方法。宣传的途径可以是报纸、广播、电视等传统新闻媒体，也可以是网络等新的媒体。宣传形式可以是政府或部门自行组织开展群众性、社会性、经常性的农产品质量安全知识科普活动，也可以是支持有关社会组织和企事业单位开展农产品质量安全知识的宣传。

第二章 农产品质量安全标准

农产品质量安全标准是政府履行农产品质量安全监督管理职能的基础,是农产品生产经营者自控的准绳,是判断农产品质量安全的依据,是开展农产品产地认定和产品认证的依据,更是各级政府部门开展例行监测和市场监督抽查的依据。因此,没有标准,就无所谓质量安全;没有标准,就无所谓农产品质量安全监督管理。本章共4条,规定建立农产品质量安全标准体系,明确农产品质量安全标准的性质、制定(修订)的要求以及组织实施农产品质量安全标准的主体。

第十一条　国家建立健全农产品质量安全标准体系。农产品质量安全标准是强制性的技术规范。

农产品质量安全标准的制定和发布,依照有关法律、行政法规的规定执行。

【释义】　本条是关于农产品质量安全标准的性质、制定和发布的规定。

制定本条的目的

一是明确农产品质量安全标准的法律强制效力;二是明确农产品质量安全标准的制定和发布的法律规定。

本条主要概念解释

标准:根据国际标准化组织(ISO)的定义,标准是以科学、技术、经验的综合成果为基础,以促进最佳社会效益为目的,经协商一致并经一个公认机构所批准,在一定范围内共同遵守的技术性文件。在我国按照适用范围划分,可分为国家标准、行业标准、地方标准和企业标准四类。按法律的约束性可分为强制性标准和推荐性标准两种。其中强制性标准具有法律效力,必须执行;推荐性标准可自愿使用。

农产品质量安全标准:它是指依照有关法律、行政法规的规定制定和发布的农产品质量安全的强制性技术规范。一般是指规定农产品质量要求和卫生条件,以保障人的健康、安全的技术规范和要求。如农产品中农药、兽药等化学物质的残留限量,农产品中重金属等有毒有害物质的允许量,致病性寄生虫、微生物或者生物毒素的规定,对农药、兽药、添加剂、保鲜剂、防腐剂等化学物质的使用规定等。

在我国,对生产、加工、设计、检验等技术事项所做的统一规定称为规范。既包括标准,如 NY 764 –2004《高致病性禽流感疫情判定及扑灭技术规范》、NY/T 398 –2000《农、畜、水产品污染监测技术规范》;也包括行政决定,如《食品动物禁用的兽药及其他化合物清单》(农业部公告第 193 号)、《动物性食品中兽药最高残留限量》(农业部公告第 235 号)、《国家明令禁止使用的农药和不得在蔬菜、果树、茶叶、中草药材上使用的高毒农药品种清单》(农业部公告第 199 号);还包括部门技术性文件,如《中华人民共和国兽药典》。

本条包含以下内容

1. 国家建立健全农产品质量安全标准体系

农产品质量安全标准体系是农业标准体系中涉及农产品安全和质量中强制性的技术规范的有机系统。我国现行的农产品卫生标准、无公害食品系列标准等相关的强制性国家标准和行业标准都属于农产品质量安全标准。从农业标准化活动来看,农业标准体系是由范围或领域、内容、层级组成的三维立体结构。农业标准体系范围包括种植业、畜牧业、渔业等行业所涉及的标准。种植业包含水稻、小麦、玉米、大豆、油菜、棉花、蔬菜、水果、茶叶、花卉、食用菌、糖料、麻类、橡胶等不同产品所涉及的标准；畜牧业包含猪、牛、马、羊、鸡、鸭、兔、蜂、饲料等产品所涉及的标准；渔业包含鱼、虾、贝、藻等产品所涉及的标准。农业标准体系内容包括安全和质量两类标准。安全类标准，主要是影响农产品安全的物理性、化学性和生物性危害因素方面的标准，如《动物性食品中兽药最高残留限量》（农业部公告第 235 号）、NY 659 – 2003《茶叶中铬、镉、汞、砷及氟化物限量》；质量类标准，主要是农产品质量标准以及与农产品质量有关的标准。体系层级，主要是指其技术标准体系的层次结构。一般来讲，国外农业标准体系的层级由国家标准、协会标准和企业标准组成。而我国现行农业标准体系的层级，则由农业国家标准、行业标准、地方标准和企业标准 4 级组成，国家标准、行业标准和地方标准 3 个层级为政府性标准。

2. 农产品质量安全标准是强制性的技术规范

根据本条，农产品质量安全标准需要强制执行，是本法执法的主要依据，标准一旦发布就具有法律效力。在本法中第八条规定：禁止生产、销售不符合国家规定的农产品质量安全标准的农产品；在第三十三条中也明确规定了不符合农产品质量安全标准的农产品不得销售的内容。因此，生产和销售农产品的主体，如农产品生产企业、农民专业合作经济组织、农产品销售企业、批发市场、农贸市场、配送中心和超市，必须按照农产品质量安全标准的要求组织生产和销售，确保生产和销售的农产品各项参数达到农产品质量安全标准的要求。

3. 农产品质量安全标准的制定和发布，依照有关法律、行政法规的规定执行

目前关于标准制定和发布的法律和行政法规主要有标准化法、《标准化法实施条例》、《兽药管理条例》、《农业转基因生物安全管理条例》等。

标准化法第五条规定："国务院有关行政主管部门分工管理本部门、本行业的标准化工作。"《标准化法实施条例》对此条做了细化，并明确了国务院有关行政主管部门的职责。该条例第七条规定："国务院有关行政主管部门分工管理本部门、本行业的标准化工作，履行下列职责：（一）贯彻国家标准化工作的法律、法规、方针、政策，并制定在本部门、本行业实施的具体办法；（二）制定本部门、本行业的标准化工作规则、计划；（三）承担国家下达的草拟国家标准的任务，组织制定行业标准；（四）指导省、自治区、直辖市有关行政主管部门的标准化工作；（五）组织本部门、本行业实施标准；（六）对标准实施情况进行监督检查……"

《兽药管理条例》第四十五条第二款规定："国家兽药典委员会拟定的、国务院兽医行政管理部门发布的中华人民共和国兽药典和国务院兽医行政管理部门发布的其他兽药质量标准为兽药国家标准。"第四十二条第四款规定："兽药残留限量标准和残留检测方法，由国务院兽医行政管理部门制定发布。"

《农业转基因生物安全管理条例》第七条第二款规定："农业转基因生物安全评价的标准和技术规范，由国务院农业行政主管部门制定。"

因此，《兽药质量标准》《兽药残留限量标准和残留检测方法》《农业转基因生物安全评价标准》等农产品质量安全国家标准由国务院农业行政主管部门统一制定和发布。

第十二条　制定农产品质量安全标准应当充分考虑农产品质量安全风险评估结果，并听取农产品生产者、销售者和消费者的意见，保障消费安全。

【释义】　本条是关于农产品质量安全标准制定要求的规定。

制定本条的目的

明确农产品质量安全标准的制定应有充分的科学依据，并应充分听取利益相关方的意见,以确保制定标准的科学合理。

本条包含以下内容

1. 农产品质量安全标准中有关参数指标的设置必须要有充分的风险评估依据

从标准本身看,农产品质量安全标准一般规定两种指标,一种是质量性指标,如对牛奶中蛋白质含量的规定;一种是安全性指标,如对农药、兽药、重金属等化学物质的规定。这些指标的设置必须要考虑该物质对人体健康的可能危害。实践表明,风险评估是在特定条件下,对动植物和人类或环境暴露于某危害因素产生或将产生不良效应的可能性及严重性的科学评价。从国际惯例看,突出风险评估是国际上农产品质量安全及食品安全立法的趋势。世界贸易组织(WTO)《实施卫生与植物卫生措施协定》(SPS)第二条和第五条、《技术性贸易壁垒协定》(TBT)第二条均赋予风险评估的贸易争端仲裁地位。欧盟2002年实施的《欧盟新食品法》第六条明确要求构建欧盟的风险分析框架。日本等国近几年颁布的有关管理法律也都明确强调农产品质量安全管理必须基于风险评估等。因此,本法突出风险评估地位,既顺应了国际立法要求与发展趋势,也实现了我国农产品质量安全管理的科学化。

2. 农产品质量安全标准在制定过程中必须广泛听取各方意见

农产品质量安全标准是政府依法监管、依法行政的重要技术支撑,事关人体健康和生命安全,事关产业的发展。生产者、经营者、消费者、管理者等都是标准的利益相关主体。按照世界贸易组织(WTO)《实施卫生与植物卫生措施协定》(SPS)、《技术性贸易壁垒协议》(TBT)的规定以及国际标准化组织(ISO)的通行做法,标准的制定过程需要透明、开放、协商一致,其中协商一致是标准的基本条件。农产品质量安全法涉及社会各方责任和利益,作为该法的重要技术依据,农产品质量安全标准在制定过程中广泛征求和听取农产品生产企业、农民专业合作经济组织、批发市场、销售企业、消费者代表、政府部门、检验检测机构、科研教学单位、技术推广机构等单位以及个人的意见，这是与国际通行做法接轨、确保符合各相关主体的利益和提高实际执法效果的科学方法。

第十三条　农产品质量安全标准应当根据科学技术发展水平以及农产品质量安全的需要，及时修订。

【释义】 本条是对农产品质量安全标准修订工作的规定。

制定本条的目的

明确农产品质量安全标准的修订要求，以保证农产品质量安全标准科学、先进、适用。

农产品质量安全标准是人类在农业生产、消费活动中形成的自然知识和社会知识的集合。知识总是随着人类对世界的不断认识和不断改造而发展。如能有效促进动物个体生长的“瘦肉精”，最早是作为科研成果进行推广的，但是随着研究的深入，发现它对人体健康产生危害，故目前在农产品质量安全标准中，规定检出含有“瘦肉精”的产品不符合安全标准要求，“瘦肉精”不得检出。再如，由于“疯牛病”的出现，出于质量安全监管的需要，各国政府均对“肉骨粉”的使用做出了详细规定。因此，标准的作用是有阶段性的。作为科学技术和生产实践相结合的产物，农产品质量安全标准需要综合考虑产业发展需求、行政管理需要以及技术的成熟度和适用性等因素，不断完善修订。标准化法第十三条规定：“标准实施后，制定标准的部门应当根据科学技术的发展和经济建设的需要适时进行复审，以确认现行标准继续有效或者予以修订、废止。”《标准化法实施条例》第二十条规定：“标准实施后，制定标准的部门应当根据科学技术的发展和经济建设的需要适时进行复审。标准复审周期一般不超过五年。”按照国际通行做法，标准一般 3—5 年就应该进行复审，对于技术发展较快或市场变化较快的领域，标准的复审时限甚至不到2年。但是复审并不意味着必须要对标准进行修订，只有当标准的技术水平落后或不能满足农产品质量安全的需要时，标准才需要修订。根据复审意见，一项标准一般有3种结果：一是继续有效，二是修订，三是废止。不论是哪种结果，都需要由标准发布部门向全社会进行公告。

第十四条　农产品质量安全标准由农业行政主管部门商有关部门组织实施。

【释义】 本条是关于农产品质量安全标准组织实施方面的法律规定。

制定本条的目的

一是强化农产品质量安全标准的实施，充分发挥标准在农产品质量安全管理中的作用；二是确立了农业行政主管部门在组织实施农产品质量安全标准中的法律地位，以加大农产品质量安全标准的实施力度，有效保障农产品质量安全。

本条主要概念解释

农产品质量安全标准实施：它是指有组织、有计划、有措施地贯彻执行农产品质量安全标准的活动，是组织农产品生产经营者将标准规定的内容贯彻到生产、流通等环节中的过程。

本条包括以下内容

1. 强化农产品质量安全标准的推广实施

推广实施农产品质量安全标准，是促进农业科技成果转化为生产力的有效途径，是大力提升农产品质量安全水平和增强农产品国际竞争力的重要保证，是实现农业节本增效和农民增收的有力支撑，是建设现代农业和社会主义新农村的必由之路。随着我国农业和农村经济发展进入新阶段以及加入世界贸易组织，农产品质量安全标准的基础性和战略性作用受到社会广泛关注，党和政府把加强农业标准化工作写入了一系列文件之中。1999年，农业部和财政部共同设立了农业行业标准制定、修订专项，加大了农业标准化工作投入，加快了农产品质量安全标准制定和实施步伐。目前，我国已经发布农业国家标准近2000项，行业标准3000多项，地方标准7000多项。但从总体来看，我国农业标准化工作还相当薄弱，多数农产品质量安全标准并没有得到很好的推广实施。因此，通过立法形式，来强化农产品质量安全标准实施是非常必要的。当前，除继续巩固农业标准化示范区、无公害农产品标准化示范基地和示范农场、标准化养殖小区等实施示范形式外，还要重点搞好农业标准化示范县(场)创建活动，推动基地建设规模化、产地环境无害化、生产过程标准化、质量控制制度化、产品流通品牌化、生产经营产业化。

2. 加强农产品质量安全标准实施的组织工作

一个国家农产品质量安全标准的推广实施状况，既关系到国民的切身利益和身体健康，又涉及动植物健康、环境安全和资源及生态的可持续发展，而且还决定着本国农业在国际农产品贸易中的地位和竞争。因此，世界各国对农产品质量安全标准的组织实施工作都高度重视。美国、欧盟、日本等发达国家和地区，根据保障国民农产品消费安全、保护本国农业和发展进出口贸易的需要，相继采用了通过建立、实施完善的法律法规体系来规定和约束政府机构以及各类市场主体的行为，确立农产品生产经营企业、行业协会、农民在推广实施标准中的主体地位，组织实施检测、认证等合格评定程序，推行市场准入等措施来强化农产品质量安全标准的实施。鉴于我国农产品质量安全标准实施相对薄弱和农产品生产多属小规模分户生产经营以及农民组织化程度较低的状况，必须强化政府在农产品质量安全标准实施中的组织作用。政府要做好农产品质量安全标准的宣传普及工作，增强全社会农产品质量安全意识；做好农产品质量安全实施的规划和计划工作，有计划、有步骤、有针对性地实施农产品质量安全标准；做好农产品生产经营标准化生产和规范化管理工作，让农产品质量安全标准贯穿农业产前、产中、产后全过程；实施农产品质量安全市场准入制度和监测制度，保障农产品质量安全管理和监督标准实施落到实处；打造农业品牌，提升农产品质量安全标准实施效果。

3. 农产品质量安全标准组织实施的管理机关是农业行政主管部门

标准是农产品质量安全管理的手段，无论是制定标准还是实施标准，目的都是为农产品质量安全管理服务，农业行政主管部门不仅熟悉农产品生产和农业科学技术，而且负责农产品质量安全管理，本法规定农产品质量安全标准由农业行政主管部门组织实施，既有利于农产品质量安全标准的实施，也有利于农产品质量安全的管理，是国际社会的普遍做法。各级农业行政主管部门应当切实履行法律赋予的职责，认真做好农产品质量安全标准实施规划编制、计划制订、组织实施和实施检查工作，推动农产品质量安全标准实施范围的不断扩大，促进农产品质量安全标准实施层次的不断提升，力争农产品质量安全标准的推广实施到位率在近期内有显著提高。

4. 农产品质量安全标准的组织实施过程中应发挥有关部门的作用

由于农产品质量安全管理涉及方方面面，加之我国行政管理体制的特殊性，因而农业行政主管部门在农产品质量安全标准的组织实施过程中，要积极争取计划、财政、税务、科技、质检等部门的支持，吸纳社会各界积极参与农产品质量安全标准实施，出台农产品质量安全标准实施的扶持政策，保障农产品质量安全标准实施的经费投入。

本条执行中应当注意的问题

1. 农产品生产经营者既是农产品质量安全的第一责任人，也是农产品质量安全标准实施的主体，政府部门对农产品质量安全标准的实施起组织协调和促进作用，但不能包办代替农产品生产经营企业、农民专业合作经济组织和农民实施标准。

2. 农产品质量安全标准实施应吸纳社会各方面的力量。农产品质量安全标准的实施需要人才、技术、资金、管理等多种要素，因而在农产品质量安全标准的实施过程中应广泛吸纳社会各方面的力量形成合力，共同推进标准的实施。

3. 农产品质量安全标准的组织实施应做好分类指导工作。我国农产品生产经营规模小、条件千差万别，农产品质量安全标准实施不可能一个模式，也不可能一步到位，应当在试验示范、典型引导的基础上，加大实施力度，加快实施步伐。

第三章　农产品产地

农产品产地是影响农产品质量安全的重要源头。工业“三废”和城市垃圾的不合理排放，农产品种养殖过程中投入品的不合理使用，产地自身的重金属状况等，都可能给部分农业用地、畜牧生产环境、渔业水域环境造成污染。本章共5条，主要对农产品产地管理进行了规定，确立了农产品产地安全管理制度，要求各级政府和农业行政主管部门改善产地生产条件，加强标准化生产示范区、无规定动植物疫病区等基地建设，禁止在有毒有害物质超标的区域生产食用农产品和建立生产基地，并对禁止外源污染和防止农业内源污染做了规定。

第十五条[①]　**县级以上地方人民政府农业行政主管部门按照保障农产品质量安全的要求，根据农产品品种特性和生产区域大气、土壤、水体中有毒有害物质状况等因素，认为不适宜特定农产品生产的，提出禁止生产的区域，报本级人民政府批准后公布。具体办法由国务院农业行政主管部门商国务院环境保护行政主管部门制定。**

农产品禁止生产区域的调整，依照前款规定的程序办理。

【释义】　本条是关于禁止生产区域划分和调整的法律规定。

① 2018年10月26日《全国人民代表大会常务委员会关于修改〈中华人民共和国野生动物保护法〉等十五部法律的决定》将本条中的“环境保护行政主管部门”修改为“生态环境主管部门”。

制定本条的目的

从源头上控制污染物进入农产品生产过程,防止因农产品产地污染而危及农产品质量安全。

本条主要概念解释

农产品禁止生产区域:它是指由于人为或者自然的原因,致使农产品产地有毒有害物质超过产地安全相关标准,并导致所生产的农产品中有毒有害物质超过标准,经县级以上地方人民政府批准后,禁止生产农产品的区域。

本条包括以下内容

本条规定的出发点是保障农产品质量安全,农产品禁止生产区域划分考虑的主要因素是农产品品种特性和生产区域大气、土壤、水体中有毒有害物质状况。执行的主体是县级以上地方人民政府农业行政主管部门,批准机关是本级人民政府。

1. 农产品禁止生产区域的划分,应当按照保障农产品质量安全的要求,根据农产品品种特性和生产区域大气、土壤、水体中有毒有害物质状况等因素确定

农产品产地是影响农产品质量安全的重要因素之一,大气、土壤或者水域中如果存在的有毒有害物质过量,会被动植物在生长代谢过程中吸收,在体内积累富集,造成农产品中有毒有害物质的超标。因此,良好的产地环境是保证农产品质量安全的必备条件。

受社会、经济和产业发展状况的影响,目前我国不同地区的农产品产地质量状况参差不齐。一些地区受到工业"三废"、生活垃圾等污染源的影响,大气、土壤或者水域被有毒有害物质污染得十分严重,个别区域已经不适宜某些农产品的生产。因此,按照农产品质量安全的标准对产地进行评价,依据评价结果和农产品品种特性,划分禁止生产区域,区别管理,是保证农产品质量安全的重要措施。换言之,农产品产地中有毒有害物质超过相关标准要求,经采取技术措施后,产地和农产品质量安全指标仍然超过相关标

准的,应列为禁止生产区域。例如耕地土壤重金属严重超标,经采取技术措施仍然达不到某类粮食或蔬菜生产标准要求,则应当列为该类粮食或该类蔬菜禁止生产区域;严重污染的河流和湖泊,经过治理后水质仍然达不到某类水产品生产标准的,应列为该类水产品禁止生产区域。

目前,我国在农产品产地环境监测和评价方面开展了大量的工作,为农产品的产地分区奠定了基础。2003 年我国启动的无公害农产品认证工作中,就包括了无公害农产品产地认定和产品认证两项内容,其中产地认定是获得产品认证的前提和基础。通过对农产品产地进行严格的监测和环境质量评价,到 2005 年年底,全国认定无公害农产品产地 2.1 万多个。

另外,一些省市已经开展了相关的工作。如北京市根据自然资源和环境质量状况,规划了水果、蔬菜、畜牧等相关产业的适宜发展地区和不适宜发展地区,以达到在适当的地区生产适当的品种、发展适当的产业的目的。辽宁、江苏等地也划定了无公害农产品、绿色食品、有机农产品适宜发展区。

农产品禁止生产区域的划分,为农业生产、结构调整提供了指导,有利于从产地环节切断有毒有害物质对农产品质量安全的危害途径,为农产品质量安全提供基础保障。

2. 农产品禁止生产区域划分和调整,由县级以上地方人民政府农业行政主管部门具体执行,报本级人民政府批准后公布。

3. 由于农产品禁止生产区域的划分比较复杂,技术性强,因此本条只做了原则性规定,并授权国务院农业行政主管部门商国务院环境保护行政主管部门作出具体规定。

本条执行中应当注意的问题

1. 农产品禁止生产区域实质为特定农产品限制生产区域,不一定是禁止生产所有农产品。有的地方不宜种植食用农产品,但可以种植非食用农产品。不能简单地把“农产品禁止生产区域”

理解为“不宜农用区域”。

2. 农产品禁止生产区域的划定应当以产地中有毒有害物质的含量及其在特定农产品中是否富集及其程度为依据，并应当充分考虑生产过程的影响。

3. 农产品禁止生产区域的批准公布必须按规定的程序办理，即由县级以上地方人民政府农业行政主管部门提出，报本级人民政府批准后再行公布。如需要，也可以由批准的人民政府公布。

第十六条　县级以上人民政府应当采取措施，加强农产品基地建设，改善农产品的生产条件。

县级以上人民政府农业行政主管部门应当采取措施，推进保障农产品质量安全的标准化生产综合示范区、示范农场、养殖小区和无规定动植物疫病区的建设。

【释义】　本条是关于农产品基地建设的规定。

制定本条的目的

明确政府加强基地建设的责任，通过改善农产品的生产条件，保障农产品的质量安全水平。

本条概念解释

农产品生产基地：它是指为了满足特定需求，人为确定或形成的具有一定幅员和产量规模的农产品生产区域。

标准化生产综合示范区：它是指环境质量优良、区域范围明确、具有一定规模、组织管理完善、按标准化要求进行生产的农产品生产区域。包含无公害农产品生产基地、无公害农产品生产示范县、国家级农业标准化示范县、标准化养殖基地等。

示范农场：即无公害农产品示范基地农场，是指在农垦系统建立的、按无公害农产品标准要求进行生产的农产品生产区域。

养殖小区：本法中指畜牧养殖小区，即在适合畜禽养殖的地域内，按照集约化养殖要求建立的有一定规模、较为规范、严格管理的畜禽养殖基地。基地内养殖设施完备,技术规程及管理措施统一,粪污处理配套,只养一种畜禽,由多个养殖业主进行标准化养殖,从而获得良好的经济、生态和社会效益。目前养殖小区的主要模式有:一是龙头带动型养殖小区;二是大中型规模场相对集中的养殖小区;三是统一规划,集中入驻的养殖小区;四是养殖大户型养殖小区。

无规定动植物疫病区:无规定疫病区是一个国际通行概念,英文为 Designed disease free Zone,如无疯牛病区表述为 BSE free country or zone。它是指由出口国官方划定的,没有某一种或某几种有害生物或疫病发生,并能通过建设和管理,保持其无疫情状态的特定生产区域。国际兽医组织(OIE)、《国际植物保护公约》(IPPC)和世界贸易组织(WTO)都承认无规定疫病区的概念,允许一个国家的某些地区建成为无规定疫病区,把动植物疫病的风险评估结果,作为农产品贸易的依据,并禁止对该区域采取技术性贸易壁垒措施。

本条包括以下内容

1. 县级以上人民政府应当采取措施,加强农产品基地建设,改善农产品的生产条件

农产品基地建设应当有总体规划、确定的目标、配套措施和经费保证。农产品基地建设应当以提高农产品市场竞争力为核心,以突出生产条件标准化建设为载体,以实现产品质量标准化为主线,通过政府投入,引导企业参与,整合物质、技术和管理资源,强化生产条件建设和改造,由点带面,由面连片,全面推行生产技术规程、经营管理的标准化,加快形成优势产业带,带动提升农产品质量和效益,增加农民收入,增强农业国际竞争能力。农产品基地应具备的基本条件:一是生态环境优、专业化程度高、产业化经营基础好、社会化服务能力强、标准化生产基础实的优势区域,具有一定的生产规模;二是具有较好的农田水利等基础设施;三是具有

良好的环境条件；四是农技推广服务体系健全，有较好的推广服务能力；五是生产、加工、销售的组织化程度较高；六是产品有品牌、有包装，有一定的市场占有率和较高的知名度；七是有健全的标准体系，产前、产中、产后全过程都有相应的标准和技术规程依托；八是检测体系健全，有一定的检验检测手段。农产品基地建设要达到的目标是：标准化程度大幅度提高，基本实现规范化生产；农产品质量显著提高，达到优质安全水平；农业生产效率明显提高，取得良好的经济、社会和生态效益；农业产业化程度进一步提高，产供销一条龙关系更加紧密。通过工程建设，使基地实现农田水利化、耕作田块化、农田林网化，田间道路、电力系统综合配套，农田机械装备作业符合技术规程的要求，达到有关的国家标准、行业标准要求。基地建设的重点内容应放在生产条件和生产过程标准化方面。通过高标准的生产条件建设，配套推行实施生产技术、管理标准化，提高优势区农产品质量和效益，确保竞争优势的增强。重点投资建设内容包括农田水利、标准农田、机械化作业机具配置、养殖场区建设、养殖设施设备工程和辅助配套工程。

2. 县级以上人民政府农业行政主管部门应当采取措施，推进保障农产品质量安全的标准化生产综合示范区、示范农场、养殖小区和无规定疫病区的建设

（1）标准化生产综合示范区建设。建设标准化生产综合示范区是推进农业标准化的重要举措。通过在全国建立一批标准化生产综合示范区，严格按照标准对农产品生产基地、生产加工、市场流通等全过程进行规范，严把从基地到市场各个环节的质量关，探索适合我国农业标准化建设的发展模式和管理机制，积累成功经验，以点带面，提升全国农业标准化水平。近年来，农业部共组织创建了全国农产品标准化生产综合示范区、标准化生产示范农场、无公害农产品（种植业）生产示范基地县、出口示范基地、无规定疫病区539个。各地农产品标准化生产示范基地建设呈现蓬勃发

展的态势，共建设各类省级农产品标准化示范区近3500个，示范面积533.33公顷。

（2）示范农场建设。近年来，农业部在全国建立并验收通过了200个无公害农产品示范基地农场。通过无公害农产品示范基地农场创建活动，不仅在农垦系统建立了一批以生产粮食、油料、水果、蔬菜、茶叶、畜禽、水产品和热带作物等产品为主的优质、安全农产品生产示范基地，而且也加快了垦区农业增长方式向更加注重讲科学、按标准、重品质、保安全的方向转变的进程，农垦优势产业的竞争实力得到了明显的增强。

（3）养殖小区建设。建设畜牧养殖小区，是转变畜牧业生产方式的一个有效途径，它促进了4种形式的转变：一是促进一家一户的分散饲养和庭院散养向适度规模养殖转变；二是促进环境污染型养殖向环境保护、清洁养殖转变；三是促进对动物疫病由无序控制向有序控制转变；四是促进畜牧业由小农经济向产业化经营转变。因此，现阶段畜牧养殖小区建设不仅是推进畜牧生产方式转变的有效途径，而且也是构建现代畜牧业的重要抓手。畜牧法第三十七条规定，国家支持农村集体经济组织、农民和畜牧业合作经济组织建立畜禽养殖场、养殖小区，发展规模化、标准化养殖。畜牧法第三十九条规定，畜禽养殖场、养殖小区应当具备下列条件：有与其饲养规模相适应的生产场所和配套的生产设施；有为其服务的畜牧兽医技术人员；具备法律、行政法规和国务院畜牧兽医行政主管部门规定的防疫条件；有对畜禽粪便、废水和其他固体废弃物进行综合利用的沼气池等设施或者其他无害化处理设施；具备法律、行政法规规定的其他条件。养殖场、养殖小区兴办者应当将养殖场、养殖小区的名称、养殖地址、畜禽品种和养殖规模，向养殖场、养殖小区所在地县级人民政府畜牧兽医行政主管部门备案，取得畜禽标识代码。畜牧法第四十条规定，禁止在下列区域内建设畜禽养殖场、养殖小区：生活饮用水的水源保护区，风景名胜区，以及自然保护区的核心区和缓冲区;城镇居民区、文化教育科学研究区等人口集中区域;法律、法规规定的其他禁养区域。

《国务院办公厅关于扶持家禽业发展的若干意见》(国办发〔2005〕56号)要求,在家禽主产区,要统筹规划、积极稳妥地发展养殖小区和规模养殖场,实行统一的防疫和管理制度。国家对重点养殖小区和规模养殖场的防疫设施、粪污处理设施建设给予必要的支持。通过小额信贷、财政贴息等方式,引导有条件的地方发展养殖小区。要增加投入,支持养殖小区建设畜禽粪便和污水无害化处理设施。

《农业部关于实施"九大行动"的意见》(农发〔2006〕2号)中指出,要加强畜禽养殖小区的规范化建设。制定和实施严格的管理制度,规范饲养方式,实行统一的良种繁育、饲料供应、疫病防治、饲养管理、市场销售服务。突出做好畜禽排泄物、废弃物和病死畜禽的无害化处理,重点对养殖小区污染处理设施设备的建设进行补贴。选择一批畜禽养殖小区和规模养殖场进行标准化示范,按照标准化管理要求,实施对生产全过程的质量环境监管,为标准的广泛采用提供良好的模式。

(4)无规定动植物疫病区建设。建设无规定动植物疫病区,是我国动物防疫和植物检疫工作积极应对入世挑战,提高农业综合生产能力和国际竞争力的重大举措。通过建立健全动植物疫病控制体系、动植物防疫监督执法体系、动植物疫情监测体系、动植物防疫屏障体系,实现区域内动植物疫病的控制。

在我国,无规定植物疫病区也称为"非疫区"。《国际植物保护公约》(IPPC)制定了《非疫区建设标准》《建立非疫生产地和非疫生产点的要求》两个国际标准。WTO《实施卫生与植物卫生措施协定》(SPS)同时规定:当出口国有充分证据证明其境内存在某种有害生物的非疫区时,进口国应予以承认,并不得再以出口国存在该种有害生物为由,限制该国农产品的进口。因此,通过建立非疫区,保证来自非疫区的农产品不带有进口国关心的检疫性有害生物,是打破国外技术壁垒、促进农产品出口的国际通行做法,也是提高优势区植物保护水平,减少农药使用,提高农产品质量和效益的重要手段。我国于2004年10月22日正式加入《国际植物保护公约》(IPPC),根据IPPC规定和相关的国际植物检疫措施标准,建立非疫区,是我国作为IPPC缔约方应尽的义务。

建设无规定动植物疫病区遵循以下几条原则:一是坚持依法治疫,严格依照动物防疫法、农业法、植物检疫条例等有关动植物疫病控制的规定,开展各项工作;二是尊重科学,针对我国幅员辽阔、各地区自然条件和经济条件不尽相同的特点,选择优势区域集中人力、物力和财力率先建设无疫区;三是与国际接轨,根据世界贸易组织(WTO)、世界动物卫生组织(OIE)、《国际植物保护公约》(IPPC)有关动植物疫病区域化管理的原则,借鉴其他国家的成熟做法和成功经验,确保无规定动植物疫病区得到国际认可;四是注重经济效益和社会效益,通过项目建设切实提高区域动植物疫病控制能力和畜产品安全水平,促进出口创汇,增加农民收入,对全国动植物防疫工作真正起到示范作用。

本条在执行中应当注意以下问题

1. 加强基地建设需借助各级政府的力量,解决一家一户不能解决的基础建设问题,如水、电、路、渠,加强对农业基础设施和服务体系的宏观调控,保护农民的积极性,帮助农民能够获得较好的收益。

2. 县级以上人民政府及其计划、财政、农业、水利、建设、环保等部门应当通过加大财政投入、税收减免、金融政策、投资优惠、奖励补助、技术援助、政策引导、项目推动等途径,改善农产品基地的自然条件和经济条件。

3. 农业部门作为农业和农村经济的主管部门,应当统筹协调农产品基地建设，负责具体组织各类示范区和基地的建设。

第十七条　禁止在有毒有害物质超过规定标准的区域生产、捕捞、采集食用农产品和建立农产品生产基地。

【释义】 本条是关于食用农产品和农产品生产基地的禁止性规定。

制定本条的目的

主要是为了杜绝在已经受到污染的区域盲目投入，生产或获取质量安全没有保证的农产品。

本条主要概念解释

有毒有害物质：是指威胁人体健康和生命安全的物质。主要包括有毒有害重金属阳离子、非金属阴离子和有机污染物。

食用农产品：是指主要供人和动物食用的农产品，包括粮、菜、果、肉、蛋、奶、鱼、虾、蟹等。

本条包括以下内容

1. 不得在有毒有害物质超过国家规定标准的区域生产、捕捞、采集食用农产品

农业生物生长过程，也是与周围环境进行物质能量传递、转化的过程，如果生长区域大气、土壤或者水体中存在过量的有毒有害物质，会被动植物在生长过程中吸收，在体内积累富集，造成农产品中有毒有害物质超标，食用后会危害人体和动植物健康。为了确保食用农产品的质量安全，必须禁止在有毒有害物质超过规定标准的区域生产、捕捞、采集食用农产品。

2. 不得在有毒有害物质超过国家规定标准的区域建立农产品生产基地

多年来，由于对产地污染认识不足或受急功近利思想驱使，有人仍在一些已经遭受严重污染的区域（如有些工矿区周边）盲目生产，甚至建设商品粮基地、优势农产品基地等，结果耗费了大量

投入,却生产了大量有毒有害物质超标的农产品。近年来,一些地方已经意识到问题的严重性,并采取切实措施加强管理,对污染严重或有毒有害物质超标严重的区域,不再批建相关农产品基地。

本条执行中应当注意的问题

1. 严格把握有毒有害物质的种类,准确适用标准。

2. 正确区分食用农产品与非食用农产品、农产品生产基地与一般农产品产地。

第十八条　禁止违反法律、法规的规定向农产品产地排放或者倾倒废水、废气、固体废物或者其他有毒有害物质。

农业生产用水和用作肥料的固体废物,应当符合国家规定的标准。

【释义】　本条是关于"三废"物质及农业生产用水、固体废物再生肥料方面的限制性规定。

制定本条的目的

为了防止工业"三废"、城镇垃圾等外源性污染物对农产品产地和农业生产造成污染。

本条主要概念解释

废水:是指人类在生产生活中排出的用过的水。包括从住宅、商业建筑物、公共设施和工矿企业排出的液体以及用水输送的废物及其与可能出现的地下水、地表水和雨水的混合物。

废气:是指在矿物燃料燃烧、工业生产及垃圾、工业废物燃烧以及汽车行驶过程中排出的气体。废气中含有的污染物种类很多,其物理和化学性质非常复杂,毒性也不尽相同。燃料燃烧排出的废气中含有二氧化硫、氮氧化物、碳氧化物、碳氢化合物和烟尘等。工业生产因其所用原料和工艺不同而排放出各种不同的有害气体和固体物质(粉尘),含有化学成分如重金属、盐类、放射性物质、病原体、有机化合物等。汽车排出的尾气含有铅、氮氧化物和碳氢化合物。废气污染大气环境,是当今世界最普遍最严重的环境问题之一。

固体废物:是指在人类的生产和消费过程中被丢弃的固体和泥状物质。包括从废水、废气中分离出来的固体颗粒。按化学性质,可分为有机废物和无机废物;按危害状况,可分为有害废物和一般废物;按来源,可分为矿业固体废物、工业固体废物、城市垃圾、农业废弃物和放射性固体废物。固体废物侵占土地并对环境造成多方面危害,如侵蚀土壤、破坏土壤结构、散发恶臭、污染大气、污染地下水和地表水。因此,必须对固体废物进行妥善处理、处置和利用。

本条包括以下内容

1. 任何单位或个人不得违反法律、法规的规定向农产品产地直接排放或者倾倒"三废"或者其他有毒有害物质

由于人类生产和生活过程中产生的废水、废气和固体废物等往往含有大量有毒有害物质,这些物质通过水、土壤和大气等载体或介质被植物、动物和微生物吸收、富集,从而威胁人体健康。在我国,"三废"物质及其他有毒有害物质的滥排乱放,是造成农产品产地污染的主要因素,对我国农产品产地造成的污染呈加重之势,对农产品质量安全构成了严重威胁,应当严加管理。

2. 农业生产用水和用作肥料的固体废物应当符合国家规定的标准

水既是自然环境的重要组成部分,也是农业生产不可或缺的要素。由于多方面的原因,我国部分农业生产用水水质未能得到有效的保证,污水灌溉、污水养殖等屡有发生,给农产品质量安全带来很大隐患;同时,大量固体废弃物,包括城镇生活垃圾未经无害化处理便施撒于农田,这一问题在我国城镇及大型工矿社区周边地区尤为突出,对农田及农产品质量安全造成严重危害,必须加

以规范。本条要求农业生产用水和用作肥料的固体废物，应当符合国家规定的标准，即灌溉用水应符合《农田灌溉水质标准》，渔业养殖用水应当符合《渔业水质标准》。畜禽养殖用水、固体废弃物生产的肥料也有相应标准规定，应当按标准执行。

本条执行中应当注意的问题

1. 要准确、全面把握相关法律法规对“三废”排放的规定，依法监管。

2. 要明确农灌水、养殖（畜禽、水产）用水水质、以固体废物为原料的肥料标准，不尽完善的应尽快完善，以标准加强监管。

第十九条　农产品生产者应当合理使用化肥、农药、兽药、农用薄膜等化工产品，防止对农产品产地造成污染。

【释义】　本条是关于化工类农资产品使用方面的规定。

制定本条的目的

主要防止化工类农资产品可能对农产品产地带来的污染，保证农产品质量安全。

本条主要概念解释

化肥：它是指经化学和机械加工制成的各种化学肥料，包括氮肥、磷肥、钾肥、复合肥料、微量元素肥等。

农药：它是指用于预防、消灭或者控制危害农业、林业的病、虫、草和其他有害生物以及有目的地调节植物、昆虫生长的化学合成或者来源于生物、其他天然物质的一种物质或者几种物质的混合物及其制剂。

兽药：它是指用于预防、治疗、诊断动物疾病或者有目的地调节动物生理机能的物质（含药物饲料添加剂），主要包括血清制品、疫苗、诊断制品、微生态制品、中药材、中成药、化学药品、抗生素、生化药品、放射性药品及外用杀虫剂、消毒剂等。

农用薄膜：它是指用于农业生产的塑料薄膜，包括各种塑料地膜、大棚膜等。

合理使用：它主要是指品种选择、用法、用量等要符合有关产品使用说明、安全使用准则及相关标准的要求。

本条包括以下内容

农产品生产者应当严格按照化肥、农药、兽药、农用薄膜等化工产品的使用说明、有关安全使用准则及相关标准进行规范使用和必要的处理处置，不能盲目滥用。

多年来，由于化肥、农药等农用化学物质过量或不合理使用，投入量大、利用率低，导致农产品产地和农产品污染问题日益突出，有必要从法律上加以约束和引导。盲目地过量使用化肥以及施用不合理，会带来化肥的养分污染问题。未被利用的养分通过径流、淋溶、反硝化、吸附和侵蚀等方式进入环境，污染水体、土壤和大气，引起水体富营养化，造成地下水硝酸盐污染等一系列的环境问题，因此应按相关标准或规范严格使用或处置。目前针对以上化肥污染的控制方法主要有：形成合理的肥料供应结构，按需施肥、配方施肥、有机无机肥配合使用等。

2005 年年底，在我国取得登记的农药品种约 600 个，其中生产使用量较大的农药品种 350 多个；登记产品 22000 多个（含原药、分装），其中杀虫剂所占比例由过去的约 70% 下降为 46.9%，杀菌剂由原来的 11% 上升为 24.4%，除草剂从 13% 上升为 18.9%，植物生长调节剂约占 2.7%，杀鼠剂等其他农药占 7.1%。有机磷农药是我国农药的主体，近年来年产量在万吨以上的 7 个杀虫剂品种中有 6 个是有机磷类，它们是甲胺磷、甲基对硫磷、敌敌畏、敌百虫、乐果、氧化乐果，另一个万吨以上的品种是杀虫双。这些农药因生产成本和价格相对较低，成为我国近十多年来的主要农药品种。从农药品种毒性看，高毒品种目前在有机磷杀虫剂中占一半以上，在整个杀虫剂中占 35% 左右。农产品生产过程中过量和不合理使用农药，造成大量有毒有害物质残留于土壤、水体等，造成严重的产地环境污染，应当严格按照相关标准或规范使用。

目前，我国在兽药使用方面存在的主要问题就是非法使用违禁药物，滥用抗菌药物和药物添加剂，不遵守休药期的规定等。兽药残留超标不仅可以直接对人体产生急、慢性毒性作用，引起细菌耐药性增强，也可直接或间接污染环境。因此，必须采取有效措施，减少和控制有毒有害物质残留，以减少环境污染和人体危害，促进和保证养殖业健康持续发展。

农膜质量较差以及残膜的环境管理薄弱等是我国农田土壤残留农膜污染原因。农田土壤残留农膜污染产生的危害主要体现在：(1)残留农膜危害土壤环境。农膜残留量增加，水分渗透量就减少，土壤含水量下降，削弱了耕地的抗旱能力，甚至导致地下水难以下渗，引起土壤次生盐碱化等严重后果。另外，残留农膜会影响土壤物理性状，抑制作物生长发育。(2)残留农膜对农作物的危害。残膜在土壤中破坏了农田的生态环境，形成阻隔带(层)，影响作物根系的发育和均匀分布，阻碍作物对水分和养分的吸收，影响种子发芽、出苗，造成烂种、烂芽，使幼苗黄瘦甚至死亡，还影响农机具作业质量，堵塞沟渠。连续覆膜年限越长，地膜残留量越多，对作物产量的影响就越大。由此可见，治理残膜污染、保护农田的生态环境将是地膜覆盖种植持续发展的关键所在。(3)残膜中添加剂对土壤—作物系统的影响。在农膜塑料中除烯烃类主要成分外，还含有各种抗氧化剂、紫外线稳定剂、阻燃剂和增塑剂。我国多取酞酸酯(又称邻苯二甲酸酯，简称 PAEs)类化合物为增塑剂。我国增塑剂年产约 37 万吨，其中酞酸酯占 70%，年产量约 26 万吨，除大部分作为塑料增塑剂外，还有约 8% 作为农药载体和其他化工产品的原料或辅料。正是由于它们的广泛使用，使得这类化合物在环境中广泛存在。这类化合物具有显著的生物累积性，美国、日本等许多国家都已将其列入优先控制污染物黑名单之中。此外，农田土壤残留农膜还会对土壤物理性状、经济作物（花生、棉花等）、大田作物及蔬菜的生长及产量产生影响。

因此，应当从法律上对化肥、农药、兽药、农用薄膜等化工产品的使用加以引导和约束。

本条执行中应当注意的问题

1. 要准确、全面掌握农用化工产品的种类、可能导致的产地污染问题，增强执行中的针对性。

2. 健全完善相关使用规程（说明、指南）、标准。

第四章 农产品生产

优质安全的农产品是生产出来的。生产者只有严格按照规定的技术要求和操作规程进行农产品生产，科学合理地使用符合国家要求的农药、兽药、肥料、饲料及饲料添加剂等农业投入品，适时地收获、捕捞和屠宰动植物或其产品，才能生产出符合质量安全标准要求的农产品，才能保证消费安全。同时，要充分发挥农业行政管理部门、农业科技教育推广机构、中介组织、农产品生产企业和农户等生产者的各自作用，让各生产者履行各自职责，才能事半功倍。本章共8条，规定了国务院、省、市、县农业行政主管部门的义务，明确其应当制定生产技术要求、操作规程，并开展生产指导；规定了省级以上农业行政主管部门对可能影响或危及农产品质量安全的农业投入品的生产、经营和使用建立许可和监督抽查制度；规定了农业投入品安全使用制度，安全间隔期和休药期制度；规定组织化程度比较高的农产品生产企业和农民专业合作经济组织应当建立生产记录制度，建立农产品质量安全自检和不符合标准不得销售的制度；规定中介组织要建立自律和服务制度。

第二十条　国务院农业行政主管部门和省、自治区、直辖市人民政府农业行政主管部门应当制定保障农产品质量安全的生产技术要求和操作规程。县级以上人民政府农业行政主管部门应当加强对农产品生产的指导。

【释义】 本条是关于制定农产品生产技术要求和操作规程以及加强农产品生产指导的规定。

制定本条的目的

规范农产品生产技术要求和操作规程制定的责任主体，明确农业部门进行农产品生产指导的责任，强化技术推广和服务。

本条概念解释

生产技术要求：它也称生产技术规范。按照 ISO/IEC 第 2 号指南——《关于标准化和有关活动的通用术语及其定义》的定义，技术规范是规定产品、过程或服务应满足技术要求的文件。生产技术规范是对农业活动的原则性要求，如 GB/T 15795 - 1995《小麦条锈病测报调查规范》、NY/T 14 - 1985《高产奶牛饲养管理规范》、NY/T 398 - 2000《农、畜、水产品污染监测技术规范》。农药安全使用间隔期要求、兽药安全使用休药期要求等都属于保障农产品质量安全的生产技术要求。

操作规程：又称作业规程，是对具体生产技术要求的落实，是农业生产的程序性规定，如 GB/T 17317 - 1998《小麦原种生产技术操作规程》、NY/T 5002 - 2001《无公害食品 韭菜生产技术规程》。

本条包括以下内容

1. 国务院农业行政主管部门和省、自治区、直辖市人民政府农业行政主管部门应当制定保障农产品质量安全的生产技术要求和操作规程

技术要求和操作规程是现代科技成果与实践经验的结晶，既是质量安全的保证，又是节本增效的前提，是对农产品生产过程的要求和规范。它涉及农业资源与环境保护、病虫害测报、动植物疫病防治、种子种苗繁育、种植养殖过程操作与管理等方面，与农产品的地域范围、品种特点、生产条件、生产方式有着密切关系，与农业生产和产业发展息息相关。因此，从适用对象、适用范围以及行业属性看，保障农产品质量安全的技术要求和操作规程应当由国务院农业行政主管部门和省、自治区、直辖市人民政府农业行政主

管部门组织制定,以保证农业生产的需要。

多年来,各级农业部门充分利用农业科研、教学、管理、生产各单位技术力量,认真行使行业管理职能,先后组织制定了一大批农产品生产、病虫害防治、检验检疫、农产品加工、农村资源环境等各类技术规范和种植养殖技术、检验检疫规程、种畜种苗育种、加工等各类农业技术操作规程,在实现农业行业管理、指导农产品标准化生产、促进农业可持续发展等方面发挥了巨大作用。

2. 县级以上人民政府农业行政主管部门应当加强对农产品生产的指导

国务院农业行政主管部门应当制定对全国农业和农产品生产有指导性和促进性的公共技术要求,供全国农业系统和农产品生产经营者参照、遵循。各省(区、市)农业部门应当重点制定与农业国家标准和行业标准相配套的生产技术规程、地方名、特优农产品分等分级标准。要严格维护标准的统一性,有国家标准或行业标准的,不再制定地方标准。县级农业部门要结合本地区产业和生产实际,制定农民可操作的生产手册或明白纸、明白卡、模式图等,把有标能依的组配起来,把有标难可依的提高起来,把无标可依的弥补起来,并且将重点放在技术规范和操作规程的指导上,将技术规范和操作规程通俗化、简单化,使广大农户准确掌握核心技术、全面掌握配套技术、熟练掌握操作技能,解决标准入户的“最后一道坎”问题。

本条执行中应注意的问题

1. 由于技术规程和操作规范的公布程序简约、表达方式通俗,适应性强、针对性强、组装配套性强,易于为农民接受,应该成为今后一段时间农业部门特别是基层农业部门在标准体系建设上的重要内容,应加快其制定、公布和实施。

2. 县级以上人民政府农业行政主管部门在进行农产品生产指导时,要充分利用农业系统在内的各方资源,发挥行业整体功能,把农业标准化作为各类生产性农业投资项目和科技示范项目实施的重点内容和基本要求。把农业部门现有的种子、植保、土肥、农机、农技等分作物品种的技术推广服务队伍组织到推进农业标准化的进程中,形成“政府+农技推广+基地+农户”的基本组织框架。要加强农业技术推广队伍建设,综合推广新品种、新技术和新方法。如农业部正在实施的测土配方施肥工程,目的就是通过对农户的技术指导和服务,推进科学施肥、增施有机肥、优化肥料结构。

第二十一条　对可能影响农产品质量安全的农药、兽药、饲料和饲料添加剂、肥料、兽医器械,依照有关法律、行政法规的规定实行许可制度。

国务院农业行政主管部门和省、自治区、直辖市人民政府农业行政主管部门应当定期对可能危及农产品质量安全的农药、兽药、饲料和饲料添加剂、肥料等农业投入品进行监督抽查,并公布抽查结果。

【释义】　本条是关于农业投入品许可管理和监督抽查的规定。

制定本条的目的

一是加强农业投入品的管理,保障农产品质量安全。农业投入品质量是影响农产品质量安全的一个重要因素,加强农产品质量安全管理工作,必须重视对农业投入品的管理。二是确立农业部门在农业投入品监督抽查中的法律地位。三是与现行有关农业投入品管理的法律、行政法规衔接。

本条主要概念解释

农业投入品:它是指在农产品生产过程中使用或添加的物质,包括农药、兽药、农作物种子、水产苗种、种畜禽、饲料和饲料添加剂、肥料、兽医器械、植保机械等农用生产资料产品。

农业投入品监督抽查：它是指为了防止不合格农业投入品用于农业生产，由农业部或者省级农业部门组织检测机构和相关管理机构对生产、经营或者使用的农业投入品，依据有关规定进行抽样、检验，并对抽查结果予以公告和处理的活动。

本条包括以下内容

1. 依法实施农业投入品许可制度

使用不合格的农药、兽药、农作物种子、水产苗种、种畜禽、饲料和饲料添加剂、肥料等农业投入品，或者不合理使用农业投入品，都会导致农产品中有毒有害物质污染，危及农产品的质量安全。农业部门从 2002 年开始全面启动“种植业产品中农药残留”“饲料和畜产品中违禁药物及兽药残留”“水产品中药物污染”三个专项整治工作，狠抓农业投入品产销管理和市场执法监管工作，农产品源头污染得到初步遏制。当前，一些发达国家通过立法和制定严格的质量安全标准，不断提高对进口农产品的药物残留限制水平，这已成为影响我国农产品出口的主要技术壁垒。如欧盟对进口我国茶叶的检测指标从原来的 72 项增加到现在的 134 项，限制使用的农药从原来的 29 种增加到 62 种，其要求的标准总体比原来提高了 250 多倍；2006 年 5 月 29 日日本启动了当今世界上极为苛刻的“肯定列表制度”，将进口农产品残留物检测项目在原来的 2470 条基础上增加到了 51392 条，涉及 264 类食品中的 734 种农用化学品，而且要求部分农用化学品每种残留量不得超过每千克 0.01 毫克，一旦检测出残留超标，农产品将被禁止进口或流通，我国农产品质量安全管理工作面临严峻挑战。

抓农产品质量安全管理，必须重视农产品源头治理；抓农产品源头治理，必须重视农业投入品质量管理，农产品质量安全法必须对农业投入品的管理做出相应的规定。由于农业投入品的质量涉及产品研发、生产、经营、使用等环节，同时我国已出台相应的单行法律法规，因此，本法主要是与这些法律法规进行衔接，主要就农业投入品使用中的共性问题予以规范。现行农业投入品法律、法规主要有种子法、《农药管理条例》、《兽药管理条例》、《饲料和饲料添加剂管理条例》等。其中,《农药管理条例》建立了农药登记制度和生产许可制度,《兽药管理条例》建立了新兽药注册、兽药生产经营许可、动物及产品兽药残留监管等制度,《饲料和饲料添加剂管理条例》建立了新饲料和饲料添加剂审定、饲料添加剂和添加剂预混合饲料企业生产许可制度。另外,依据有关规定,农业部对有关肥料实行登记制度。

2. 农业投入品监督抽查

监督抽查是一种事后监管方式,也是一种重要的投入品质量管理手段,已得到广泛使用。过去,由于法律法规不完善,农业部门开展农业投入品监督抽查和公布结果缺乏法律依据,不利于农业投入品质量的提高,不利于保障农产品质量安全,也不利于维护农民利益。因此,本条规定农业部门应当对危及农产品质量安全的农药、兽药、饲料和饲料添加剂、肥料等农业投入品组织定期监督抽查,并公布抽查结果。公布的抽查结果包括农业投入品质量状况和生产经营单位等,公布的方式可以是公告、新闻发布会,也可以是报刊、电视、广播等媒体公布。

本条执行中应注意的问题

1. 本条没有直接规定对农药、兽药、饲料和饲料添加剂、肥料、兽医器械实行许可管理,即不能将本条作为对上述农业投入品进行许可管理的依据。对上述投入品是否进行许可管理,是实行登记,还是生产经营许可,要依据其他相关法律或者行政法规的规定确定。

2. 农业部和省级农业部门对农业投入品进行监督抽查时,可以组织市(地)、县级农业部门实施抽查工作,市(地)、县级农业部门可以承担有关监督抽查任务,但是监督抽查结果只能由农业部或者省级农业部门公布,市(地)、县级农业部门不能公布监督抽查结果。

3. 农业投入品监督抽查应当符合有关抽查规则要求,如抽样规范、检验规程,避免重复抽查。监督抽查不收检测费。

第二十二条 县级以上人民政府农业行政主管部门应当加强对农业投入品使用的管理和指导,建立健全农业投入品的安全使用制度。

【释义】 本条是关于建立健全农业投入品安全使用制度的法律规定。

制定本条的目的

合理使用农业投入品,通过建立健全农业投入品的安全使用制度,从而减少或避免农药、兽药、重金属等污染,以保障农产品质量安全和农业可持续发展。

本条主要概念解释

安全使用制度:它是指规范农产品生产活动中使用的农业投入品种类、数量、质量和方法的制度。

本条包括以下内容

1. 加强农业投入品使用的管理和指导

农作物种子种苗、种畜禽、水产苗种、肥料、农药、兽药、饲料和饲料添加剂、兽医器械、农机及零配件、渔机渔具等农业投入品是农业活动中的重要生产要素,农业投入品使用不当或不合理是影响农产品质量安全和导致环境污染的重要因素。由于长期忽视对安全使用农业投入品的宣传、教育和指导,导致不按照操作规程安全、合理使用甚至违反国家规定使用禁止、限用农业投入品的现象非常普遍,加之相关配套技术和器械不完备,导致农产品中有害残留严重超标,同时也对农产品产地环境造成危害。在我国,从事农产品生产的除少数是农产品生产企业和农民专业合作经济组织外,大多数是农民。但无论是农产品生产企业和农民专业合作经济组织，还是分散生产经营的农户，大多生产规模狭小，获得信息能力弱，特别是农民科学文化素质相对较低，没有政府部门相应的管理和指导，是难以做到安全合理使用农业投入品的，因而加强农业投入品使用的管理和指导是必要的。

2. 建立健全农业投入品安全使用制度

农业投入品安全使用制度是一种既保障农产品质量安全，又保护人类健康、动植物卫生和生态环境的制度。早在20世纪60年代，农药、兽药等在农产品及食品中的安全问题就引起了国际社会的关注，1962年成立的国际食品法典委员会（CAC）设立专门的农药残留委员会、兽药残留委员会、食品添加剂和污染物委员会，研究制定一系列农药残留、兽药残留和食品及饲料中添加剂、污染物最大允许量国际标准。我国也相应制定了食品中农药最大残留量标准、食品中污染物限量标准；同时农业部还相继制定了动物性食品中兽药最高残留限量标准、农药合理使用准则、肥料合理使用准则、饲料合理使用准则、兽药合理使用准则等一系列规定，并在2002年发布了第193号和第199号公告，明令禁止和限制一部分农药、兽药在农产品生产中使用。但总体来讲，我国农业投入品安全使用制度尚不健全，与国际社会相比较而言，农药残留和兽药残留方面的差距不仅体现在规定的药物的种类和数量上，而且体现在残留规定的水平上，建立健全农业投入品安全使用制度仍任重而道远。

建立健全农业投入品安全使用制度，当前主要应做好以下工作：一是搞技术培训，使农民掌握并遵循安全生产技术规程，科学选用农作物和动物品种，合理施用农药、肥料、兽药、饲料和饲料添加剂，安全使用农产品播种、收获、捕捞、屠宰等农业活动器具，提倡科学交替、轮换使用农药和兽药；二是做好法律法规和国家禁止、限用和淘汰的农业投入品目录和范围的宣传工作，确保广大农产品生产企业、农民专业合作经济组织和农民知晓国家的相关法律法规及相关禁令；三是加强农产品质量安全标准制定、修订工作，按标准组织生产经营和实行规范化管理，从根本上杜绝无标生产、无标流通、无标监管的现象；四是加强科学研究，培育产量高、质量优、抗性强、效益高的农作物和动物新品种，加紧研发高效、低毒、低残留的农药、兽药，努力提高肥料、饲料和农业用水的利用率；五是加强对农业投入品安全使用的监管，依法查处使用国家明令淘汰和禁用的农业投入品和其他禁用产品如"瘦肉精"的违法行为。

3. 农业投入品安全使用的管理、指导和制度建设是县级以上人民政府农业行政主管部门的责任和义务

我国农业法、种子法、畜牧法、渔业法、农业机械化促进法、《农药管理条例》、《兽药管理条例》、《饲料和饲料添加剂管理条例》、《农业转基因生物安全管理条例》等法律法规，都授权农业行政主管部门负责农业投入品监管，同时在全国整顿和规范经济秩序活动中，国务院又授权农业部负责农资打假的牵头工作。因此，本法把农业投入品安全使用的管理、指导和制度建设的责任赋予县级以上人民政府农业行政主管部门，既明确了责任，又做到与现有法律法规的有机衔接；既有利于发挥农业行政主管部门的管理和技术优势，又有利于建立健全和实施农业投入品的安全使用制度。县级以上人民政府农业行政主管部门应当认真履行法律赋予的责任和义务，采取切实可行的政策和措施，会同工商、质检、公安等部门，严格把好农业投入品的生产关、经营销售关、使用关，对农业投入品的生产、经营和使用进行全方位的监控。

本条执行中应当注意的问题

1. 明确农产品生产者的责任

农产品生产者是农业投入品安全使用的直接责任人，县级以上人民政府农业行政主管部门不仅要加强对农业投入品使用者的指导，而且要加强对农业投入品使用者的管理。对于不按照规定

安全使用农业投入品的，要批评教育，监督整改；对于教育不改的，要依法做出处理。

2. 强化农业投入品销售者的责任

禁止以次充好、以假充真、以不合格产品冒充合格产品，以及生产和销售国家明令淘汰的农业投入品现象的发生。一旦出现假冒、伪劣农业投入品行为，就要采取果断的措施，依法予以严惩，净化农业投入品使用环境，保障农产品安全生产。

3. 不断完善农业投入品安全使用制度

任何一项制度都不可能是一劳永逸的，都会随着科技进步、社会经济发展而不断发展变化。农业投入品安全使用制度在建立和实施过程中，既要严格执行制度，保障制度落实到位；又要跟踪制度实施，结合实际变化，不断修改完善制度，保持制度的科学性和可操作性。

第二十三条　农业科研教育机构和农业技术推广机构应当加强对农产品生产者质量安全知识和技能的培训。

【释义】　本条是关于农业科研教育推广机构在农产品生产者质量安全工作中的职责的法律规定。

制定本条的目的

一是明确农业科研教育机构和农业技术推广机构的职责，强化其在农产品质量安全工作中的责任；二是加强农产品质量知识和技能的培训工作，帮助农产品生产者掌握农产品质量安全技术，以生产优质安全的农产品和防止农业活动对农产品产地及其环境造成污染。

本条主要概念解释

农业科研教育机构：它是指各级人民政府设立的从事农业科学研究、教育培训和人才培养的机构，包括各级政府部门所属的农业科研院所、农业大中专院校、农业广播电视学校、农业干部和农民培训机构等。

农业技术推广机构:它是指各级人民政府设立的为农民和农业生产经营组织提供农业技术服务的机构。

农产品生产者:它是指从事种植、养殖等农产品生产活动的单位和个人,包括农产品生产企业、农民专业合作经济组织等中介组织和农民。

本条包括以下内容

1. 加强对农产品生产者质量安全知识和技能的培训

人类获取知识和技能有三种途径:一是通过书本学习,从科学文化书籍中获得;二是通过参加培训,获得传授的知识;三是通过参加社会实践活动,总结积累经验。在我国从事农产品生产的既有农产品生产企业、农民专业合作经济组织,也有而且更多的是千家万户的农户,但无论是企业的员工,还是合作经济组织内的成员和农民,普遍存在科学文化水平亟待提高的问题。在科学文化素养有限的情况下,通过参加培训获取相应知识和技能是十分有效的途径。农产品质量安全涉及面广,技术相对复杂,对农产品生产者进行农产品质量安全知识和技能的培训,不仅可以提高农产品生产者素质,而且可以推动高产、优质、高效、生态、安全农产品的发展。农产品生产者只有掌握了质量安全知识和技能,才能在增加农产品产量的同时,改善农产品品质,提高农产品安全水平,降低生产经营成本,减少农业活动对环境的污染,实现资源及环境的可持续发展。长期以来,我国农产品生产以追求数量为主,农产品质量安全意识不足,农产品质量安全技术研究滞后,农产品质量安全知识普遍缺乏,农产品质量安全技能培训无从谈起。近年来,随着全社会对农产品质量安全问题的关注,党中央、国务院把解决农产品质量安全问题纳入我国国民经济和社会发展方略;农业部从1999年开始,与财政部共同组织实施农业行业标准制定修订专项计划,2001年又启动了无公害食品行动计划;科技部把农产品质量安全技术研究列入“十五”国家科技攻关“食品安全专项”“技术标准专项”；一些高校也开设了农产品、食品质量安全专业或课程，一些农业科研和技术推广机构开展了形式多样的农产品质量安全知识宣传培训工作。但总体来讲，农产品质量安全知识和技能培训工作还处于初始阶段，培训工作计划性不强，培训内容还缺乏系统性，培训覆盖面还比较小，因此通过立法来强化农产品质量安全知识和技能的培训，十分必要。当前，各级政府及农业行政主管部门，应当制定切实可行的农产品质量安全知识和技能培训规划和计划，把农产品质量安全知识和技能培训作为绿色证书、职业技能鉴定、青年农民培训、阳光培训工程、科技入户、测土配方等行动的重要内容，并加强对农业科研教育机构和农业技术推广机构培训工作的考核和监督，确保农产品生产者掌握必备的农产品质量安全知识和技能。

2. 农产品质量安全知识和技能培训是农业科研教育机构和农业技术推广机构的职责

经过多年的努力，我国已经初步形成了比较完善的农业科研教育和技术推广体系，为我国农业科技进步和农业、农村经济发展做出了应有的贡献。到 2005 年，我国拥有国家和省级农业科研机构 500 多个，地市级农业科研所 600 多个，县级农业科研研究所 1000 多个；高等农业院校 67 所，农业中等学校 375 所，各类农业广播电视学校 2000 多所；县乡两级农业技术机构 1.73 万个。农业科研教育机构和农业技术推广机构服务的对象是农业生产企业、农民专业合作经济组织和农民，服务的行业是农业，服务的内容是研究、推广、传播农业科学技术。农业科研教育机构和农业技术推广机构不仅熟悉农业科学技术、农业生产实际，而且熟悉农村生活和农民语言。本法将农产品质量安全知识和技能培训的任务赋予农业科研教育机构和农业技术推广机构，既遵循了科学规律，又明确了责任主体；既可以加速相关科技成果的转化，又可以促使农产品生产者较快掌握农产品安全生产技术和技能。在新的历史时期,农业科研教育机构和农业技术推广机构要适应现代农业和农产品质量安全管理的需要,把农产品质量安全知识和技能的培训作为工作的重要内容,与其他工作同部署、同实施、同检查、同验收;在组织对农产品生产者质量安全知识和技能的培训过程中,要把服务贯穿始终;坚持面向基层,贴近实际,把理论和实践结合起来;及时更新培训内容,不断改进培训的方法和方式,让参加培训的农产品生产者感受到常学、常新、常见效,从而推进我国农产品质量安全水平的不断提高。

本条执行中应当注意的问题

1. 农业科研教育机构和农业技术推广机构提供培训服务应以公益性服务为主

农产品生产效益相对较低,多数农产品生产者又是农民,就我国目前农业和农村经济发展水平而言,让农民承担参加农产品质量安全知识和技能培训的费用是难以做到的,因而农业科研教育机构和农业技术推广机构提供培训服务应以公益性服务为主。

2. 农业科研教育机构和农业技术推广机构提供公益性培训服务,国家财政应保障其工作经费

国家应将农业科研教育机构和农业技术推广机构为农产品生产者提供培训服务的工作经费列入财政预算,并加强资金使用的监督管理,切实保证培训工作的正常进行。

第二十四条　农产品生产企业和农民专业合作经济组织应当建立农产品生产记录,如实记载下列事项:

(一)使用农业投入品的名称、来源、用法、用量和使用、停用的日期;

(二)动物疫病、植物病虫草害的发生和防治情况;

（三）收获、屠宰或者捕捞的日期。

农产品生产记录应当保存二年。禁止伪造农产品生产记录。

国家鼓励其他农产品生产者建立农产品生产记录。

【释义】 本条是关于农产品生产记录的规定。

制定本条的目的

一是明确农产品生产企业和农民专业合作经济组织在农产品生产过程中的责任和示范带动作用。农产品生产企业和农民专业合作经济组织大多具有一定的规模和技术基础,同时具有一定的组织管理能力和市场营销能力,生产的农产品绝大多数是为了满足市场销售。建立完善的生产过程记录,既有利于生产过程中技术的统一,也有利于品牌的打造,有利于质量安全问题的追溯,而且更重要的是便于带动农产品的标准化生产,引领签约农户和周边农户树立质量安全意识、责任意识、科学生产和满足市场需求的生产意识。

二是规范农产品生产过程中的关键控制点和控制措施。农产品生产周期长,影响环节多,作为农产品生产企业和农民专业合作经济组织,在控制农产品质量安全时到底应当抓住哪些最基本的控制点后方可实现过程受控,安全有保障,问题可追溯,本法中明确给出了需严把的三个要素。首先是严格投入品的使用,特别是农作物种子、水产苗种、种畜禽、农药、兽药、肥料、饲料和饲料添加剂的科学合理使用,这是从源头控制化学性污染物的关键;其次是严把动物疫病及植物病、虫、草害的发生和防治情况,这是用药的原因;再次就是严把收获、屠宰或者捕捞的日期,主要是指农药使用后的安全间隔期或兽药休药期。

三是鼓励除农产品生产企业和农民专业合作经济组织外的其他农产品生产者,积极推行全程控制和过程管理,参照农产品生产企业和农民专业合作经济组织的做法,建立农产品生产记录,对农业投入品的使用、动植物疫病的防治以及用药后的安全间隔期或者休药期进行严格控制,实施记录,实现过程可追溯、质量安全有保障。

本条主要概念解释

农产品生产企业:它是指经工商行政管理部门登记并核发营业执照从事农产品生产的经济实体。包括专门从事农产品生产的企业、附加从事农产品生产的企业,也包括从事农产品生产的流通企业和商业企业。

农民专业合作经济组织:它是指从事某项专业生产或者经营的农民在自愿基础上联合建立的,以发展专项产品产业化经营和对成员提供服务为宗旨,以维护成员利益、增加成员收入为目的,实行自主经营、自主管理、自主服务、自负盈亏的合作经济实体。包括各类农业(农产品)专业协会、专业合作社和联合社等。

农产品生产记录:它是指农产品生产者在生产过程中,依据本法规定,对使用农业投入品,动物疫病、植物病、虫(草)害的发生和防治,收获屠宰或者捕捞的日期等情况进行记录并依法将记录进行保存的制度。

本条包括以下内容

1. 农产品生产企业和农民专业合作经济组织在农产品生产过程中必须建立生产记录,对广大的个体农产品生产者(农民),本法没有提出强制性要求。

2. 农产品生产企业和农民专业合作经济组织建立的农产品生产记录,必须载明三个方面的内容:一要详细记载生产活动中所使用过的农业投入品的名称、来源、用法、用量和使用、停用的日期;二要详细记载生产过程中动物疫病、植物病、虫(草)害的发生、防治情况;三要如实记载种植业产品收获、畜禽屠宰、水产捕捞的日期。

3. 农产品生产企业和农民专业合作经济组织建立的农产品生产记录必须要保存 2 年,以便质量安全问题的追溯和生产过程问题的追查。

4. 农产品生产企业和农民专业合作经济组织必须做到生产记录客观、真实，不得弄虚作假，不得伪造农产品生产记录。

5. 除农产品生产企业和农民专业合作经济组织以外，国家鼓励其他从事农产品生产的生产者，积极推行全程控制，自觉建立农产品生产记录，实现农产品质量安全可追溯。

本条执行中应当注意的问题

1. 关于农业投入品的使用，要查明和记载农业投入品的来源、登记证号和允许使用的范围以及生产、经营者名称，以便责任追溯和质量安全问题追查。

2. 关于保存期 2 年的问题，这是一个最低保存期时限要求，根据不同农产品品种和销售需要，农产品生产企业和农民专业合作经济组织可自行决定保存更长的时间。

3. 虽然本法只规定了农产品生产企业和农民专业合作经济组织必须建立生产记录，对其他农产品生产者鼓励建立生产记录。但从农产品质量安全的市场准入和责任追溯看，凡上市销售的农产品，从农产品市场营销和生产者责任角度出发，自行建立生产记录，既有利于标准化生产和新技术推广，也有利于过程控制和责任追溯，是一个发展方向。法律没有硬性要求，但在实际的农产品市场准入和营销中，消费者会逐步提出查证和索取生产记录要求，因此，建立生产记录有利于提高生产者在消费者心目中的可信度，是未来的发展趋势。

第二十五条　农产品生产者应当按照法律、行政法规和国务院农业行政主管部门的规定，合理使用农业投入品，严格执行农业投入品使用安全间隔期或者休药期的规定，防止危及农产品质量安全。

禁止在农产品生产过程中使用国家明令禁止使用的农业投入品。

【释义】 本条是关于合理使用农业投入品的规定。

制定本条的目的

强化对农业投入品的使用管理,减少危及农产品质量安全的因素。

本条主要概念解释

安全间隔期:它是指农产品在最后一次施用农药到收获上市之间的最短时间。在此期间,多数农药的有毒物质会因光合作用等因素逐渐降解,农药残留会达到安全标准,不会对人体健康造成危害。不同品种的农药有不同的安全间隔期。

休药期:它是指食用动物在最后一次使用兽药到屠宰上市或其产品(蛋、奶等)上市销售的最短期间。在此期间,兽药的有害物质会随着动物的新陈代谢等因素逐渐消失,兽药残留会达到安全标准,不会对人体健康造成危害。不同品种的兽药有不同的休药期。

本条包括以下内容

1. 农产品生产者应当合理使用农业投入品

农作物种子、水产苗种、种畜禽、农药、兽药、饲料和饲料添加剂、肥料等农业投入品是农业生产不可或缺的重要物资,对于提高农产品产量、增加农民收入具有积极意义。但若使用不当,也会给农产品质量安全和农业生产环境带来严重损害。实际上,农产品生产者不按照操作规程科学合理使用农业投入品甚至违反国家规定使用禁用、限用农业投入品的问题,已成为影响我国农产品质量安全水平的重要隐患。因此,必须强化对农业投入品使用过程的规范和管理,保证农业投入品的合理使用。

2. 合理使用农业投入品的具体依据是法律、行政法规和国务院农业行政主管部门的规定

我国有关农业投入品管理的法律、行政法规都对农业投入品的合理使用问题做了规定。农业法强调各级人民政府应当建立健

全农业生产资料的安全使用制度。《农药管理条例》要求农药使用者遵守农药防毒规程和国家有关农药安全、合理使用的规定，按照规定的用药量、用药次数、用药方法和安全间隔期施药，防止农产品污染，不得将剧毒、高毒农药用于蔬菜、瓜果、茶叶和中草药材，严禁用农药毒鱼、虾、鸟、兽等。《兽药管理条例》要求兽药使用单位遵守国务院兽医行政管理部门制定的兽药安全使用规定，并建立用药记录；不得将原料药直接添加到饲料及动物饮用水中或者直接饲喂动物；不得将人用药品用于动物。《饲料和饲料添加剂管理条例》规定：使用饲料添加剂应当遵守国务院农业行政主管部门制定的安全使用规范，禁止在饲料和动物饮用水中添加激素类药品和国务院农业行政主管部门规定的其他禁用药品。此外，农业部（农牧渔业部）也先后发布了《农药安全使用规定》《农药限制使用管理规定》《饲料药物添加剂使用规范》等规范性文件，对农业投入品的合理使用提出了具体要求。

3. 农产品生产者应当严格执行农业投入品使用安全间隔期或者休药期的规定

在农药、兽药使用中严格执行安全间隔期或休药期规定，是合理使用农业投入品的重要内容。根据《农药管理条例》和《兽药管理条例》及农业部有关规定的要求，农药、兽药在其标签或说明书上都应标注安全间隔期、休药期等内容，农产品生产者应当严格按照标注的安全间隔期、休药期使用农业投入品，确保农产品质量安全。

4. 禁止在农产品生产过程中使用国家明令禁止使用的农业投入品

由于某些农业投入品经实践检验对农产品质量安全和人体健康有害，国家已明令禁止使用。在农药方面，2002 年 6 月 5 日发布的农业部公告第 199 号，明令禁止使用六六六、滴滴涕、毒杀芬、毒鼠强等 18 种农药，同时，禁止将甲胺磷、甲基对硫磷、对硫磷、久效磷等19种高毒农药用于蔬菜、果树、茶叶、中草药材上，禁止将三氯杀螨醇、氰戊菊酯用于茶树上。在兽药方面，2002年3月5日发布的农业部公告第193号，列明了21类食品动物禁用的兽药及其他化合物清单。此外，2001年2月28日农业部发布的《关于禁止在反刍动物饲料中添加和使用动物性饲料的通知》，还明确禁止在反刍动物饲料中添加和使用肉骨粉、骨粉、血粉等动物性饲料产品。

本条执行中应当注意的问题

1. 农产品生产者是合理使用农业投入品的第一责任人，有义务按照国家规定合理使用农业投入品，否则，对其要按照有关法律、行政法规的规定处罚；构成犯罪的，还要依法追究刑事责任。

2. 农业部门除了要依法加强对农业投入品使用环节的监管外，还要建立健全农业投入品安全使用制度，做好法律法规和国家禁用、限用农业投入品清单的宣传工作，搞好技术培训，指导农民掌握并遵循安全生产技术规程，合理使用农业投入品。

第二十六条　农产品生产企业和农民专业合作经济组织，应当自行或者委托检测机构对农产品质量安全状况进行检测；经检测不符合农产品质量安全标准的农产品，不得销售。

【释义】　本条是关于农产品生产企业和农民专业合作经济组织对农产品质量安全状况进行检测的规定。

制定本条的目的

落实农产品生产企业和农民专业合作经济组织的检测责任，确保农产品质量安全。

本条包括以下内容

1. 农产品生产企业和农民专业合作经济组织，在销售前应当对农产品的质量安全状况进行自检

这里所说的“自检”主要包括两种方式：一种是农产品生产企

业和农民专业合作经济组织自己具有检测仪器，由本企业或本组织的检测人员自行进行检测的方式。另一种是农产品生产企业和农民专业合作经济组织自身没有检测仪器、人员，通过委托有关检测机构进行检测的方式。这里提到的“有关检测机构”，是指符合本法第三十五条规定，经过省级以上人民政府农业行政主管部门或者授权的部门考核合格的农产品质量安全检测机构。

对于农产品生产企业和农民专业合作经济组织来说，农产品生产时，要严格按照生产技术标准的要求，把好农产品的质量安全关，在生产环节、出厂检验环节要对农产品进行检测，防止不合格产品流入市场，损害消费者的利益。销售前对农产品进行自检，是农产品质量控制的一项重要措施。在此，本法借鉴了工业产品进行自检管理的经验。在现代企业管理制度中，生产企业均规定了产品出厂时应当经过生产企业自行设置的检验机构检验合格，或者经过生产企业委托其他检验机构检验合格的管理制度，使出厂产品的质量符合相应的质量要求。目前，在农产品出口企业中，已经借鉴了这一经验，而且取得了良好的效果。通过自检，生产企业和农民专业合作经济组织可以准确地掌握农产品的质量安全状况，从而在销售前采取有效措施，例如延长休药间隔期、延迟采收时间、延长出栏时间等，来降低农产品的农药残留量或兽药残留量，使其符合农产品质量安全标准，这样可以减少未经检测而盲目销售带来的损失。企业若是未经检测直接销售，在不知道自己产品的质量安全状况的情况下，一是可能会损害消费者的切身利益，危害消费者的身体健康，严重的话会引发农产品质量安全事件；二是会给自身带来损失，一旦监督抽查不合格，不仅给企业带来经济损失，而且还会严重影响企业的形象和声誉。因此农产品生产企业和农民专业合作经济组织在销售前对农产品进行自检是有必要的。

2. 经检测不符合农产品质量安全标准的农产品，不得销售。否则，要依法予以处理、处罚

经检测，是指在农产品销售前农产品生产企业和农民专业合作经济组织自行检测或者委托有关检测机构进行的检测。根据以上检测得出的结果，不符合农产品质量安全标准的农产品，不允许销售。如果违反本法规定，销售不符合农产品质量安全标准的农产品，将按照本法第五十条的规定予以处理、处罚。

本法在执行中应当注意以下问题

1. 本条规范的对象是农产品生产企业和农民专业合作经济组织，而不是分散的农民。

2. 经检测不符合农产品质量安全标准的农产品，不得销售。但有些农兽药残留量超标的农产品，可先行留置，待过了安全间隔期或休药期，经检测符合农产品质量安全标准的，则可以销售。

第二十七条　农民专业合作经济组织和农产品行业协会对其成员应当及时提供生产技术服务，建立农产品质量安全管理制度，健全农产品质量安全控制体系，加强自律管理。

【释义】　本条是关于农民专业合作经济组织和农产品行业协会等中介组织自律与服务的规定。

制定本条的目的

以法律的形式把强化对农产品生产者、经营者的组织和技术服务，作为农民专业合作经济组织和农产品行业协会等中介组织的法定义务。

本条包括以下内容

1. 农民专业合作经济组织和农产品行业协会应当对其成员及时提供生产技术服务，如按照国家法律、行政法规和国务院农业行政主管部门的规定，合理使用农业投入品，严格执行农业投入品使用安全间隔期或者休药期的规定；提供高效低毒农业投入品的统

一配送和使用技术指导、动植物疫病防治技术、收获储运保鲜加工和包装标识指导等。

2. 农民专业合作经济组织和农产品行业协会应当帮助其成员建立农产品质量安全管理制度，健全农产品质量安全控制体系，如建立农产品生产记录，如实记载农业投入品使用的情况，动植物病害发生和防治情况，收获、屠宰或捕捞的情况等，并按照法律要求保存生产记录2年；帮助其成员对生产的农产品质量安全状况进行检测，经检测不合格的农产品不得销售。

3. 农民专业合作经济组织和农产品行业协会应当加强对其成员的自律教育，提高自身素质，严格遵守国家有关农产品质量安全管理的各项法律法规和其他规定。

第五章　农产品包装和标识

建立农产品包装和标识制度，是实施农产品追踪和溯源，建立农产品质量安全责任追究制度的前提，是防止农产品在运输、销售或购买时被污染和损害的关键措施，是培育农产品品牌，提高我国农产品市场竞争力的必由之路。同时，对农产品进行包装和标识，也有利于购买者、消费者快速识别产品名称、质量等级、数量、品牌以及生产者信息，有利于保障消费者的知情权和选择权。但是，由于我国农产品现有生产经营状况的特殊性，建立农产品包装、标识制度，不可能一蹴而就，必须尊重我国的国情农情。既要坚定不移，又要循序渐进。要坚持"先易后难、先重点后一般、先城镇后乡村、先示范后推广"的原则，在充分尊重市场规律的前提下，积极稳妥地推进。本章共 5 条，规定建立包装、标识制度，授权国务院农业部门制定具体办法；规定农产品包装、保鲜、贮存、运输中使用的保鲜剂等要符合强制性技术规范；对农产品的转基因标识、检疫标志和证明进行了规定；确立了农产品标志管理制度，明确了无公害农产品标志和其他优质农产品标志受法律保护，禁止冒用。

第二十八条　农产品生产企业、农民专业合作经济组织以及从事农产品收购的单位或者个人销售的农产品，按照规定应当包装或者附加标识的，须经包装或者附加标识后方可销售。包装物或者标识上应当按照规定标明产品的品名、产地、生产者、生产日期、保质期、产品质量等级等内容；使用添加剂的，还应当按照规定

标明添加剂的名称。具体办法由国务院农业行政主管部门制定。

【释义】 本条是关于农产品包装和标识管理的规定。

制定本条的目的

一是鼓励农产品包装上市,实现农产品质量升级和市场增值。从发达国家农产品生产和销售情况来看,大多都要在产地进行分级、包装,满足不同用户和市场对农产品等级、贮存、运输的需要。我们国家的农产品包装,总体上讲包装率低,包装质量不高,包装材料品种单一。随着我国农业产业化、农产品贮藏加工的深入发展和人民群众消费水平的提高,农产品分级包装上市销售将成为一种必然趋势。这也是打造农产品品牌的重要途径。

二是推行农产品标识销售。货真价实,明码标价,是商品交换和贸易的基本原则。上市销售的农产品客观、真实地标明其品种、产地、生产者、销售者和质量等级等信息,既是生产者或者销售者宣传、营销的手段,也是消费者选择的重要依据。在一定程度上讲,农产品标识已成为农产品上市销售的一个最基本条件。

三是循序渐进,不断加以推动和引导。鉴于目前上市销售的农产品绝大多数没有包装和标识的现实,本法中采取了分类指导和分布推进的原则。对一些包装销售条件成熟的农产品,要求必须经过包装后方可销售。对一些包装条件还不完全具备的产品,如活畜、活禽、活鱼、活虾等产品,国家暂不做硬性规定,鼓励农产品生产者根据市场消费需求,采取相应的保鲜方式进行销售。对农产品标识,本法明确了用于销售的农产品要标明品名、产地、生产者、生产日期、保质期、产品质量等级等内容,但不同的农产品可以按照实际需要,采取不同的方式进行标识。

本条主要概念解释

农产品包装:它是指农产品分等、分级、分类后实施装箱、装盒、装袋、包裹等活动的过程和结果,其中也包括对农产品的清洗、分割、冷冻等活动。

农产品标识：它是指用来表达农产品生产信息、质量安全信息和消费信息的所有标示行为和结果的总称，可以用文字、符号、数字、图案及相关说明物进行表达和标示。

保质期：它是指在规定的贮存条件下，保持农产品质量安全水平和消费品质的最长时限或者允许销售的终止日期。

标注：它是指用来表达标识内容和要求的活动过程和行为结果。

本条包括以下内容

1. 农产品生产企业、农民专业合作经济组织以及从事农产品收购的单位或者个人，应当依法履行包装或者标识义务。对一家一户、农民自产自销的农产品，没有提出包装和标识要求。

2. 按照农业部规定须包装或者附加标识的农产品，只有经过包装或者附加标识后才可以上市销售；未经包装或者未附加标识的，不允许上市销售。

3. 销售的产品在包装物或者标识上必须标注品名、产地、生产者、生产日期、保质期、产品质量等级等内容。

4. 农产品在包装、保鲜、贮藏、运输过程中使用过添加剂的，必须标明使用过的添加剂名称。

5. 农产品包装和标识十分复杂，推行农产品包装上市和标识标注是一个分类管理、循序渐进的过程，故本法对包装或附加标识的行为主体和产品对象只做了一些原则性的规定。具体的包装和标识范围、对象及实施步骤，本法授权国务院农业行政主管部门另行制定办法进行规定。

本条执行中应当注意的问题

1. 国家规定必须包装销售的农产品，是指国务院农业行政主管部门规定必须包装的农产品。

2. 国家对农产品实施标识销售，是一个基本的要求，但标识的内容对不同农产品可以区别对待，标识的方式方法也可以多种多样，具体标识要求按国务院农业行政主管部门规定执行。

3. 关于包装、标识行为主体问题。目前本法只是对农产品生产企业、农民专业合作经济组织以及从事农产品收购的单位或者个人应尽的责任和义务做出了规定，对其他主体，国家只是鼓励其对上市销售的农产品实施包装和标识。

第二十九条　农产品在包装、保鲜、贮存、运输中所使用的保鲜剂、防腐剂、添加剂等材料，应当符合国家有关强制性的技术规范。

【释义】　本条是对农产品包装、保鲜、贮存、运输过程使用相关材料要求的规定。

制定本条的目的

制定本条的目的是规范农产品包装、保鲜、贮存、运输过程中保鲜剂、防腐剂、添加剂等材料的使用，防止农产品二次污染，确保农产品消费安全。

农产品大多以鲜活产品为主，且多为异地销售，在包装、贮存、运输过程中极易腐烂变质，失去原有的色、香、味和营养品质，失去相应的商品价值和消费功能。为确保广大消费者能够吃到色、香、味俱全和品质优良的农产品，在包装、贮存、运输过程中适当采取一定的保鲜防腐技术是必需的，也是发展的必然方向。从农产品产业升级和产品升值看，对农产品实施必要的包装、采取相应的贮存手段、合理运输，是农产品生产和流通发展的基本趋势。但在实际操作过程中，一些农产品生产者和营销者，往往不顾农产品消费者的健康，在农产品包装、保鲜、贮存、运输过程中片面追求色、香、味和商业利益，大量使用有毒有害的化学制剂充当保鲜剂、防腐剂、添加剂，严重威胁到了广大消费者的身体健康和生命安全，也破坏了农产品的固有品质，对整个农产品的包装、保鲜、贮存、运输行业形象损害极大。为保障公众消费安全，保证农产品品质，规范农产品保鲜剂、防腐剂、添加剂的使用，本法规定农产品在包装、保鲜、贮存、运输中使用的保鲜剂、防腐剂、添加剂等材料，必须符合国家强制性技术规范要求。

本条主要概念解释

保鲜剂：它是指保持农产品新鲜品质，减少流通损失，延长贮存时间的物质。

防腐剂：它是指防止农产品腐烂变质的物质。

添加剂：它是指为改善农产品品质和色、香、味以及加工工艺需要加入的物质。

强制性技术规范：它是指国家有关部门发布的保鲜剂、防腐剂、添加剂等方面的强制性标准和技术要求。

本条包括以下内容

1. 本条明确了保鲜剂、防腐剂、添加剂等材料使用环节要求，即在农产品包装、保鲜、贮存、运输中使用的相应材料必须符合国家有关规定。

2. 本条界定了农产品包装、保鲜、贮存、运输中允许使用的相应材料种类，主要是保鲜剂、防腐剂、添加剂等材料。

3. 本条提出了农产品包装、保鲜、贮存、运输中使用的材料必须符合国家有关部门颁布的安全、卫生、环保等方面的强制性要求。

本条执行中应当注意的问题

1. 关于使用环节

主要针对农产品包装、保鲜、贮存、运输中所使用材料的管理。

2. 关于强制性技术规范

凡国家在安全、卫生、环保方面对相应的保鲜剂、防腐剂、添加剂制定的强制性标准和技术要求，均属强制性的技术规范范畴。

第三十条　属于农业转基因生物的农产品,应当按照农业转基因生物安全管理的有关规定进行标识。

【释义】 本条是关于转基因农产品标识的衔接性规定。

制定本条的目的

与《农业转基因生物安全管理条例》有关标识的规定衔接,保护消费者的知情权。

本条主要概念解释

农业转基因生物:它是指利用基因工程技术改变基因组构成,用于农业生产或者农产品加工的动植物、微生物及其产品,主要包括:转基因动植物(含种子、种畜禽、水产苗种)和微生物;转基因动植物、微生物产品;转基因农产品的直接加工品;含有转基因动植物、微生物或者其产品成分的种子、种畜禽、水产苗种、农药、兽药、肥料和添加剂等产品。

本条包括以下内容

1. 属于农业转基因生物的农产品应当进行标识

作为利用基因工程技术获得的"人造"生物,农业转基因生物在品种改良方面表现出了巨大优势,但也伴随着转基因逃逸、转基因导致新病毒和疾病产生、加速昆虫对抗性的进化等潜在风险。到目前为止,关于农业转基因生物是否安全的问题尚无定论,学术界对此问题也存在激烈争议。但在争议过程中逐渐形成了共识,就是在有充分科学依据证明其是否安全之前,对于农业转基因生物应该采取"预防的原则",也就是在推广、应用之前,要充分地评估、预防农业转基因生物及其产品对环境和人体健康带来的潜在风险。具体到消费层面,要确保消费者知情权、选择权,让消费者自主选择是否购买、食(使)用农业转基因生物及其产品。为此,国务院2001年5月23日公布的《农业转基因生物安全管理条例》建立了农业转基因生物标识制度,以便消费者能够通过标识了解某一农产品是否属于农业转基因生物。从保障农产品质量安全、保护消费者的知情权出发，本法也做了衔接性规定，强调属于农业转基因生物的农产品应当进行标识。

2. 标识要依据农业转基因生物安全管理的有关规定进行

目前，农业转基因生物标识的主要依据是《农业转基因生物安全管理条例》。根据该条例，在我国境内销售的列入农业转基因生物目录的农业转基因生物，应当有明显的标识，否则不得销售。标识由生产、分装单位和个人负责。经营单位和个人在进货时，应当对货物和标识进行核对；经营单位和个人拆开原包装进行销售的，应当重新标识。农业转基因生物标识应当载明产品中含有转基因成分的主要原料名称；有特殊销售范围要求的，还应当载明销售范围，并在指定范围内销售。此外，农业部于 2002 年 1 月 5 日发布了《农业转基因生物标识管理办法》，对农业转基因生物标识的标注方法等做了具体规定，并明确了第一批实施标识管理的农业转基因生物目录，包括大豆种子、大豆、大豆粉、大豆油、豆粕；玉米种子、玉米、玉米油、玉米粉；油菜种子、油菜籽、油菜籽油、油菜籽粕；棉花种子；番茄种子、鲜番茄、番茄酱。属于农业转基因生物的农产品，应当按照上述规定的要求进行标识。

本条在执行中需要注意的问题

由于本条属于与《农业转基因生物安全管理条例》相衔接的规定，故在“法律责任”一章中未设定相应的处罚。在具体执法中，应依据《农业转基因生物安全管理条例》第五十二条的规定进行处罚：“违反本条例关于农业转基因生物标识管理规定的，由县级以上人民政府农业行政主管部门依据职权，责令限期改正，可以没收非法销售的产品和违法所得，并可以处 1 万元以上 5 万元以下的罚款。”

第三十一条　依法需要实施检疫的动植物及其产品，应当附具检疫合格标志、检疫合格证明。

【释义】　本条是关于动植物及其产品检疫标志与证明的

规定。

制定本条的目的

一是加强动植物及其产品检疫,保障动植物及其产品消费安全;二是与有关动植物检疫的法律法规衔接。

本条主要概念解释

动植物检疫:它是指法定检疫机关(机构)根据国家检疫法律法规,运用相应的技术、方法,对动植物及其产品的疫病、害虫、杂草等有害生物进行检疫检验和监督处理,以防止危害动植物的疫病、害虫、杂草传播蔓延,保障农业生产安全。

本条包括以下内容

1. 依法实施检疫

动植物疫病不仅影响动植物本身的健康,而且影响农产品质量安全。加强动植物及其产品的检疫,是保障农产品质量安全的重要措施。比如,小麦赤霉病、玉米螟和玉米穗腐病不仅影响农业发展,其引发的霉菌毒素还可导致人畜中毒且致癌、致畸;H5N1型高致病禽流感、猪链球菌的暴发,不仅使畜牧业发展受到重创,而且严重影响畜产品的消费,危及人类生命安全。近年来,美国、韩国等一直以桔小实蝇为由对我国柑橘、龙眼和荔枝等水果进行进口限制,日本、菲律宾等一直以苹果蠹蛾为由禁止进口我国苹果和梨等水果。随着国际贸易的发展,一些新的有害生物不断传入并迅速扩散,我国动植物检疫工作面临严峻的考验。20 世纪 70 年代,我国新发现的检疫性有害生物只有 1 种,80 年代 2 种,90 年代达到 10 种,最近 5 年就新发现 18 种。

为加强动植物检疫,我国已出台进出境动植物检疫法及其实施条例、动物防疫法和《植物检疫条例》,对检疫实施主体、检疫对象、检疫措施分别做了规定。进出境动植物检疫法规定国家动植物检疫机关和口岸动植物检疫机关对进出境动植物、动植物产品实行检疫监督;动物防疫法规定动物防疫监督机构按照国家标准和农业部规定的行业标准、检疫对象,对动物及其产品实施检疫;《植物检疫条例》规定农业、林业部门所属的植物检疫机构根据应施检疫对象名单,对植物及其产品实施检疫。

2. 附具检疫合格标志、检疫合格证明

对经过法定检疫合格的动植物及其产品,应当加贴检疫合格标志或者附上检疫合格证明。进出境动植物检疫法规定经检疫合格的,口岸动植物检疫机关应当签发检疫证书或者在海关报关单上加盖印章;动物防疫法规定经检疫合格的,动物防疫监督机构应当出具检疫证明,动物产品同时加盖或者加封动物防疫监督机构使用的验讫标志;《植物检疫条例》规定经检疫合格的,植物检疫机构应当发给植物检疫证书。

本条执行中应注意的问题

1. 动植物及其产品的检疫应当执行有关检疫法律法规,检疫实施主体、检疫范围和检疫措施应当符合有关检疫法律法规的规定。

2. 本条的检疫合格标志和证明包括有关检疫法律法规规定的检疫单证、印章、标志、标识等形式。

第三十二条　销售的农产品必须符合农产品质量安全标准,生产者可以申请使用无公害农产品标志。农产品质量符合国家规定的有关优质农产品标准的,生产者可以申请使用相应的农产品质量标志。

禁止冒用前款规定的农产品质量标志。

【释义】 本条是关于农产品质量安全标志的规定。

制定本条的目的

为了明确农产品质量安全标志的种类,建立和规范农产品质量安全标志的使用管理制度。

本条主要概念解释

无公害农产品:它是指产地环境、生产过程和产品质量符合国家有关标准和规范的要求，经认证合格获得认证证书并允许使用无公害农产品标志的未经加工或者初加工的农产品。

农产品质量标志：它是指由国家有关部门制定并发布，加施于获得特定质量认证的农产品的证明性标识，如无公害农产品、绿色食品、名牌农产品、有机农产品的标志。标志的使用涉及政府对农产品质量安全的保证和防止欺诈行为的监管，关系到生产者、经营者及消费者合法权益的维护，是国家有关部门对农产品质量安全进行有效监督和管理的重要手段。

本条包括以下内容

1. 销售的农产品必须符合农产品质量安全标准

农产品质量安全问题，是关系到社会稳定与民族长远发展的一件大事，前些年个别地区“毒大米”“瘦肉精”等事件，不但影响消费者对农产品的消费信心，而且许多农药、重金属、激素残留超标的农产品对人体的潜在损害也不可忽视，长此以往，必将严重影响消费者的身体健康，影响我国国民身体素质。此外，目前农产品结构性过剩、农产品“卖难”的问题相当突出，农业的直接经济效益下降，农民收入增长缓慢。我们应当力争通过实施农产品质量安全法律规范，推动农业生产的结构调整，提高农产品质量和竞争力，促进农产品的国际贸易，使农业从单纯追求产量转到追求质量和效益上来，完成从传统农业向现代农业的转变。

2. 符合国家农产品质量安全标准的农产品，其生产者可以申请使用无公害农产品标志

无公害农产品标志作为政府保障农产品安全的标志，表明有关农产品符合质量安全标准，农产品生产者可以根据市场准入和市场营销的需要，申请使用该标志。

考虑到我国农产品目前生产的实际情况，本法规定无公害农产品标志由申请者自愿申请，国家暂不做硬性要求。为推动无公害农产品的生产和消费，2002 年 4 月 29 日，农业部、国家质量监

督检验检疫总局第 12 号令发布了《无公害农产品管理办法》，随后农业部会同有关部门又陆续颁布了《无公害农产品标志管理办法》《无公害农产品认证程序》《无公害农产品产地认定程序》《农业部关于发展无公害农产品绿色食品有机农产品的意见》《农业部关于进一步加强农产品质量安全管理工作的意见》等规章和规范性文件，组建了农业部农产品质量安全中心，省、地、市、县明确了无公害农产品工作机构，初步建立了比较完备的无公害农产品管理制度和工作体系。

3. 农产品符合国家规定的有关优质农产品标准的，生产者可以申请使用相应的优质农产品质量标志

在目前，我国优质农产品主要是指取得绿色食品标志的农产品、名牌农产品、有机农产品等。与无公害农产品相比，优质农产品的认证和标志采取“政府推动、市场引导”的方式，目的在于实现“优质优价”，是市场和消费者选择的结果。自 1991 年 12 月 28 日《国务院关于开发“绿色食品”有关问题的批复》发布以来，农业部发布了《绿色食品标志管理办法》和一系列的绿色食品行业标准和技术规范，有关部门发布了《有机食品认证管理办法》等，国家发展改革委印发了《绿色食品认证及标志使用收费管理办法》，依托农业系统建立了一个自上而下的绿色食品认证管理体系。

4. 不符合无公害农产品、优质农产品质量安全标准要求，或者未经认证的农产品，不得擅自使用有关的农产品质量安全标志

冒用农产品质量安全标志包括多种情况，如未经认证擅自在产品上使用质量安全标志；擅自扩大、改变质量安全标志的使用范围；质量安全认证到期或被撤销后继续使用质量安全标志。对于冒用农产品质量安全标志的行为，本法第五十一条规定了相应的法律责任。

第六章　监 督 检 查

对行政相对人的守法情况进行监督检查，是法律规定能否得到有效实施的保证。本章共 10 条，明确了禁止销售的农产品情形，规定国家建立农产品质量安全监测制度，组织例行监测和监督抽查；规定检测不得收费、抽样数量限制和不得重复抽查，以防止执法扰民和滥权腐败；规定了农产品质量安全检测机构必须通过计量认证和农业行政主管部门的授权认可；规定了速测法的法律地位和法律救济途径；规定农产品批发市场要建立自检制度和发现不符合标准的农产品后及时报告的义务；规定农产品销售企业应当建立进货查验制度；建立社会监督和农产品质量安全事故报告处理制度；授权县级以上农业行政主管部门对生产、销售的农产品进行现场检查、查阅复制有关文字材料、查封扣押不符合标准的农产品；明确农业行政主管部门应当履行责任追究的义务；规定进口农产品必须检测。

第三十三条　有下列情形之一的农产品，不得销售：

（一）含有国家禁止使用的农药、兽药或者其他化学物质的；

（二）农药、兽药等化学物质残留或者含有的重金属等有毒有害物质不符合农产品质量安全标准的；

（三）含有的致病性寄生虫、微生物或者生物毒素不符合农产品质量安全标准的；

（四）使用的保鲜剂、防腐剂、添加剂等材料不符合国家有关强制性的技术规范的；

（五）其他不符合农产品质量安全标准的。

【释义】 本条是关于销售农产品的禁止性规定。

制定本条的目的

从市场准入条件入手，禁止不符合农产品质量安全标准的农产品上市销售，与本法第二十六条农民专业合作经济组织和农产品生产企业经检测不符合农产品质量安全标准的农产品不得销售的产品准出规定前后呼应。

本条主要概念解释

农药残留：它是指所有因使用农药而残留在农产品中的特定物质，包括所有农药的衍生物，如代谢产物、反应产物及被认为具有毒理学意义的杂质。

兽药残留：它是指动物产品的任何可食部分所含兽药的母体化合物和其代谢物，以及与兽药有关的杂质残留。兽药残留既包括原药，也包括药物在动物体内的代谢产物。

重金属：它一般指比重在五以上的金属。农产品中具有危害的重金属主要有镉、汞、铅、砷、铬等。

寄生虫：它是动物性寄生物的总称，其中通过食用农产品感染人体的寄生虫称为食源性寄生虫，主要包括原虫、节肢动物、吸虫、绦虫和线虫。

微生物：它是一类肉眼难以窥见、形体微小的生物的总称。包括原核生物界中的细菌、放线菌、蓝细菌；真菌界中的酵母菌、霉菌；原生生物界中的大多数藻类和原生动物；以及非细胞结构的病毒。有些微生物能引起人类和动植物的病害和工农业产品的腐烂变质。

生物毒素：它又称天然毒素，是指动植物和微生物中存在的某种对其他生物物种有毒害作用的非营养性天然物质成分，或因贮存方法不当，在一定条件下产生的某种有毒成分。

本条包括以下内容

1. 含有国家禁止使用的农药、兽药或者其他化学物质的农产

品不得销售

我国《农药管理条例》明确要求农药使用者不得将剧毒、高毒农药用于蔬菜、瓜果、茶叶和中草药材，严禁用农药毒鱼、虾、鸟、兽等；《兽药管理条例》要求兽药使用单位不得将原料药直接添加到饲料及动物饮用水中或者直接饲喂动物，不得将人用药品用于动物；《饲料和饲料添加剂管理条例》禁止在饲料和动物饮用水中添加激素类药品和国务院农业行政主管部门规定的其他禁用药品。由于某些农业投入品经实践检验对农产品质量安全和人体健康有害，国家已明令禁止使用。近年来我国比较严重的农产品质量安全事件的根源主要也是禁用农兽药等化学物质的使用问题。为此，2002 年 6 月 5 日发布的农业部公告第 199 号，明令禁止使用六六六、滴滴涕、毒杀芬、毒鼠强等 18 种农药，同时，禁止将甲胺磷、甲基对硫磷、对硫磷、久效磷等 19 种高毒农药用于蔬菜、果树、茶叶、中草药材上，禁止将三氯杀螨醇、氰戊菊酯用于茶树上。在兽药方面，2002 年 3 月 5 日发布的农业部公告第 193 号，列明了 21 类食品动物禁用的兽药及其他化合物清单。此外，2001 年 2 月 28 日农业部发布的《关于禁止在反刍动物饲料中添加和使用动物性饲料的通知》，还明确禁止在反刍动物饲料中添加和使用肉骨粉、骨粉、血粉等动物性饲料产品。生产、销售含有禁用投入品的农产品属于违法行为。通过检查农药兽药使用者的生产记录，或抽样检测可以知道生产或销售的产品中是否含有禁止使用的农药或兽药。违禁药物的检测无须定量，只要检出即可判定违法。

2. 农药、兽药等化学物质残留或者含有的重金属等有毒有害物质不符合农产品质量安全标准的农产品不得销售

限用投入品及其他污染物（如生物毒素、重金属）的残留量是否超过国家标准和行业标准需进行定量检测，通过检测来判定是否超过标准。其中，限用兽药、农药清单见 2002 年农业部第 193 号和第 199 号公告。国家也发布了一系列的食品卫生标准，其中

明确提出了有关农药和兽药等化学物质在不同产品的残留限量要求。食品中重金属含量都有严格的限定，超量就会产生危害。如食用含过量镉食品而造成的中毒大多是急性的，主要症状是恶心、呕吐、腹泻、腹痛。铅化合物对人体的影响主要是有损神经系统、肾脏和血液系统，还会引起肾功能损害，影响儿童的智力发育等。因此，销售农药、兽药等化学物质残留和重金属等有毒有害物质超标的农产品也是违法行为。

3. 含有致病性寄生虫、微生物或者生物毒素不符合农产品质量安全标准的农产品不得销售

以人和动物为寄主的寄生虫可诱发人畜共患病，所以寄生虫也是农产品相关安全卫生检验的重要项目。常见的致病性寄生虫有旋毛虫、猪绦虫、囊尾蚴、钩端螺旋体、肺吸虫、姜片虫、弓形体、蛔虫卵等。致病性微生物主要有肉类中的炭疽杆菌、口蹄疫病毒、布氏杆菌、破伤风杆菌、猪丹毒杆菌、沙门氏菌等。生物毒素种类繁多，分布广泛，主要有真菌毒素、细菌毒素、藻毒素、植物毒素、动物毒素等。生物毒素能够引起人和动物的急性中毒、致癌、致畸或致突变。在农产品中发现了许多生物毒素。如玉米、花生作物中的真菌霉素等都已经证明是地区性肝癌、胃癌、食道癌的主要诱导物质；现代研究还发现自然界中存在与细胞癌变有关的多种具有强促癌作用的毒素，如海兔毒素等。这些寄生虫、微生物和生物毒素对人体健康都有损害，因此在销售的农产品中必须强化对这些卫生指标的检验控制，超过标准的产品不得上市销售。

4. 使用的保鲜剂、防腐剂、添加剂等材料不符合国家有关强制性的技术规范的农产品不得销售

本法第二十九条规定，使用的保鲜剂、防腐剂、添加剂等材料应当符合国家有关强制性的技术规范，包括国家标准、行业标准等相关的安全、卫生、环保等强制性要求，防止农产品二次污染，确保农产品消费安全。不符合标准的农产品不得上市销售。

5. 其他不符合农产品质量安全标准的农产品不得销售

影响农产品质量安全的因素除了上述提到的四种化学性、生物性危害外，还包括物理性危害等。这些危害包括各种可以称之为外来物质的、在农产品消费过程中可能使人致病或致伤的非正常杂质，如玻璃、金属、石头、塑料等。如果在质量安全标准中有这些指标要求的，其农产品也同样必须符合标准要求，否则不得上市销售。

第三十四条　国家建立农产品质量安全监测制度。县级以上人民政府农业行政主管部门应当按照保障农产品质量安全的要求，制定并组织实施农产品质量安全监测计划，对生产中或者市场上销售的农产品进行监督抽查。监督抽查结果由国务院农业行政主管部门或者省、自治区、直辖市人民政府农业行政主管部门按照权限予以公布。

监督抽查检测应当委托符合本法第三十五条规定条件的农产品质量安全检测机构进行，不得向被抽查人收取费用，抽取的样品不得超过国务院农业行政主管部门规定的数量。上级农业行政主管部门监督抽查的农产品，下级农业行政主管部门不得另行重复抽查。

【释义】　本条是关于国家建立农产品质量安全监测制度及对农产品实施监督抽查的规定。

制定本条的目的

通过法律的形式确立农产品质量安全监测制度，以对生产或流通中的农产品质量安全进行有计划、有重点的持续监测和定期、不定期的监督抽查，全面、及时、准确地掌握农产品质量安全状况，为农产品质量安全风险评估提供数据支持，为政府有效实施风险管理提供科学依据，为公众及时了解农产品质量安全现状提供权威信息，督促农产品生产经营者不断提高质量安全管理水平，防止农产品重大质量安全事故的发生，保证农产品消费安全。

随着人民生活水平的提高、经济全球化进程的加快和我国加入 WTO 的要求，农产品不仅要满足国内市场的需要，也要面向国际市场。但由于农药、兽药、饲料添加剂等农业投入品的不合理使用，工业“三废”和城市垃圾的不合理排放，市场准入和追溯制度没有建立以及市场监管不严，导致农产品污染比较严重，因食用有毒有害物质超标的农产品引起的中毒事件，以及出口农产品及加工品因农(兽)药残留超标和有害物质污染而造成被拒收、扣留、退货、索赔和停止贸易交往的现象时有发生，农产品的质量安全问题日益突出。为从根本上解决农产品质量安全问题，国家 2001 年 4 月启动了“无公害食品行动计划”，对食用农产品实施从“农田到餐桌”全过程的监管。作为推进“无公害食品行动计划”的重要措施之一，2001 年，农业部正式启动了农产品质量安全例行监测制度。首先对北京、天津、上海、深圳 4 个试点城市的蔬菜农药残留和生猪“瘦肉精”污染开始实施全年 5 次的定点监测工作；进而又逐步扩展到对我国 37 个省会城市和计划单列市的蔬菜农药残留例行监测、16 个大中城市的畜产品污染例行监测和 5 个城市的水产品中药物污染例行监测。同时，进入新阶段以来，农业部还陆续开展了符合国际规则和惯例的兽药及兽药残留监控计划、农药及农药残留监控计划、饲料及饲养违禁药物监控计划、农产品产地环境普查计划、农业投入品监测计划、农产品品质普查计划以及农资打假监控计划。

上述监测工作的开展，有力地推动了“无公害食品行动计划”的实施，促进了我国农产品质量安全整体水平的提高。根据农业部 2005 年农产品质量安全例行监测结果，参照国际标准判定，被监测的 37 个城市蔬菜中农药残留监测全年平均合格率为94.3%，被监测的 20 个城市畜产品中“瘦肉精”污染监测全年平均合格率为 97.2%，20 个城市畜产品中磺胺类药物残留监测全年平均合格率为 97.0%，5 个城市水产品中氯霉素污染监测全年平均合格率为97.5%。以京津沪深四城市为例,2005年与2001年相比,蔬菜中农药残留监测合格率提高了近29个百分点,畜产品中"瘦肉精"污染监测合格率提高了近32个百分点。此外,农业部组织开展的农产品质量安全监测工作,也带动了地方的农产品质量安全监测工作。截至2005年年底,全国已有26个省市陆续开展农产品质量安全例行监测工作。根据例行监测中反映出的问题,农业系统从2002年开始全面启动"种植业产品中农药残留""饲料和畜产品中违禁药物及兽药残留""水产品中药物污染"三个专项整治工作,狠抓农业投入品产销管理和市场执法监管工作,农产品源头污染得到初步遏制。

以上工作的组织开展为本法建立农产品质量安全监测制度和农产品质量安全主管部门下一步依法开展监测计划、监督检查、抽查等活动奠定了坚实的基础。

本条主要概念解释

农产品质量安全监测:它是指由县级以上人民政府农业行政主管部门组织有关农产品质量安全管理机构和农产品质量安全检测机构,对生产中或者在批发市场、农贸市场、配送中心、超市等销售的农产品进行监督管理时所开展的抽样检测,并按规定对监测结果进行处理和信息公布的活动。

农产品质量安全监督抽查:它是指县级以上人民政府农业行政主管部门,依法对生产中或者在批发市场、农贸市场、配送中心、超市等销售的农产品实施质量安全监督的一种具体行政行为。监督抽查是国家对农产品质量安全进行动态跟踪监测的主要方式之一。监督抽查可采取定期、不定期的方式进行,其抽样具有随机性。监督抽查结果是行政执法的重要依据。

本条包括以下内容

1. 国家建立农产品质量安全监测制度

依据监测制度的规定,对农产品开展风险评估监测、例行监测、监督抽查等不同形式的农产品质量安全监测活动，是为了全面、及时、准确地掌握和了解农产品质量安全实际状况，以便更有针对性地对农产品质量安全进行监管和预警，并依法查处有关违法行为，最大限度地减少危害。

接受监督抽查任务的检验机构及有关机构应当制定抽查方案。抽查方案应当包括以下内容：一是抽样规定。它应说明抽样依据的标准，抽样数量和样本基数，检验样品和备用样品数量。二是检验项目和检验依据。检验项目应当突出重点，主要选择涉及人体健康的安全指标及主要质量指标。三是判定规则。有关国家标准或者行业标准中有判定规则的，原则上按标准的规定进行判定。标准中没有判定规则的，可以由承担监督抽查任务的检测机构提出方案，经下达任务的农业行政主管部门同意后施行。四是被抽查单位名单。确定抽查单位时，应当突出重点并具有一定的代表性。五是抽查经费预算。抽查经费预算应当按照不盈利的原则制定，主要包括检验费、差旅费、样品费、通讯及报告费等。六是其他相关的要求和规定。

监督抽查方案中的抽样、检验依据、检验项目、判定规则等内容应当坚持科学、客观、公正、合法的原则。

承担监督抽查任务的检测机构应当组织有关人员认真学习有关法律法规和监督抽查规定，熟悉监督抽查工作方案，对抽样和检测过程中可能出现的问题制定解决预案。

2. 农产品质量安全监测计划的制定和组织实施

县级以上人民政府农业行政主管部门应当按照保障农产品质量安全的要求，遵循各自的职责分工，制定并组织实施农产品质量安全监测计划。农业部负责组织制定和实施国家农产品质量安全监测计划，并指导地方开展农产品质量安全监测工作。县级以上地方人民政府农业行政主管部门应当根据国家监测计划，结合当地农业生产和产业发展实际情况，组织制定和实施相应的本行政区域范围内的农产品质量安全监测计划。农产品质量安全监测计划应包括监测产品、监测地区、监测时间、抽样地点、监测项目、检测方法、判定依据和原则、监测报告要求、结果上报时间等内容。

3. 农产品质量安全监督抽查工作的组织

县级以上人民政府农业行政主管部门应当对生产中或者在批发市场、农贸市场、配送中心、超市等销售的农产品依法组织实施定期或不定期的质量安全监督抽查工作。农业部负责组织和实施农产品质量安全国家监督抽查工作;县级以上地方人民政府农业行政主管部门负责组织和实施本行政区域内农产品质量安全监督抽查工作。

4. 监督抽查结果的公布

监督抽查结果由国务院农业行政主管部门或者省、自治区、直辖市人民政府农业行政主管部门按照权限对外公布。公布的方式可以是新闻发布会,也可以利用报刊、广播、电视等新闻媒体对外发布。任何个人或其他部门不得对外公布农产品质量安全监督抽查结果。

5. 监督抽查的检测工作

承担监督抽查样品检测工作的农产品质量安全检测机构必须具备相应的检测条件和能力,符合本法第三十五条的要求,并且按照农业部或省级农业行政主管部门的授权开展农产品质量安全检测工作。具体检测机构由监督抽查工作任务下达单位在符合条件的检测机构中确定。

6. 监督抽查的费用

各级农业行政主管部门组织的监督抽查,所需费用在各级财政安排的农产品质量安全经费中列支,不得向被抽查方收取费用。监督抽查之外的其他农产品质量安全监测工作的费用,按照国家有关规定执行。

7. 监督抽查的样品

监督抽查的样品由被抽查单位无偿提供，抽取的样品数量不得超过检测的合理需要。有关监督抽查的抽样数量，由国务院农业行政主管部门另行规定。

8. 防止重复监督抽查

为防止执法扰民，节约行政成本，本法规定不得重复监督抽查。对于农业行政主管部门已经实施监督抽查的单位，本级或下级农业行政主管部门不得对同一单位的同一批次农产品进行重复监督抽查。

本条在执行中应注意以下问题

1. 国家应将农产品质量安全监测制度实施所需经费列入财政预算，并加强资金使用的监督管理，切实保证监督抽查、例行监测、普查、专项整治、残留监控计划等各类农产品质量安全监测工作的正常开展。

2. 监督抽查结果是行政执法的依据。实施监督抽查工作时，必须制定完善的工作方案，并严格遵守有关抽样、检测、结果反馈、异议处理、结果上报、信息发布等规定。不得重复抽查。监督抽查不得向被检单位收费。

第三十五条　农产品质量安全检测应当充分利用现有的符合条件的检测机构。

从事农产品质量安全检测的机构，必须具备相应的检测条件和能力，由省级以上人民政府农业行政主管部门或者其授权的部门考核合格。具体办法由国务院农业行政主管部门制定。

农产品质量安全检测机构应当依法经计量认证合格。

【释义】　本条是对农产品质量安全检测机构建设、条件、资格及管理的规定。

制定本条的目的

规范农产品质量安全检测机构的建设和管理，避免重复建设和资源浪费，确保检测结果的准确可靠。

近年来国家十分重视农产品质量安全检验检测机构的建设，农产品质量安全检验检测工作已经具备了较好的工作基础。1988年、1991年、1998年和2003年，农业部以条件、手段良好的中央和省属农业科研、教学、技术推广单位为依托，利用现有的专业技术人员和实验条件，通过授权认可和国家计量认证的方式，分4批规划建设了12个国家级农产品（含农业生态环境、农业投入品，下同）质检中心和268个部级农产品质检中心。目前，通过农业部授权认可和国家计量认证的农产品质量安全检验检测中心已达238家。此外，各地农业部门还相继建立了省级农产品质检机构219个，地（市）级农产品检验机构439个，县级农产品质检站1122个。农业系统的检测机构已基本具备了主要农产品、农业投入品和农业环境等相关领域的检测能力，拥有各类检测技术人员近两万名。

尽管近年来我国农产品质量安全检测体系建设取得了长足的进步，但从总体上看，农产品质量安全检验检测机构的数量和检测能力还远远满足不了当前工作的需要。在国家级层面上，一些农药残留、兽药残留、转基因等安全类质检中心不足；在省级层面上，各地区发展不平衡，检测范围和布局不统一；在地市县级层面上，一些非农业部门争建农产品质检站的现象有所出现，而且地（市）、县级普遍存在建站方向不明、目的不清的问题，一些地方有盲目建站的倾向；从检验检测体系建设的总体布局来看，在某种程度上还存在部、省、县级质检机构职责不清，重点不突出，仪器设备配置雷同的现象。

今后，要通过整合资源、优化配置、完善手段、强化培训、健全制度等工作，不断加强检测队伍及其能力建设，尽快建立起一个层次分明、布局合理、职能明确、专业齐全、运行高效的农产品质量安全检验检测体系。在下一步农产品质量安全检验检测体系建设中,农业部将采取以下原则:一是统筹规划,分步实施。按照农产品产前、产中、产后各个环节相互配套,产地、投入品和产出品全程监管以及种植业、畜牧业、渔业等专业相对齐全的原则,统筹兼顾,全面规划。先急后缓,分步实施,分期推动,分类指导。二是合理布局,突出重点。在充分考虑优势农产品区域布局、各地农业生产特点,东西部地区布局平衡、各级各类质检机构合理搭配的基础上,合理布局,填补空白,避免重复,做到部级专业性中心、区域性中心和省级中心互为补充。三是整合资源,提高水平。在整合农产品质检现有资源的基础上,优化配置,补充配套,提高水平。部级质检中心和省级质检中心主要仪器设备应接近或达到国际先进检测实验室水平,部级研究中心和专业性中心应能与国际接轨。四是硬件与软件相结合。在搞好仪器设备配置和实验室建设的同时,重视人才队伍、信息化与制度化建设。

本条主要概念解释

农产品质量安全检测机构:它是指省级以上人民政府农业行政主管部门依法授权的、为社会提供公正数据的农产品质量安全检测机构。其任务是承担授权范围内的农产品质量安全的监督检验、仲裁检验等公正检验工作。

具备相应的检测条件和能力:是指农产品质量安全检测机构的检测条件和能力,应当符合国务院农业行政主管部门的规定。

计量认证:它是指依据有关考核要求,对为社会提供公正数据的产品质量检验机构、计量仪器、设备等实施的技术考核,其目的在于确认其是否具备同检验工作相适应的计量检定、测试能力和可靠性。

本条包括以下内容

1. 农产品质量安全检测工作应当充分利用现有的符合条件的

检测机构,避免质检机构的重复建设和资源浪费

建立农产品质量安全检验检测机构,包括农业环境、农业投入品质量检测机构,开展农产品质量安全监测工作,是实施农产品质量安全监管的重要手段,也是世界各国尤其是发达国家的普遍做法。在整合资源的基础上,健全农产品质量安全检测体系,对于政府依法开展农产品质量安全监管,确保农产品质量安全,保证人民群众的身体健康和生命安全,具有十分重要的意义。

2. 农产品质量安全检测机构应具备的能力与条件

本法规定,农业部负责制定农产品质量安全检验机构考核认定管理办法,明确农产品质量安全检测机构的组织与管理、质量体系、人员、仪器设备、环境设施、检测工作等方面的具体要求。从事农产品质量安全检测的机构,必须具备与承检工作范围相适应、符合国务院农业行政主管部门规定的检测条件和能力。

3. 农产品质量安全检测机构的授权认可

只有考核合格的农产品质量安全检测机构,才能接受政府及其相关部门的委托,从事农产品质量安全检测工作。农产品质量安全检测机构不仅应当经省级以上人民政府农业行政主管部门授权认可,还必须经计量认证考核合格。

本条在执行中应注意以下问题

1. 农业行政主管部门应当充分利用现有的检测力量和资源,引导检测资源的整合与优化,采取填平补齐和完善功能的办法,进行科学规划和合理布局,建立健全农产品质量安全检测体系,坚决防止重复建设。

2. 农产品质量安全检测机构必须经省级以上农业行政主管部门考核认定并经计量认证考核合格后,方可依法开展授权范围内的农产品质量安全检测工作。

第三十六条　农产品生产者、销售者对监督抽查检测结果有异议的，可以自收到检测结果之日起五日内，向组织实施农产品质量安全监督抽查的农业行政主管部门或者其上级农业行政主管部门申请复检。

采用国务院农业行政主管部门会同有关部门认定的快速检测方法进行农产品质量安全监督抽查检测，被抽查人对检测结果有异议的，可以自收到检测结果时起四小时内申请复检。复检不得采用快速检测方法。

因检测结果错误给当事人造成损害的，依法承担赔偿责任。

【释义】　本条是关于农产品质量安全监督抽查结果异议处理的规定。

制定本条的目的

规范农产品质量安全监督抽查的结果异议处理行为和救济措施，保护农产品生产者、销售者的合法权益。

本条主要概念解释

复检：它是指被抽查人对监督抽查的结果有异议，应其申请对被抽查样品进行再次检验的活动。

快速检测方法：它是指检测速度相对较快、便于现场筛查的检测方法。其主要适合于定性和半定量测定，检测准确度相对要差一些。

本条包括以下内容

1. 监督抽查结果的异议期

当事人对农产品质量安全监督抽查检测结果有异议的，可以自收到检测结果之日起 5 日内，向组织实施监督抽查的农业行政主管部门或其上级农业行政主管部门提出复检申请。逾期，则不予受理复检申请。

2. 监督抽查采用的快速检测方法的认定

由于农产品大多数是鲜活的，样品不宜长时间保存，因此，在对农产品质量安全实施监督抽查时，利用快速检测方法进行样品的快速筛查可有效解决样品运输保管难、储存难的问题，同时还可以及时得到检测结果，降低检测费用。目前，南京、大连、深圳、厦门等省市，在对上市流通的农产品质量安全状况进行监测时已广泛采用快速检测方法，实践证明其是可行的。为保证快速检测方法的统一性、可靠性和权威性，本法规定，监督抽查采用的快速检测方法必须是经过农业部会同有关部门认定后发布的方法。未经农业部认定的快速检测方法，不得用于农产品质量安全监督抽查的检测工作。

3. 快速检测方法所得结果的异议处理

在农产品质量安全监督抽查中，如果当事人对采用快速检测方法得到的检测结果有异议，可以自收到检测结果时起 4 小时内向检测机构提出复检申请。复检申请时限较短，是因为农产品鲜活和极易变质的特点。由于快速检测方法大都是定性或半定量检测方法，结果准确度稍差，因此，检测机构在进行复检时不得采用快速检测方法，而应当采用规定的确证或仲裁检测方法，进行准确定量检测。

4. 因检测结果错误导致的损害赔偿

因检测结果错误给当事人造成损害的，承担监督抽查任务的机构应当依法承担赔偿责任。这不仅体现法律公平，也有利于保护当事人的合法权益。

本条执行中应当注意的问题

1. 被抽查单位在自接到监督抽查结果之日起 5 日内未提出异议的，视同接受检测结果。超过异议期后，监督抽查机构不再受理复检。

2. 监督抽查时，采用的快速检测方法必须是经国务院农业行政主管部门会同有关部门认定的方法，否则，检测结果没有法律效力。

3. 监督抽查时，对采用快速检测方法得到的检测结果有异议时，应自收到检测结果时起 4 小时内提出复检申请。复检时，不得采用快速检测方法，而必须采用确证检测方法。

第三十七条 农产品批发市场应当设立或者委托农产品质量安全检测机构，对进场销售的农产品质量安全状况进行抽查检测；发现不符合农产品质量安全标准的，应当要求销售者立即停止销售，并向农业行政主管部门报告。

农产品销售企业对其销售的农产品，应当建立健全进货检查验收制度；经查验不符合农产品质量安全标准的，不得销售。

【释义】 本条是关于批发市场和销售企业质量安全检测责任的规定。

制定本条的目的

明确农产品批发市场和销售企业的农产品质量安全责任，加强农产品批发市场和销售企业的内部管理制度，避免不符合农产品质量安全标准的农产品流入市场。

自 1985 年国家取消农副产品的统派购制度，并逐步开放农副产品市场至今，农产品批发市场已经成为我国农产品流通的中心环节和衔接生产与消费的桥梁与纽带。目前，全国共有 5000 个左右不同层次的农产品批发市场。可以说，一个农产品综合批发市场与蔬菜市场、干鲜果品市场、粮油市场、水产市场和肉禽蛋市场等专业市场相互衔接、相互补充的农产品批发市场体系已基本形成。实践证明，农产品批发市场在衔接产销、调节供求、沟通信息和促进农业生产专业化等方面的作用不可低估，很多地方甚至实现了“建一个市场，兴一个产业，活一方经济，富一方百姓”的建市初衷。农产品传统集散地的销售网络健全而稳定，区域批发市场易于融入全国统一大市场甚至与国际市场相衔接。全国一些大型农产品区域批发市场，借助其得天独厚的地理、交通条件和农产品资源上的明显优势，商品辐射到全国，甚至远销国外。

目前，我国农产品批发市场投资主体呈现多元化格局，有政府投资兴建的，行业主管部门投资兴建的（如农业部定点批发市场），乡村集体投资兴建的，企业独资兴建的，企业合股兴建的。据统计，全国大型农产品批发市场的建设投资规模一般在2000万元至8000万元之间，有的投资多达2亿元，如寿光蔬菜批发市场投资2.1亿元。

我国农产品产地批发市场一般以专业市场为主，包括蔬菜市场、水果市场、水产品市场及海鲜市场、粮油市场、肉类市场、禽蛋市场、食用菌市场和园林花卉市场等，而销售地批发市场则以综合市场为主。批发市场投资经营主体，一般只经营市场，而不经营产品，企业利润的主要来源是档位、设施、场地等物业租金，管理费和服务报酬等。但近年来为了寻求新的经济增长点，实现企业利润最大化，批发市场的自营业务不断加大，即参与农产品生产经营等具体经济活动，以分享农产品产销环节的更多利润。因此，通过法律规定，要求农产品批发市场对进场销售的农产品质量安全状况进行抽查检测，是规范农产品批发市场责任和内部管理的有效途径。

本条概念解释

农产品批发市场：它是指依法设立的，为农产品进行集中、大宗交易提供场所的有形市场。

进货检查验收制度：它是指销售者根据国家有关规定以及同生产者或其他供货者之间订立的合同约定，对购进的产品质量及相关的标志、标识、证明、记录等进行检查，对符合合同约定的予以验收的制度。这是法律对销售者规定的一项重要法律义务。其目的是对销售者销售的货源进行把关，保证销售者所销售产品的质量。发生质量安全问题后，便于追究。

本条包括以下内容

1. 批发市场是为农产品销售提供场所的法人，负有对进场销售农产品进行检测的责任，以确保所销售的农产品质量安全符合国家规定的要求。

2. 批发市场对所销售的农产品进行检测，可以由自己建立的内部检测机构进行，也可以委托社会其他的质量安全检测机构进行，或者是采用自检与委托检验相结合的方法；检验机构是否须取得法定资质由批发市场自行决定，但检测规则和方法必须符合国家有关规定。

3. 农产品批发市场是由国家投资支持的，做这样的规定既参照了国际通行惯例，又充分考虑我国农产品市场流通的现状。一方面，农产品批发市场作为提供农产品交易场所的独立法人，应当承担进入市场的农产品的质量安全责任，并有义务保证市场上农产品的质量安全；另一方面，目前我国大中城市的农产品主要通过批发市场流通，农产品批发市场是联系农产品生产、运输、消费等链条的关键环节，批发市场承担起相关的把关责任，就意味着向前可以追溯生产者的责任，向后可以保护消费者的消费安全。

4. 强制性要求进行农产品质量安全检测的，仅限于农产品批发市场，对于农民通过其他渠道自主销售不做硬性规定。

5. 农产品批发市场一旦发现不符合质量安全标准的农产品，必须立即采取措施停止销售，并向农业主管部门报告，目的是防止不安全农产品继续进入流通环节，流入消费市场，危害消费者健康。

6. 执行进货检查验收制度，不仅是保证农产品质量的一个措施，也是保护销售者自身合法权益的一个措施。农产品销售企业对所进农产品检查验收，发现存在质量安全问题时，可以拒绝进货。

本条在执行中应当注意以下问题

1. 农业行政主管部门在接到农产品批发市场有关不符合农产

品质量安全标准的事件报告后，应当在规定时间内予以处理，否则视为渎职。

2. 进货检查验收制度的内容包括验明产品证明和验明其他标识等。

(1)验明产品质量安全证明。这里讲的质量安全证明，是生产者出具的用于证明其产品的质量安全合格、符合相应要求的标志，如无公害农产品、绿色食品、有机农产品标志以及动物产品的检疫合格证。销售者在对进货产品进行查验时，首先应当检验产品的合格证明，如果没有有效的合格证明，销售者可以拒收，也可以通过自行检测决定是否进货。

(2)验明其他标识。产品标识，是指用于识别产品或者其特征、特性所做的各种表示的统称。验明标识，是指检查进货产品的标识，包括有中文说明的产品名称、生产厂名、厂址；根据产品的特点和使用要求，需要标明产品规格、等级、净重等让消费者知晓的，应当在外包装上予以标明，或者预先向消费者提供有关资料。对于标识不符合法律规定的农产品，销售者可以要求供货者退货或者更换。

3. 销售者除了验明农产品质量安全证明和其他标识以外，还可以对农产品内在质量进行检测，或者委托相应的农产品质量安全检测机构进行检测，检验不合格的，不得销售。

第三十八条　国家鼓励单位和个人对农产品质量安全进行社会监督。任何单位和个人都有权对违反本法的行为进行检举、揭发和控告。有关部门收到相关的检举、揭发和控告后，应当及时处理。

【释义】　本条是关于对农产品质量安全进行社会监督的规定。

制定本条的目的

一是明确社会公众对农产品质量安全进行监督的权利，调动社会各界参与农产品质量安全工作的积极性。二是明确相关部门对检举、控告、揭发的受理与处理职责，避免相互推诿与敷衍。

本条主要概念解释

检举：它是指单位或者个人就其发现或者怀疑的违法行为，向政府提供证据或者线索，要求政府履行法定职责予以查处的行为。

控告：它是指违法行为受害人（包括其亲属）就自己受到违法行为侵害的事实向政府报案，要求惩罚违法行为，保护自己合法权益的行为。

揭发：它是指违法行为人就共同行为人或者其知情的其他人的违法行为，向政府提供线索或者证据的行为。

本条包括下列几个方面的内容

1. 对于违反农产品质量安全法的行为，任何单位和个人都有权以检举、控告或者揭发等形式实施社会监督。

本法的社会监督包括以下几个方面的内容：一是本条社会监督的范围是特定的，即必须是违反农产品质量安全法的行为，例如冒用农产品质量安全标志，违法向农产品产地排放或者倾倒废水、废气、固体废物，对于其他事项的社会监督问题，不属于本法调整范围。二是本条社会监督的主体是不特定的，可以是普通社会公众，可以是违法行为的受害人，也可以是新闻媒体或者是其他非政府组织如消费者协会等。三是本条社会监督的具体形式是不特定的，从监督者的身份来看，可以是检举、控告或者揭发；从监督的具体形式来看，可以是信访、诉讼、复议，也可以是向执法监督机关投诉。四是本条社会监督的对象是不特定的，既包括行政相对人的违法行为，例如销售不符合质量安全标准的农产品，也包括行政机关的不作为或者乱作为，例如不履行查处违法行为职责、在执法时不出示执法证件、随意确定罚款金额、利用职权敲诈他人钱财。五是国家鼓励社会监督。对于举报、控告、揭发经查证属实的，国家给予物质或者精神上的鼓励，例如对举报人给予口头表扬、发放奖金,依法责令违法者对控告人承担民事责任,对揭发有功者减轻或者免除处罚。

2. 有关部门收到检举、控告和揭发后,应当按照法律规定及时处理,不得敷衍和推诿,更不得打击报复举报、控告和揭发人。

有关部门对属于自己职责范围的违法行为,应当及时查处,如果经查证发现违法行为不存在的,应当及时向检举、控告、揭发人说明事实情况;对不属于自己职责范围的违法行为,应当告知检举、控告、揭发人向主管部门反映,或者主动通报有关部门;对下级主管部门的行政不作为,应当责令下级主管部门立即履行法定职责,必要时可以直接代为查处;对有关部门工作人员渎职、贪污受贿的,可以给予党纪政纪处分,也可以取消执法资格、调离执法队伍,构成犯罪的,要依法追究刑事责任。

第三十九条　县级以上人民政府农业行政主管部门在农产品质量安全监督检查中,可以对生产、销售的农产品进行现场检查,调查了解农产品质量安全的有关情况,查阅、复制与农产品质量安全有关的记录和其他资料;对经检测不符合农产品质量安全标准的农产品,有权查封、扣押。

【释义】　本条是关于县级以上农业行政主管部门在农产品质量安全监督检查过程中监管权限的规定。

制定本条的目的

本条的制定目的:一是明确农业行政主管部门在农产品质量安全监督检查中的执法权限,并将执法行为具体化;二是赋予农业行政主管部门必要的行政强制措施,以加大执法力度,提高执法效率。

本条主要概念解释

查封:它是指在行政执法过程中,执法人员对涉案物品予以检查封存,禁止转移或者变卖的行为。

扣押:它是指在行政执法过程中,执法人员对涉案物品予以扣留,以保持其证明力或者确保其不被转移、变卖的行为。扣押的对象主要是书证、物证,也包括涉案的动产。

本条包括以下内容

1. 执法主体

农产品质量安全执法主体为县级以上人民政府农业行政主管部门,包括国务院农业行政主管部门、省(自治区、直辖市)人民政府农业行政主管部门、市级人民政府农业行政主管部门和区(县)级人民政府农业行政主管部门。

2. 执法权限

执法主体在农产品质量安全监督检查过程中,可以行使下列职权:一是对生产、销售的农产品进行现场检查,调查了解农产品质量安全的有关情况;二是查阅、复制与农产品质量安全有关的记录和其他资料;三是对经检测不符合农产品质量安全标准的农产品,有权查封、扣押。

本条在执行中应当注意的问题

1. 本条规定监督检查的实施主体是县级以上人民政府农业行政主管部门

县级以上人民政府农业行政主管部门在监督检查中要依据《中华人民共和国行政处罚法》第三十七条的规定,行政机关在调查或者进行检查时,执法人员不得少于两人,并应当向当事人或者有关人员出示证件,当事人或者有关人员应当如实回答询问,并协助调查或者检查,行政机关收集证据可以采取抽样取证的方法。

2. 本条规定的执法手段,必须在农产品质量安全监督检查过程中实施,并只是针对生产和销售中的农产品

按照本法第三十二条的规定,销售的农产品必须符合农产品质量安全标准,因此对于市场上销售农产品的场所都可以进行现场检查,如批发市场、农贸市场、配送中心和超市,了解农产品质量安全

的有关情况，查阅、复制与农产品质量安全有关的记录和其他资料，对于不符合农产品质量安全标准的农产品有权采取查封、扣押的行政强制措施。此外，也可以对生产中的农产品进行现场检查。对于在农产品生产过程中查出使用国家明令禁止使用的农业投入品的行为，可以依照有关法律、行政法规的规定采取行政强制措施或给予处罚。对于在农产品生产过程中因未遵循间隔期和休药期的规定期限而导致农产品农、兽药超标的问题，执法部门应主要起指导和信息收集作用，不宜直接采取扣押、查封的行政强制措施。

3. 除查封、扣押外，监督检查的手段还包括：现场检查和查阅、复制有关资料

现场检查主要是指检测、检验与核查，例如检测农产品产地是否达标、检验是否使用了违禁药物、检测农产品是否达到国家农产品质量安全标准、查看农产品的包装与标识是否符合规定；查阅、复制的有关记录与资料，主要是指本法规定的农产品生产记录、农产品购销记录等，同时也包括其他有关资料。执法机关在查阅、复制有关资料时，应当注意保护相对人的合法权益，不得干扰相对人正常的生产、经营活动，对获知的相对人的商业秘密，不得对外泄露，否则要依法承担赔偿责任。

第四十条[①]　发生农产品质量安全事故时，有关单位和个人应当采取控制措施，及时向所在地乡级人民政府和县级人民政府农业行政主管部门报告；收到报告的机关应当及时处理并报上一级人民政府和有关部门。发生重大农产品质量安全事故时，农业行政主管部门应当及时通报同级食品药品监督管理部门。

---

① 2018年10月26日《全国人民代表大会常务委员会关于修改〈中华人民共和国野生动物保护法〉等十五部法律的决定》将本条中的“食品药品监督管理部门”修改为“市场监督管理部门”。

【释义】　本条是对农产品质量安全事故报告及处理制度的规定。

本条主要概念解释

农产品质量安全事故：它是指对公众健康造成或者可能造成损害或者严重损害的安全事故。重大农产品质量安全事故是指涉及人数较多的群体性中毒或者出现死亡病例的重大安全事故。

本条包括以下内容

1. 单位或者个人的义务

农产品安全事故发生时，相关单位或者个人有两项义务：一是采取控制措施的义务；二是报告的义务。农产品质量安全事故发生（发现）后，事故现场有关人员应当立即报告单位负责人，单位负责人接到报告后，应当立即向当地乡级人民政府和县级人民政府农业行政主管部门报告；或者由个人向所在地乡级人民政府和县级人民政府农业行政主管部门直接报告。任何单位和个人对农产品安全事故不得瞒报、迟报、谎报或者授意他人瞒报、迟报、谎报，不得阻碍他人报告。

2. 政府和有关部门的义务

收到报告的机关应当及时处理并报上一级人民政府和有关部门。发生重大农产品质量安全事故时，农业行政主管部门应当及时通报同级食品药品监督管理部门。食品安全事故一部分源于农产品，因此，为防止损害范围的扩大，本法规定，发生重大农产品质量安全事故时，农业部门应当及时通知食品药品监管部门，通过部门间的通力合作，将农产品质量安全问题可能造成的损失控制在最小范围内。2006 年国务院发布了《国家重大食品安全事故应急预案》，预案适用范围包括“食物（食品）种植、养殖、生产加工、包装、仓储、运输、流通、消费等环节中发生的食源性疾患，造成社会公众大量病亡或者可能对人体健康构成潜在的重大危害，并造成严重社会影响的重大食品安全事故”，预案按食品安全事故的性质、危害程度和涉及范围，将重大食品安全事故分为特别重大食品安全事故（Ⅰ级）、重大食品安全事故（Ⅱ级）、较大食品安全事故（Ⅲ级）和一般食品安全事故（Ⅳ级）四级，并对应急指挥机构，监测、预警和报告制度，应急响应，后期处置和应急保障等做了明确、具体的规定。

第四十一条　县级以上人民政府农业行政主管部门在农产品质量安全监督管理中，发现有本法第三十三条所列情形之一的农产品，应当按照农产品质量安全责任追究制度的要求，查明责任人，依法予以处理或者提出处理建议。

【释义】　本条是关于农产品质量安全责任追究的规定。

制定本条的目的

一是赋予县级以上人民政府农业行政主管部门对于本法第三十三条所列情形之一农产品违法行为的追究和处理职能；二是强调农产品质量安全责任追究制度，确保农产品质量安全责任到人和责任可追溯；三是通过农产品质量安全责任追究，对责任人进行依法处理，促进农产品“从农田到市场”各个环节的行为主体增强保证农产品质量安全的责任感，确保农产品质量安全。

本条主要概念解释

农产品质量安全责任追究制度：它是指为确保农产品质量安全，依据农产品质量安全法的规定，对本法规定不得销售的农产品，从生产、经营和流通等各个环节的违法行为依法进行追究，查明责任人，并对责任人依法予以处理或者向有关部门提出具体处理建议的制度。

农产品质量安全责任追究是建立在全程监管理念基础上的一种管理模式。根据国外的经验，建立并落实责任追究制度，是政府部门加强监管、发现问题及时解决的根本途径。从已有的立法经验来看，《中华人民共和国畜牧法》第五十五条“国务院畜牧兽医行政主管部门应当制定畜禽标识和养殖档案管理办法,采取措施落实畜禽产品质量责任追究制度”已经规定了建立畜禽产品质量责任追究制度。从实践看,有部分省市已经开始了追溯制度的探索,进行了几年的试点工作。比如,广东省对畜禽实行耳标和脚环制度后,香港市场很快就恢复了畜禽产品的进口。因此,通过农产品质量安全责任追究,强化农产品生产经营者的责任意识,是提高政府监管效能的有力手段。

农产品质量安全责任追究制度的建立和健全是实施本法的关键,责任追究制度一旦建立,消费者买到不符合本法要求的农产品,就可以利用农产品质量安全责任追究制度,追查到市场、贮运、生产等各个环节的行为主体,甚至可以追查到农产品直接的种、养殖者。本法中生产记录、包装和标识、检疫合格证明、生产企业和农民专业合作经济组织自行检验、销售企业和农产品批发市场进行进货检查验收制度、相关条款法律责任的规定,以及本法始终贯穿全程监控的指导思想为责任追究制度的落实奠定了法律基础。但考虑到我国农产品生产经营的特殊性,一家一户的小规模分散经营和当前农民文化素质整体较低的实际现状,本法没有对农民做生产记录、自检等方面的强制性规定,对农产品的包装和标识采取了逐步推进的方式,这就表明对于我国9亿农民、2.47亿农户生产的直接进入市场的农产品将难以追溯和追究责任。因此,要想真正实施好本法,落实好农产品质量安全责任追究制度,还要结合我国国情、农情,逐步提高我国农民的组织化程度,加强农业产业化经营、标准化生产,促进农业增长方式的转变,最终把农民引导到法律要求的轨道上。总之,农产品质量安全责任追究任重道远,需要各地区、各部门在政府的统一领导下,按照各部门的规划、计划,各负其责,协调配合,统一行动,才能把农产品质量安全工作落到实处。

本条包含以下内容

1. 县级以上人民政府农业行政主管部门在农产品质量安全监督管理中，发现有本法第三十三条所列情形之一的农产品，应当查明责任人，依法予以处理或者提出处理建议。

2. 对责任人依法予以处理或者提出处理建议，应当按照农产品质量安全责任追究制度的要求进行。

3. 责任追究对象包括生产者、经营者、储藏者、运输者和其他相关责任部门及责任人员。

4. 本法第三十三条所列不得销售的农产品为：(1)含有国家禁止使用的农药、兽药或者其他化学物质的；(2)农药、兽药等化学物质残留或者含有的重金属等有毒有害物质不符合农产品质量安全标准的；(3)含有的致病性寄生虫、微生物或者生物毒素不符合农产品质量安全标准的；(4)使用的保鲜剂、防腐剂、添加剂等材料不符合国家有关强制性的技术规范的；(5)其他不符合农产品质量安全标准的。

本条执行中应当注意的问题

1. 本条规定的责任追究主体为县级以上人民政府农业行政主管部门，包括国务院农业行政主管部门、省(自治区、直辖市)人民政府农业行政主管部门、市级人民政府农业行政主管部门和区(县)级人民政府农业行政主管部门。

2. 监管主体只对有本法第三十三条所列情形之一的农产品才有权依据本条之规定进行处理。

3. 监管主体的监管活动应当按照农产品质量安全责任追究制度的要求进行。

4. 监管部门的监管活动具体包括：查明责任人，依法予以处理或者提出处理建议，即对本条规定的违法行为首先应当查明责任人，对有权处理的依法予以处理，对无权处理的应当依法向有权处理部门提出具体处理建议。所谓“依法予以处理”，是指凡与违法行为相关的法律、法规、规章等，都应当作为处理的依据。对法律、法规规定应当由其他部门查处的违法行为，农业行政主管部门应当将案件移送其他部门，并提出处理建议。

第四十二条　进口的农产品必须按照国家规定的农产品质量安全标准进行检验；尚未制定有关农产品质量安全标准的，应当依法及时制定，未制定之前，可以参照国家有关部门指定的国外有关标准进行检验。

【释义】　本条是关于进口农产品质量安全检验的法律规定。

制定本条的目的

明确进口农产品的检验制度和检验标准，确保进口农产品的质量安全。

加入 WTO 以来，我国农产品国际贸易形势发生了巨大变化。我国不仅是世界上第五大农产品出口国，也是第四大农产品进口国。我国主要从国外进口作为工业原料的大宗农产品，如我国每年从国外进口约 2000 万吨转基因大豆，主要用于加工食用油和生产动物饲料。2004 年，我国农产品进口达 280.3 亿美元，首次出现 46.4 亿美元的贸易逆差。2005 年，国家采取了一系列措施，但贸易逆差仍达 11.38 亿美元，我国已由农产品净出口国变为净进口国。

2005 年开始，中国农业在加入 WTO 谈判中争取的过渡期基本结束，农产品关税已降至承诺的终点，即由加入 WTO 前的 23.2%，降至 15.35%，远远低于世界农产品平均关税 62% 的水平，比欧盟还要低 5.75%，中国已成为世界上农产品关税总水平最低和农产品市场最开放的国家之一。一些对国内农业有利的因素将逐步消失，一些深层次的不利因素正在显现：一是农产品进口压力增大。2006 年，中国取消植物油进口关税配额管理，这对国内大豆、油菜籽、花生等的生产、加工业造成的影响不可低估。二是贸易逆差可能成为常态。据我国农产品供需结构和资源禀赋判断，今后我国农产品将呈现大进大出的趋势，农产品贸易逆差将成为常态。三是国际风险防范和管理难度加大。国际农产品市场风险复杂，中国将面临越来越多的国际市场风险挑战，防范和化解难度日益增大。

因此，本法规定了进口农产品检验的要求，主要是通过法律的手段，增强防范意识，加快进口农产品质量安全标准的制定工作，加强进口农产品的质量安全检验，确保我国人民的身体健康。

本条包括以下内容

1. 进口的农产品必须按照国家规定的农产品质量安全标准进行检验。

2. 未制定有关农产品质量安全标准的，应当依法及时制定，以支持和确保进口检验工作。

3. 未制定有关农产品质量安全标准之前，可以参照国家有关部门指定的国外有关标准进行检验。

本条执行中应注意的问题

1. 进口的农产品必须进行检验。

2. 进口农产品检验工作必须按照国家规定的农产品质量安全标准进行。

3. 只有在有关农产品质量安全标准出台之前，进口农产品检验工作才可以参照国家有关部门指定的国外有关标准进行。

第七章 法律责任

法律责任是指违反法律规定而必须承担的法律后果。法律责任由法律做出规定,由法律规定的机关依法追究。法律责任按违法行为的性质不同可以分为刑事法律责任、行政法律责任和民事法律责任三类。具体采取哪一种法律责任形式,应当根据违法行为人所侵害的社会关系的性质、特点以及侵害的程度等多种因素来确定。本章共12条,主要对农产品质量安全监督管理人员、农产品质量安全检测机构及其有关人员、农产品生产企业、农民专业合作经济组织、农产品销售企业、农产品批发市场等法律主体不履行法定职责和义务应承担的法律责任进行了规定。

第四十三条　农产品质量安全监督管理人员不依法履行监督职责,或者滥用职权的,依法给予行政处分。

【释义】 本条是关于农产品质量安全监管人员渎职行为的责任规定。

制定本条的目的

通过对渎职行为的惩处,落实"有权必有责"的理念,确保监管人员依法行政。

本条主要概念解释

不依法履行监督职责:它是指不按照法律、法规、规章规定的权限、条件、方式、程序和期限履行监督职责。须强调的是,不依法履行监督职责不仅指"不履行监督职责"(即行政不作为),还包括虽履行监督职责,但违背法律、法规、规章规定的行为(即行政乱作为)。

滥用职权:它是指国家机关工作人员在行使职权时,违背法律法规的目的和宗旨,背离法律的基本原则,给公共财产、国家和人民利益带来损失的行为。实践中,滥用职权主要表现为以权谋私、武断专横、故意拖延、反复无常等。

行政处分:它是指国家机关对于违法违纪的公务员依法采取的惩戒措施。根据《中华人民共和国公务员法》的规定,行政处分包括警告、记过、记大过、降级、撤职、开除6种。

本条包括以下内容

1. 本条规定的责任主体是农产品质量安全监督管理人员,主要指各级农业、工商部门中负责农产品质量安全监管的工作人员

2. 应予行政处分的情形包括不依法履行监督职责和滥用职权两种

农产品质量安全监督管理人员作为执法人员,应当依法、公正地履行监管职责,而不依法履行监督职责或滥用职权显然违背了法律授权的目的,应当给予包括行政处分在内的惩戒。

3. 行政处分在具体实施中应当根据有关法律、法规和规章的规定

目前,规范行政处分实施的主要法律依据是公务员法和行政监察法。此外,人事部有关公务员管理的规定也是实施行政处分的具体依据。比如,《人事部关于国家公务员纪律惩戒有关问题的通知》(人发〔1996〕82号)就明确规定:违纪情节轻微且未造成不良后果的,给予批评教育,免予行政处分;违纪情节较重且给国家和人民利益造成一定损失或不良后果的,给予记大过以下处分;违纪情节严重,给国家和人民利益造成重大损失或严重后果的,给予降级以上处分;对触犯刑律,构成犯罪的,移交司法机关追究刑事责任。国家行政机关发现国家公务员有违纪行为,应当从立案之日起的半年以内给予处理;情节复杂或者有其他特殊原因的,最

迟不得超过1年。在给予行政处分时,应当严格遵循上述规定。

本条在执行中应当注意的问题

本条虽仅规定了行政处分的责任追究方式,但如果农产品质量安全监督管理人员严重渎职构成犯罪的,还要依据刑法的有关规定追究刑事责任。在这方面,刑法主要规定了5项罪名:滥用职权罪(第三百九十七条)、玩忽职守罪(第三百九十七条)、动植物检疫徇私舞弊罪(第四百一十三条第一款)、动植物检疫失职罪(第四百一十三条第二款)和放纵制售伪劣商品犯罪行为罪(第四百一十四条)。

第四十四条　农产品质量安全检测机构伪造检测结果的,责令改正,没收违法所得,并处五万元以上十万元以下罚款,对直接负责的主管人员和其他直接责任人员处一万元以上五万元以下罚款;情节严重的,撤销其检测资格;造成损害的,依法承担赔偿责任。

农产品质量安全检测机构出具检测结果不实,造成损害的,依法承担赔偿责任;造成重大损害的,并撤销其检测资格。

【释义】　本条是关于农产品质量安全检测机构法律责任的规定。

制定本条的目的

惩处伪造检测结果、检测结果不实的行为,弥补受害人的损失,确保检测结果的真实、可靠。

本条主要概念解释

没收违法所得:它是指将违法行为人因违法活动所获得的财产收益收归国有的行政处罚措施。

本条包括以下内容

1.农产品质量安全检测机构伪造检测结果和出具检测结果不实,都应当承担法律责任

尽管伪造检测结果和出具检测结果不实,客观上都表现为检

测结果错误，但农产品质量安全检测机构对发生这两种情形的过错程度不同。伪造检测结果表明农产品质量安全检测机构对检测结果错误具有主观故意，而出具检测结果不实重在强调客观因素的影响，比如仪器设备达不到检测要求、检测程序不符合规定、检测人员水平不高。因此，对这两种情形的处罚内容、程度也不同，对前者重，对后者轻。

2. 农产品质量安全检测机构承担法律责任的主要形式是行政处罚

依据本法，对伪造检测结果的，实行“双罚制”，即不仅要责令该机构改正，没收其违法所得，并处 5 万元以上 10 万元以下罚款，还要对直接负责的主管人员和其他直接责任人员处 1 万元以上 5 万元以下罚款；情节严重的，还要撤销该机构的检测资格。而对出具检测结果不实的，只有在造成重大损害的情况下，才给予行政处罚，处罚形式也只有一种，即撤销其检测资格。

3. 农产品质量安全检测机构并不因受到行政处罚而免除其赔偿责任

根据本条规定，无论是伪造检测结果还是出具检测结果不实，只要造成了损害，无论是否接受了行政处罚，农产品质量安全检测机构都应当依法承担赔偿责任。

本条在执行中应当注意的问题

第一款规定“情节严重的，撤销其检测资格”，不是对第一分句所列处罚的排斥性规定，而是递进性规定。也就是说，农产品质量安全检测机构伪造检测结果，情节严重的，不仅要按照第一分句的规定进行处罚，还要撤销其检测资格。不能理解为情节严重的，只能撤销检测资格，不得没收违法所得和罚款，这显然不符合立法原意。

第四十五条　违反法律、法规规定，向农产品产地排放或者倾倒废水、废气、固体废物或者其他有毒有害物质的，依照有关环境

保护法律、法规的规定处罚；造成损害的，依法承担赔偿责任。

【释义】 本条是关于违法排放废物或者其他有毒有害物质的法律责任的规定。

制定本条的目的

惩处违法排放"三废"等有毒有害物质的行为，保护农产品产地环境。

本条包括以下内容

1. 应当承担法律责任的违法行为是违反法律、法规规定，向农产品产地排放或者倾倒废气、废水、固体废物或者其他有毒有害物质的行为。本条"违反法律、法规规定"中的"法律、法规"主要是指有关环境保护法律法规，包括环境保护法、海洋环境保护法、大气污染防治法、水污染防治法、固体废物污染环境防治法、农业法、渔业法、畜牧法、《基本农田保护条例》等。

2. 根据上述法律、法规规定，向农产品产地排放或者倾倒废水、废气、固体废物或者其他有毒有害物质的行为，应当承担的法律责任形式为行政处罚、民事赔偿、刑事责任等。在执法实践中，要依据上述法律、法规的具体规定来确定违法行为人应承担的法律责任。

本条执行中应当注意的问题

1. 要准确理解和把握"有关环境保护法律、法规的规定"含义，不能片面地仅理解为"环境保护法规"，还应当包括其他部门法的相关规定，如农业法、渔业法、畜牧法等。

2. 要注意把握相关规定的权限和执法主体，不能重复处罚或越权处罚。

第四十六条　使用农业投入品违反法律、行政法规和国务院农业行政主管部门的规定的，依照有关法律、行政法规的规定处罚。

【释义】 本条是关于对违法使用农业投入品所应当承担法律责任的规定。

农业投入品是关系农产品质量安全的重要因素,严格规范农业投入品的使用,明确相关法律责任十分必要。对违反农业投入品规定的行为,本法并没有规定统一的法律责任,而是通过设置指引性条款,由相关法律、行政法规进行规范。到目前为止,所涉及的相关法律、行政法规主要有:农业法、渔业法、畜牧法、《农药管理条例》、《农业转基因生物安全管理条例》、种子法、《饲料和饲料添加剂管理条例》、《兽药管理条例》等。

2001 年修订的《农药管理条例》关于农药使用主要有两方面的规定:一是规定使用农药应当遵守农药防毒规程,正确配药、施药,防止农药污染环境和农药中毒事故。二是规定农药使用要遵守国家有关农药安全、合理使用的规定,按照规定的用药量、用药次数、用药方法和安全间隔期施药,防止污染农副产品。剧毒、高毒农药不得用于防治卫生害虫,不得用于蔬菜、瓜果、茶叶和中草药材。此外,该条例第三十九条规定,不按照国家有关农药安全使用的规定使用农药的,根据所造成的危害后果,由农业行政主管部门给予警告,可以并处 3 万元以下的罚款。

2001 年制定公布的《农业转基因生物安全管理条例》第四十五条规定,违反该条例规定,在生产性试验结束后,未取得农业转基因生物安全证书,擅自将农业转基因生物投入生产和应用的,由国务院农业行政主管部门责令停止生产和应用,并处 2 万元以上 10 万元以下的罚款。

2001 年修订的《饲料和饲料添加剂管理条例》第十九条规定,使用饲料添加剂应当遵守国务院农业行政主管部门制定的安全使用规范。禁止使用已停用、禁用或淘汰、未经审定公布的饲料、饲料添加剂和未经登记的进口饲料、饲料添加剂。禁止在饲料和动物饮用水中添加激素类药品和国务院农业行政主管部门规定的其他禁用药品。同时,第二十九条规定,违反本条例规定,不按照国务院农业行政主管部门的规定使用饲料添加剂的,由县级以上地方人民政府饲料管理部门责令立即改正,可以处3万元以下的罚款。使用本条例第十八条规定的饲料、饲料添加剂,或者在饲料和动物饮用水中添加激素类药品和国务院农业行政主管部门规定的其他禁用药品的,由县级以上地方人民政府饲料管理部门没收违禁药品,可以并处1万元以上5万元以下的罚款。

2004年实施的《兽药管理条例》关于兽药的使用主要有以下几个方面的规定:一是兽药使用单位应当遵守国务院兽医行政管理部门制定的兽药安全使用规定,并建立用药记录。二是禁止使用假、劣兽药以及国务院兽医行政管理部门规定禁止使用的药品和其他化合物。三是禁止在饲料和动物饮用水中添加激素类药品和国务院兽医行政管理部门规定的其他禁用药品。经批准可以在饲料中添加的兽药,应当由兽药生产企业制成药物饲料添加剂后方可添加。禁止将原料药直接添加到饲料及动物饮用水中或者直接饲喂动物。禁止将人用药品用于动物。此外,第六十二条规定:“未按照国家有关兽药安全使用规定使用兽药的、未建立用药记录或者记录不完整真实的,或者使用禁止使用的药品和其他化合物的,或者将人用药品用于动物的,责令其立即改正,并对饲喂了违禁药物及其他化合物的动物及其产品进行无害化处理;对违法单位处1万元以上5万元以下罚款;给他人造成损失的,依法承担赔偿责任。”第六十八条规定:“违反本条例规定,在饲料和动物饮用水中添加激素类药品和国务院兽医行政管理部门规定的其他禁用药品,依照饲料和饲料添加剂管理条例的有关规定处罚;直接将原料药添加到饲料及动物饮用水中,或者饲喂动物的,责令其立即改正,并处1万元以上3万元以下罚款;给他人造成损失的,依法承担赔偿责任。”

第四十七条　农产品生产企业、农民专业合作经济组织未建立或者未按照规定保存农产品生产记录的，或者伪造农产品生产记录的，责令限期改正；逾期不改正的，可以处二千元以下罚款。

【释义】　本条是对农产品生产企业、农民专业合作经济组织未建立或者未按照规定保存农产品生产记录，或者伪造农产品生产记录的行为追究法律责任的规定。

制定本条的目的

通过明确法律责任，督促要求农产品生产企业、农民专业合作经济组织建立并依法保存农产品生产记录，以确保农产品质量安全问题可追溯、责任可追究。

本条主要概念解释

限期改正：它是指要求生产记录单位在规定期限内按照法律要求改正自己生产记录方面违法行为的行政措施。

本条包括以下内容

1. 对违反本条规定，农产品生产企业、农民专业合作经济组织未建立和未按照规定保存生产记录、伪造生产记录的行为，规定了相应的法律责任。

2. 规定了责令限期改正的行政措施。对于违反本条规定，未建立和保存生产记录，或者伪造生产记录的农产品生产企业、农民专业合作经济组织，责令限期改正，即要求不建立或伪造农产品生产记录的企业和农业专业合作经济组织在一定的期限内按照本法要求改正自己不作为的行为。

3. 规定了罚款的行政处罚责任。对违反本条规定的农产品生产企业、农民专业合作经济组织，行政处罚机关依法责令限期改正，对逾期不改正的，可以处 2000 元以下罚款。

本条执行中应注意的问题

1. 本条规定的被处罚主体为农产品生产企业、农民专业合作经济组织。对农产品生产企业、农民专业合作经济组织以外的其他农产品生产者，本法未规定强制性的生产记录制度，故没有处罚的问题。

2. 本条规定的法律责任，只针对未建立或者未按照规定保存农产品生产记录的，或者伪造农产品生产记录的行为，对应法律依据是本法第二十四条。

3. 本条规定的罚款行政处罚以责令限期改正而逾期不改为前提条件。对生产记录方面的违法行为应当先责令限期改正，逾期不改正的，才可以处 2000 元以下罚款。

4. 本条规定的罚款行政处罚为酌定的处罚行为，即对逾期不改正的违法行为，可以处以罚款，也可以不处以罚款；处以罚款的，执法主体可以在 2000 元范围内，依据违法情节酌定某一罚款数额。

第四十八条　违反本法第二十八条规定，销售的农产品未按照规定进行包装、标识的，责令限期改正；逾期不改正的，可以处二千元以下罚款。

【释义】　本条是对农产品包装、标识违法行为的处罚规定。

制定本条的目的

加强对包装、标识行为的管理，及时纠正违法行为。

本条包括以下内容

1. 对违反本法第二十八条规定，销售的农产品未按照规定进行包装、标识的行为，规定了相应的法律责任。

2. 规定了责令限期改正的行政措施。对于违反本法第二十八规定，销售的农产品未按照规定进行包装、标识的行为，责令限期改正，即要求未按照国务院农业行政主管部门规定进行包装、标识的农产品生产企业、农民专业合作经济组织以及从事农产品收购的单位或者个人在一定的期限内按照本法要求改正自己不作为的行为。

3. 规定了罚款的行政处罚责任。对违反本法第二十八条规定的农产品生产企业、农民专业合作经济组织以及从事农产品收购的单位或者个人等,行政处罚机关依法责令限期改正,对于不改正的,可以处 2000 元以下的罚款。

本法执行中应当注意的问题

1. 本条所说的未按照规定的“规定”,主要是指国务院农业行政主管部门发布的部门规章和强制性技术规范。

2. 本条所说的处 2000 以下的罚款,2000 元是最高上限。在执法中具体的罚款金额,要依照被处罚对象违法情节的轻重区别对待,做到处罚金额与违法行为相一致。

第四十九条　有本法第三十三条第四项规定情形,使用的保鲜剂、防腐剂、添加剂等材料不符合国家有关强制性的技术规范的,责令停止销售,对被污染的农产品进行无害化处理,对不能进行无害化处理的予以监督销毁;没收违法所得,并处二千元以上二万元以下罚款。

【释义】　本条是关于违法使用保鲜剂、防腐剂、添加剂等材料所应承担法律责任的规定。

制定本条的目的

加强保鲜剂、防腐剂、添加剂等材料使用的管理,避免出现在农业活动中滥用、乱用保鲜剂、防腐剂、添加剂等材料的情形,确保农产品质量安全。

本条主要概念解释

无害化处理:它是指以物理、化学或生物的方法,对被污染的农产品进行适当的处理,防止不符合农产品质量安全标准的农产品流入市场和消费领域,确保其对人类健康、动植物和微生物安全、环境不构成危害或潜在危害。

本条包括以下内容

1. 对违反本法第三十三条第四项的规定，使用的保鲜剂、防腐剂、添加剂等材料不符合国家有关强制性的技术规范的行为，规定了相应的法律责任

保鲜剂、防腐剂、添加剂等材料，对于改善农产品外观品质、提高农产品商品性能、延长农产品货架期等具有明显的作用，但如果使用不当或违反规定使用，则对消费者健康和环境造成危害。因此，无论是在农产品生产过程中，还是在农产品包装、保鲜、贮存、运输中，所使用的保鲜剂、防腐剂、添加剂等材料的种类和剂量都必须符合强制性技术规范的要求。

2. 规定了责令停止销售和监督销毁的行政措施

对违反本法第三十三条第四项规定的情形，使用的保鲜剂、防腐剂、添加剂等材料不符合国家有关强制性技术规范要求的农产品，责令停止销售，对被污染的农产品进行无害化处理，如果不能进行无害化处理的，则监督其对被污染的农产品进行销毁。

3. 规定了没收违法所得和罚款的行政处罚责任

对违反本法第三十三条第四项的规定，使用的保鲜剂、防腐剂、添加剂等材料不符合国家有关强制性技术规范要求的农产品生产企业、农民专业合作经济组织以及农产品收购单位和个人，行政处罚机关应当没收违法所得，并处以 2000 元以上 2 万元以下罚款。

本条执行中应当注意的问题

1. 对于违反保鲜剂、防腐剂、添加剂等材料使用规定的，行政处罚机关责令停止销售的行政措施和没收违法所得、罚款的行政处罚是并列关系，不能只承担一种法律责任。

2. 本条规定的罚款的行政处罚为酌定的处罚类型，执法主体可以在 2000 元以上 2 万元以下的范围内，依据违法情节酌定处以一定数额的罚款。

第五十条　农产品生产企业、农民专业合作经济组织销售的农产品有本法第三十三条第一项至第三项或者第五项所列情形之一的，责令停止销售，追回已经销售的农产品，对违法销售的农产品进行无害化处理或者予以监督销毁；没收违法所得，并处二千元以上二万元以下罚款。

农产品销售企业销售的农产品有前款所列情形的，依照前款规定处理、处罚。

农产品批发市场中销售的农产品有第一款所列情形的，对违法销售的农产品依照第一款规定处理，对农产品销售者依照第一款规定处罚。

农产品批发市场违反本法第三十七条第一款规定的，责令改正，处二千元以上二万元以下罚款。

【释义】　本条是关于违法销售农产品应承担法律责任的规定。

本条包括以下内容

1. 农产品生产企业、农民专业合作经济组织销售的农产品有本法第三十三条所列情形的处理和处罚

根据本法第三十三条规定，有下列情形之一的农产品，不得销售：(1)含有国家禁止使用的农药、兽药或者其他化学物质的；(2)农药、兽药等化学物质残留或者含有的重金属等有毒有害物质不符合农产品质量安全标准的；(3)含有的致病性寄生虫、微生物或者生物毒素不符合农产品质量安全标准的；(4)使用的保鲜剂、防腐剂、添加剂等材料不符合国家有关强制性的技术规范的；(5)其他不符合农产品质量安全标准的。农产品生产企业、农民专业合作经济组织销售的农产品有本法第三十三条第一项至第三项或者第五项所列情形之一的，应当承担本条规定的法律责任，县级以上人民政府农业行政主管部门应当责令其停止销售，追回已经销售的农产品，并责令其对违法销售的农产品进行无害化处理，

不能进行无害化处理的，监督违法行为人予以销毁；没收其违法销售农产品的经营所得，并处2000元以上2万元以下罚款。罚款的具体数额，由县级以上人民政府农业行政主管部门根据其违法行为的具体情况来确定。

2. 农产品销售企业销售的农产品有第一款所列情形的，依照该款规定处理、处罚

销售在产品生产和消费使用之间处于中间环节，起着承前启后的作用。在某种程度上，也可以说销售环节是防止不符合质量标准的农产品流入消费环节的最后一道门槛。因此，销售企业在农产品质量安全方面责任重大。本法第三十七条要求农产品销售企业对其销售的农产品，建立健全进货检查验收制度，经查验不符合农产品质量安全标准的，不得销售，保证所销售农产品的质量安全。农产品销售企业销售的农产品有本法第三十三条第一项至第三项或者第五项所列情形之一的，工商行政主管部门也要责令其停止销售，追回已经销售的农产品，对违法销售的农产品进行无害化处理或者予以监督销毁；没收违法所得，并处2000元以上2万元以下罚款。

3. 农产品批发市场中销售的农产品有本条第一款所列情形的，对违法销售的农产品依照本条第一款规定处理，对农产品销售者依照本条第一款规定处罚

农产品自生产到消费的过程中，农产品批发市场发挥了十分关键的作用。消费者购买的农产品很多都是在农产品批发市场中销售的。农产品批发市场中交易的农产品质量状况，直接关系到广大群众的消费安全。因此，农产品批发市场中销售的农产品有本法第三十三条第一项至第三项或者第五项所列情形之一的，工商行政管理部门应当责令停止销售，追回已经销售的农产品，对违法销售的农产品进行无害化处理或者予以监督销毁。没收农产品销售者的违法所得，并处2000元以上2万元以下罚款。这里需要说明的是，本条第三款规定的法律责任，由农产品批发市场中的农

产品销售者承担而非农产品批发市场承担。如果农产品批发市场作为农产品销售企业从事农产品的配送,其配送的农产品不符合质量安全标准的,应当依照本条第二款的规定处理、处罚。

4. 本条第四款规定,农产品批发市场违反本法第三十七条第一款规定的,责令改正,处2000元以上2万元以下罚款。

本法第三十七条第一款规定,农产品批发市场应当设立或者委托农产品质量安全检测机构,对进场销售的农产品质量安全状况进行抽查检测;发现不符合农产品质量安全标准的,应当要求销售者立即停止销售,并向农业行政主管部门报告。本法把农产品批发市场作为一个独立的责任主体,可以进一步增强农产品批发市场的责任意识,组织质量安全的农产品进场交易,切实承担起本法规定的义务。农产品批发市场未设立或者未委托农产品质量安全检测机构,对进场销售的农产品质量安全状况进行抽查检测、发现不符合农产品质量安全标准的,未要求销售者立即停止销售,或者未向农业行政主管部门报告的,县级以上人民政府农业行政主管部门都可以责令其改正,处2000元以上2万元以下罚款。

第五十一条　违反本法第三十二条规定,冒用农产品质量标志的,责令改正,没收违法所得,并处二千元以上二万元以下罚款。

【释义】 本条是关于冒用农产品质量标志法律责任的规定。

本条主要包括以下内容

1. 本法第三十二条明确规定,禁止冒用农产品质量标志

农产品符合农产品质量安全标准,生产者可以申请使用无公害等农产品质量标志。农产品取得质量标志,表明该产品已符合相关的标准和技术规范要求,可以提高该产品的市场信誉,增强产品的市场竞争力,并激励农产品生产者加强质量管理,提高农产品质量安全水平,消费者可以放心购买。农产品质量标志必须真实、有效。冒用农产品质量标志,对消费者产生误导,扰乱市场经济秩

序，必须追究其相应的法律责任。

2. 对冒用标志行为的处罚

依照本条规定，冒用农产品质量标志的，由行政执法机关责令其改正，即县级以上农业行政主管部门在行政执法中，发现有冒用农产品质量标志的违法行为的，应当要求违法行为人立即停止违法行为，没收其冒用农产品质量标志所获得的非法收入，并处2000元以上2万元以下罚款。具体罚款数额由县级以上农业行政主管部门根据其违法行为的情节确定。

第五十二条[①]　**本法第四十四条、第四十七条至第四十九条、第五十条第一款、第四款和第五十一条规定的处理、处罚，由县级以上人民政府农业行政主管部门决定；第五十条第二款、第三款规定的处理、处罚，由工商行政管理部门决定。**

法律对行政处罚及处罚机关有其他规定的，从其规定。但是，对同一违法行为不得重复处罚。

【释义】　本条是对本法规定的违法行为的处罚机关的规定。

本条主要包括以下内容

1. 对处理、处罚机关的原则性规定

本法第四十四条、第四十七条至第四十九条、第五十条第一款、第四款和第五十一条规定的处理、处罚，主要针对以下几项违法行为：(1)农产品质量安全检测机构伪造检测结果或者出具检测结果不实的；(2)农产品生产企业、农民专业合作经济组织未建立或者未按照规定保存农产品生产记录的，或者伪造农产品生产记录的；(3)销售的农产品未按照规定进行包装、标识的；(4)使用

---

① 2018年10月26日《全国人民代表大会常务委员会关于修改〈中华人民共和国野生动物保护法〉等十五部法律的决定》将本条中的“工商行政管理部门”修改为“市场监督管理部门”。

的保鲜剂、防腐剂、添加剂等材料不符合国家有关强制性的技术规范的;(5)农产品生产企业、农民专业合作经济组织销售禁止销售的农产品的;(6)农产品批发市场未设立或者委托农产品质量安全检测机构,对进场销售的农产品质量安全状况进行抽查检测、发现不符合农产品质量安全标准的,未要求销售者立即停止销售,并向农业行政主管部门报告的;(7)冒用农产品质量标志的。对上述违法行为的处理、处罚,由县级以上人民政府农业行政主管部门决定。而对于本法第五十条第二、三款规定的农产品销售企业、农产品批发市场中的销售者销售本法禁止销售的农产品的处理、处罚,由工商行政管理部门决定。

对于农业行政主管部门和工商行政管理部门对违反本法规定的行为进行处理、处罚,本条做了明确分工,但在具体执行中要注意两部门之间的合作和配合。农业行政主管部门作为农产品质量安全主要监管部门,在对农产品质量安全的监督检查中,发现农产品销售企业和农产品批发市场中的销售者销售本法禁止销售的农产品时,要把检查结果及时通报和移交到工商行政主管部门,由工商行政主管部门对其进行处理和处罚。总之,应严格遵循本条关于行政执法主体分工的规定。

2. 对处理、处罚机关的特殊规定

其他法律对农产品质量安全违法行为的行政处罚机关另有规定的,根据本条规定,应当依照相应法律的规定执行。但是,对同一违法行为不得重复处罚。

第五十三条　违反本法规定,构成犯罪的,依法追究刑事责任。

【释义】 本条是关于违反本法规定构成犯罪应承担刑事责任的规定。

本条主要概念解释

刑事责任:它是指具有刑事责任能力的人实施了刑事法律所禁止的行为即犯罪行为所必须承担的法律后果。刑事责任是最严厉的法律责任。本法规定的违法行为,如果其行为符合我国刑法规定的犯罪的构成要件,就要依据刑法有关条款的规定承担相应的刑事责任,但不影响承担本法规定的其他法律责任。

违反本法规定,构成犯罪,应当依法追究刑事责任的行为主要有:

1. 农产品质量安全监督管理人员不依法履行监督职责,或者滥用职权,构成犯罪的,依照刑法第三百九十七条追究刑事责任

刑法第三百九十七条规定:"国家机关工作人员滥用职权或者玩忽职守,致使公共财产、国家和人民利益遭受重大损失的,处三年以下有期徒刑或者拘役;情节特别严重的,处三年以上七年以下有期徒刑。本法另有规定的,依照规定。""国家机关工作人员徇私舞弊,犯前款罪的,处五年以下有期徒刑或者拘役;情节特别严重的,处五年以上十年以下有期徒刑。"

2. 农产品质量安全检测机构伪造检测结果,构成犯罪的,依照刑法第二百二十九条的规定追究刑事责任

刑法第二百二十九条规定:"承担资产评估、验资、验证、会计、审计、法律服务等职责的中介组织的人员故意提供虚假证明文件,情节严重的,处五年以下有期徒刑或者拘役,并处罚金。""前款规定的人员,索取他人财物或者非法收受他人财物,犯前款罪的,处五年以上十年以下有期徒刑,并处罚金。""第一款规定的人员,严重不负责任,出具的证明文件有重大失实,造成严重后果的,处三年以下有期徒刑或者拘役,并处或者单处罚金。"

3. 违反法律、法规规定,向农产品产地排放或者倾倒废水、废气、固体废物或者其他有毒有害物质,构成犯罪的,依照刑法第三百三十八条追究刑事责任

刑法第三百三十八条规定:“违反国家规定,向土地、水体、大气排放、倾倒或者处置有放射性的废物、含传染病病原体的废物、有毒物质或者其他危险废物,造成重大环境污染事故,致使公私财产遭受重大损失或者人身伤亡的严重后果的,处三年以下有期徒刑或者拘役,并处或者单处罚金;后果特别严重的,处三年以上七年以下有期徒刑,并处罚金。”

4. 销售的农产品有本法第三十三条所列情形之一,构成犯罪的,依照刑法第一百四十三条、第一百四十四条的规定追究刑事责任

刑法第一百四十三条规定:“生产、销售不符合卫生标准的食品,足以造成严重食物中毒事故或者其他严重食源性疾患的,处三年以下有期徒刑或者拘役,并处或者单处销售金额百分之五十以上二倍以下罚金;对人体健康造成严重危害的,处三年以上七年以下有期徒刑,并处销售金额百分之五十以上二倍以下罚金;后果特别严重的,处七年以上有期徒刑或者无期徒刑,并处销售金额百分之五十以上二倍以下罚金或者没收财产。”第一百四十四条规定:“在生产、销售的食品中掺入有毒、有害的非食品原料的,或者销售明知掺有有毒、有害的非食品原料的食品的,处五年以下有期徒刑或者拘役,并处或者单处销售金额百分之五十以上二倍以下罚金;造成严重食物中毒事故或者其他严重食源性疾患,对人体健康造成严重危害的,处五年以上十年以下有期徒刑,并处销售金额百分之五十以上二倍以下罚金;致人死亡或者对人体健康造成特别严重危害的,依照本法第一百四十一条的规定处罚。”

需要说明的是,如果违反本法规定的行为符合刑法其他条款规定,构成犯罪的,也应当依法承担刑事责任。

第五十四条　生产、销售本法第三十三条所列农产品,给消费者造成损害的,依法承担赔偿责任。

农产品批发市场中销售的农产品有前款规定情形的，消费者可以向农产品批发市场要求赔偿；属于生产者、销售者责任的，农产品批发市场有权追偿。消费者也可以直接向农产品生产者、销售者要求赔偿。

【释义】　本条是关于生产、销售的农产品给消费者造成损害所应承担的民事法律责任的规定。

本条主要包括以下内容

1. 本条第一款规定，生产、销售本法第三十三条所列农产品，给消费者造成损害的，依法承担赔偿责任

本法第三十三条规定的农产品包括：(1)含有国家禁止使用的农药、兽药或者其他化学物质的；(2)农药、兽药等化学物质残留或者含有的重金属等有毒有害物质不符合农产品质量安全标准的；(3)含有的致病性寄生虫、微生物或者生物毒素不符合农产品质量安全标准的；(4)使用的保鲜剂、防腐剂、添加剂等材料不符合国家有关强制性的技术规范的；(5)其他不符合农产品质量安全标准的。生产、销售上述农产品，给消费者造成损害的，依法承担赔偿责任。

生产者、销售者承担因农产品质量安全问题造成损害的民事赔偿责任须具备一定的条件：一是农产品存在缺陷。如“含有国家禁止使用的农药、兽药或者其他化学物质”“农药、兽药等化学物质残留或者含有的重金属等有毒有害物质不符合农产品质量安全标准”。二是存在损害事实，即上述农产品对消费者人身或者他人人身、财产已经产生损害。三是消费者人身或者他人人身、财产遭受损害是由于农产品缺陷造成的，即两者有直接的因果关系。三个条件须同时具备，生产者、销售者方可承担农产品质量安全责任。从方便消费者维护自己合法权益的角度出发，农产品质量安全给消费者造成损害的，消费者可以向农产品的生产者要求赔偿，也可以向农产品的销售者要求赔偿。属于生产者的责任，销售者

赔偿的,销售者有权向农产品的生产者追偿。属于销售者的责任,生产者赔偿的,农产品的生产者有权向产品的销售者追偿。也就是说,受到损害的消费者可以向农产品生产者和销售者中的任何一方提出赔偿请求。如果两者不予赔偿,消费者可以生产者和销售者中的任何一方或者双方为被告提起民事诉讼。

2. 本条第二款规定了消费者可以要求赔偿的对象

本法把农产品批发市场作为一个独立的责任主体,与农产品生产者和其他销售者共同承担连带责任,一方面,使受损消费者多了一个救济途径,可以更好地维护自身权益;另一方面,可以进一步增强农产品批发市场的责任意识,组织符合质量安全标准的农产品进场交易,切实承担起保障农产品质量安全的义务。

第八章 附 则

附则位于每部法律最后,是相对总则、分则而言的。本章共2条,分别对生猪屠宰的管理和本法实施日期作了规定。

第五十五条 生猪屠宰的管理按照国家有关规定执行。

【释义】 本条是关于本法适用范围的例外规定。

考虑到对于生猪屠宰,国务院已制定了《生猪屠宰管理条例》,本法未将其纳入调整范围。

第五十六条 本法自2006年11月1日起施行。

【释义】 本条是关于本法实施日期的规定。

本条主要包括以下内容

1. 按照本条规定,本法的生效时间是2006年11月1日。

2. 本法的溯及力问题

一部法律施行后能否对其施行以前的事情发生效力,涉及许多问题,包括我国在内的世界各国的立法实践中,法律一般都是没有溯及力的,即不能对以前的事情发生法律效力。但是,如果一部法律实施后需要对以前的事情发生法律效力,也是可以的,但必须在法律条文中予以明确规定。本法对其是否具有溯及力未做规定,说明本法不具有溯及力。

3. 本法自颁布(2006年4月29日)至施行(2006年11月1日)间隔一段时间,目的是使各有关方面利用这段时间做好本法实施的准备工作农产品质量安全法将从2006年11月1日起施行，从颁布到实施还有几个月的时间，各有关方面应当抓紧做好农产品质量安全法贯彻实施的各项准备工作：一是各级农业主管部门和其他有关部门应当认真组织学习好这部法律的各项内容。只有准确理解、全面把握法律的规定，才能做到严格依法办事，正确履行监督管理职责。二是针对我国农业生产的特点，要特别重视做好本法的宣传普及工作。各级农业主管部门应当会同有关部门采取有效措施，努力使亿万农户都能了解这部法律的规定，在农业生产活动中自觉履行保障农产品质量安全的义务，这是摆在我们面前的一项紧迫而艰巨的任务。三是要抓紧制定或修订有关的配套规章，例如关于确定农产品禁止生产区域的具体办法、保障农产品质量安全的生产技术要求和操作规程、农产品包装和标识的管理办法，与本法同步实施，以使法律的相关规定具体化，落到实处。

第二部分　附　　录

中华人民共和国农产品质量安全法

（2006年4月29日第十届全国人民代表大会
常务委员会第二十一次会议通过）

目　　录

第一章　总　　则

第一条　为保障农产品质量安全，维护公众健康，促进农业和农村经济发展，制定本法。

第二条 本法所称农产品，是指来源于农业的初级产品，即在农业活动中获得的植物、动物、微生物及其产品。

本法所称农产品质量安全，是指农产品质量符合保障人的健康、安全的要求。

第三条 县级以上人民政府农业行政主管部门负责农产品质量安全的监督管理工作；县级以上人民政府有关部门按照职责分工，负责农产品质量安全的有关工作。

第四条 县级以上人民政府应当将农产品质量安全管理工作纳入本级国民经济和社会发展规划，并安排农产品质量安全经费，用于开展农产品质量安全工作。

第五条 县级以上地方人民政府统一领导、协调本行政区域内的农产品质量安全工作，并采取措施，建立健全农产品质量安全服务体系，提高农产品质量安全水平。

第六条 国务院农业行政主管部门应当设立由有关方面专家组成的农产品质量安全风险评估专家委员会，对可能影响农产品质量安全的潜在危害进行风险分析和评估。

国务院农业行政主管部门应当根据农产品质量安全风险评估结果采取相应的管理措施，并将农产品质量安全风险评估结果及时通报国务院有关部门。

第七条 国务院农业行政主管部门和省、自治区、直辖市人民政府农业行政主管部门应当按照职责权限，发布有关农产品质量安全状况信息。

第八条 国家引导、推广农产品标准化生产，鼓励和支持生产优质农产品，禁止生产、销售不符合国家规定的农产品质量安全标准的农产品。

第九条 国家支持农产品质量安全科学技术研究，推行科学的质量安全管理方法，推广先进安全的生产技术。

第十条 各级人民政府及有关部门应当加强农产品质量安全知识的宣传，提高公众的农产品质量安全意识，引导农产品生产者、销售者加强质量安全管理，保障农产品消费安全。

第二章 农产品质量安全标准

第十一条 国家建立健全农产品质量安全标准体系。农产品质量安全标准是强制性的技术规范。

农产品质量安全标准的制定和发布，依照有关法律、行政法规的规定执行。

第十二条 制定农产品质量安全标准应当充分考虑农产品质量安全风险评估结果，并听取农产品生产者、销售者和消费者的意见，保障消费安全。

第十三条 农产品质量安全标准应当根据科学技术发展水平以及农产品质量安全的需要，及时修订。

第十四条 农产品质量安全标准由农业行政主管部门商有关部门组织实施。

第三章 农产品产地

第十五条 县级以上地方人民政府农业行政主管部门按照保障农产品质量安全的要求，根据农产品品种特性和生产区域大气、土壤、水体中有毒有害物质状况等因素，认为不适宜特定农产品生产的，提出禁止生产的区域，报本级人民政府批准后公布。具体办法由国务院农业行政主管部门商国务院环境保护行政主管部门制定。

农产品禁止生产区域的调整，依照前款规定的程序办理。

第十六条 县级以上人民政府应当采取措施，加强农产品基地建设，改善农产品的生产条件。

县级以上人民政府农业行政主管部门应当采取措施，推进保障农产品质量安全的标准化生产综合示范区、示范农场、养殖小区和无规定动植物疫病区的建设。

第十七条 禁止在有毒有害物质超过规定标准的区域生产、捕捞、采集食用农产品和建立农产品生产基地。

第十八条 禁止违反法律、法规的规定向农产品产地排放或者倾倒废水、废气、固体废物或者其他有毒有害物质。

农业生产用水和用作肥料的固体废物,应当符合国家规定的标准。

第十九条 农产品生产者应当合理使用化肥、农药、兽药、农用薄膜等化工产品,防止对农产品产地造成污染。

第四章 农产品生产

第二十条 国务院农业行政主管部门和省、自治区、直辖市人民政府农业行政主管部门应当制定保障农产品质量安全的生产技术要求和操作规程。县级以上人民政府农业行政主管部门应当加强对农产品生产的指导。

第二十一条 对可能影响农产品质量安全的农药、兽药、饲料和饲料添加剂、肥料、兽医器械,依照有关法律、行政法规的规定实行许可制度。

国务院农业行政主管部门和省、自治区、直辖市人民政府农业行政主管部门应当定期对可能危及农产品质量安全的农药、兽药、饲料和饲料添加剂、肥料等农业投入品进行监督抽查,并公布抽查结果。

第二十二条 县级以上人民政府农业行政主管部门应当加强对农业投入品使用的管理和指导,建立健全农业投入品的安全使用制度。

第二十三条 农业科研教育机构和农业技术推广机构应当加强对农产品生产者质量安全知识和技能的培训。

第二十四条 农产品生产企业和农民专业合作经济组织应当建立农产品生产记录,如实记载下列事项:

（一）使用农业投入品的名称、来源、用法、用量和使用、停用的日期；

（二）动物疫病、植物病虫草害的发生和防治情况；

（三）收获、屠宰或者捕捞的日期。

农产品生产记录应当保存二年。禁止伪造农产品生产记录。

国家鼓励其他农产品生产者建立农产品生产记录。

第二十五条　农产品生产者应当按照法律、行政法规和国务院农业行政主管部门的规定，合理使用农业投入品，严格执行农业投入品使用安全间隔期或者休药期的规定，防止危及农产品质量安全。

禁止在农产品生产过程中使用国家明令禁止使用的农业投入品。

第二十六条　农产品生产企业和农民专业合作经济组织，应当自行或者委托检测机构对农产品质量安全状况进行检测；经检测不符合农产品质量安全标准的农产品，不得销售。

第二十七条　农民专业合作经济组织和农产品行业协会对其成员应当及时提供生产技术服务，建立农产品质量安全管理制度，健全农产品质量安全控制体系，加强自律管理。

第五章　农产品包装和标识

第二十八条　农产品生产企业、农民专业合作经济组织以及从事农产品收购的单位或者个人销售的农产品，按照规定应当包装或者附加标识的，须经包装或者附加标识后方可销售。包装物或者标识上应当按照规定标明产品的品名、产地、生产者、生产日期、保质期、产品质量等级等内容；使用添加剂的，还应当按照规定标明添加剂的名称。具体办法由国务院农业行政主管部门制定。

第二十九条　农产品在包装、保鲜、贮存、运输中所使用的保鲜剂、防腐剂、添加剂等材料，应当符合国家有关强制性的技术规范。

第三十条　属于农业转基因生物的农产品，应当按照农业转基因生物安全管理的有关规定进行标识。

第三十一条 依法需要实施检疫的动植物及其产品，应当附具检疫合格标志、检疫合格证明。

第三十二条 销售的农产品必须符合农产品质量安全标准，生产者可以申请使用无公害农产品标志。农产品质量符合国家规定的有关优质农产品标准的，生产者可以申请使用相应的农产品质量标志。

禁止冒用前款规定的农产品质量标志。

第六章 监督检查

第三十三条 有下列情形之一的农产品，不得销售：

（一）含有国家禁止使用的农药、兽药或者其他化学物质的；

（二）农药、兽药等化学物质残留或者含有的重金属等有毒有害物质不符合农产品质量安全标准的；

（三）含有的致病性寄生虫、微生物或者生物毒素不符合农产品质量安全标准的；

（四）使用的保鲜剂、防腐剂、添加剂等材料不符合国家有关强制性的技术规范的；

（五）其他不符合农产品质量安全标准的。

第三十四条 国家建立农产品质量安全监测制度。县级以上人民政府农业行政主管部门应当按照保障农产品质量安全的要求，制定并组织实施农产品质量安全监测计划，对生产中或者市场上销售的农产品进行监督抽查。监督抽查结果由国务院农业行政主管部门或者省、自治区、直辖市人民政府农业行政主管部门按照权限予以公布。

监督抽查检测应当委托符合本法第三十五条规定条件的农产品质量安全检测机构进行，不得向被抽查人收取费用，抽取的样品不得超过国务院农业行政主管部门规定的数量。上级农业行政主管部门监督抽查的农产品,下级农业行政主管部门不得另行重复抽查。

第三十五条　农产品质量安全检测应当充分利用现有的符合条件的检测机构。

从事农产品质量安全检测的机构,必须具备相应的检测条件和能力,由省级以上人民政府农业行政主管部门或者其授权的部门考核合格。具体办法由国务院农业行政主管部门制定。

农产品质量安全检测机构应当依法经计量认证合格。

第三十六条　农产品生产者、销售者对监督抽查检测结果有异议的,可以自收到检测结果之日起五日内,向组织实施农产品质量安全监督抽查的农业行政主管部门或者其上级农业行政主管部门申请复检。

采用国务院农业行政主管部门会同有关部门认定的快速检测方法进行农产品质量安全监督抽查检测,被抽查人对检测结果有异议的,可以自收到检测结果时起四小时内申请复检。复检不得采用快速检测方法。

因检测结果错误给当事人造成损害的,依法承担赔偿责任。

第三十七条　农产品批发市场应当设立或者委托农产品质量安全检测机构,对进场销售的农产品质量安全状况进行抽查检测;发现不符合农产品质量安全标准的,应当要求销售者立即停止销售,并向农业行政主管部门报告。

农产品销售企业对其销售的农产品,应当建立健全进货检查验收制度;经查验不符合农产品质量安全标准的,不得销售。

第三十八条　国家鼓励单位和个人对农产品质量安全进行社会监督。任何单位和个人都有权对违反本法的行为进行检举、揭发和控告。有关部门收到相关的检举、揭发和控告后,应当及时处理。

第三十九条　县级以上人民政府农业行政主管部门在农产品质量安全监督检查中,可以对生产、销售的农产品进行现场检查,调查了解农产品质量安全的有关情况,查阅、复制与农产品质量安全有关的记录和其他资料;对经检测不符合农产品质量安全标准的农产品,有权查封、扣押。

第四十条 发生农产品质量安全事故时,有关单位和个人应当采取控制措施,及时向所在地乡级人民政府和县级人民政府农业行政主管部门报告;收到报告的机关应当及时处理并报上一级人民政府和有关部门。发生重大农产品质量安全事故时,农业行政主管部门应当及时通报同级食品药品监督管理部门。

第四十一条 县级以上人民政府农业行政主管部门在农产品质量安全监督管理中,发现有本法第三十三条所列情形之一的农产品,应当按照农产品质量安全责任追究制度的要求,查明责任人,依法予以处理或者提出处理建议。

第四十二条 进口的农产品必须按照国家规定的农产品质量安全标准进行检验;尚未制定有关农产品质量安全标准的,应当依法及时制定,未制定之前,可以参照国家有关部门指定的国外有关标准进行检验。

第七章 法律责任

第四十三条 农产品质量安全监督管理人员不依法履行监督职责,或者滥用职权的,依法给予行政处分。

第四十四条 农产品质量安全检测机构伪造检测结果的,责令改正,没收违法所得,并处五万元以上十万元以下罚款,对直接负责的主管人员和其他直接责任人员处一万元以上五万元以下罚款;情节严重的,撤销其检测资格;造成损害的,依法承担赔偿责任。

农产品质量安全检测机构出具检测结果不实,造成损害的,依法承担赔偿责任;造成重大损害的,并撤销其检测资格。

第四十五条 违反法律、法规规定,向农产品产地排放或者倾倒废水、废气、固体废物或者其他有毒有害物质的,依照有关环境保护法律、法规的规定处罚;造成损害的,依法承担赔偿责任。

第四十六条 使用农业投入品违反法律、行政法规和国务院农业行政主管部门的规定的,依照有关法律、行政法规的规定处罚。

第四十七条 农产品生产企业、农民专业合作经济组织未建立或者未按照规定保存农产品生产记录的,或者伪造农产品生产记录的,责令限期改正;逾期不改正的,可以处二千元以下罚款。

第四十八条 违反本法第二十八条规定,销售的农产品未按照规定进行包装、标识的,责令限期改正;逾期不改正的,可以处二千元以下罚款。

第四十九条 有本法第三十三条第四项规定情形,使用的保鲜剂、防腐剂、添加剂等材料不符合国家有关强制性的技术规范的,责令停止销售,对被污染的农产品进行无害化处理,对不能进行无害化处理的予以监督销毁;没收违法所得,并处二千元以上二万元以下罚款。

第五十条 农产品生产企业、农民专业合作经济组织销售的农产品有本法第三十三条第一项至第三项或者第五项所列情形之一的,责令停止销售,追回已经销售的农产品,对违法销售的农产品进行无害化处理或者予以监督销毁;没收违法所得,并处二千元以上二万元以下罚款。

农产品销售企业销售的农产品有前款所列情形的,依照前款规定处理、处罚。

农产品批发市场中销售的农产品有第一款所列情形的,对违法销售的农产品依照第一款规定处理,对农产品销售者依照第一款规定处罚。

农产品批发市场违反本法第三十七条第一款规定的,责令改正,处二千元以上二万元以下罚款。

第五十一条 违反本法第三十二条规定,冒用农产品质量标志的,责令改正,没收违法所得,并处二千元以上二万元以下罚款。

第五十二条 本法第四十四条、第四十七条至第四十九条、第五十条第一款、第四款和第五十一条规定的处理、处罚,由县级以上人民政府农业行政主管部门决定;第五十条第二款、第三款规定的处理、处罚，由工商行政管理部门决定。

法律对行政处罚及处罚机关有其他规定的，从其规定。但是，对同一违法行为不得重复处罚。

第五十三条 违反本法规定，构成犯罪的，依法追究刑事责任。

第五十四条 生产、销售本法第三十三条所列农产品，给消费者造成损害的，依法承担赔偿责任。

农产品批发市场中销售的农产品有前款规定情形的，消费者可以向农产品批发市场要求赔偿；属于生产者、销售者责任的，农产品批发市场有权追偿。消费者也可以直接向农产品生产者、销售者要求赔偿。

第八章 附 则

第五十五条 生猪屠宰的管理按照国家有关规定执行。

第五十六条 本法自 2006 年 11 月 1 日起施行。

中华人民共和国农产品质量安全法(英文)
Law of People's Republic of China on Quality and Safety of Agricultural Products

(Adopted at the 21st Meeting of the Standing Committee of the Tenth National People's Congress on April 29, 2006)

Contents

Chapter I General Provisions

Article 1 This Law is enacted in order to ensure the quality and safety of agricultural products, maintain the health of the general public, and promote the development of agriculture and rural economy.

Article 2 For the purposes of this Law, agricultural products mean the primary products from agriculture, i. e. , the plants, animals, microorganisms and their products obtained in the course of agricultural activities.

For the purposes of this Law, the quality and safety of agricultural products mean that the quality of agricultural products meet the requirements for ensuring human health and safety.

Article 3 The administrative departments for agriculture under the people's governments at or above the county level shall be responsible for supervision and control of the quality and safety of agricultural products; and the relevant departments of the people's governments at or above the county level shall, in compliance with the division of their duties, be responsible for the work related to the quality and safety of agricultural products.

Article 4 The people's governments at or above the county level shall incorporate the control of the quality and safety of agricultural products in their national economic and social development plans, and appropriate funds for the control of the quality and safety of agricultural products in order to carry out work for the quality and safety of agricultural products.

Article 5 The people's governments at or above the county level shall exercise unified leadership and coordinate within their own administrative areas work in respect of the quality and safety of agricultural products and take measures to establish and improve a service system for the quality and safety of agricultural products and raise the level of the quality and safety of agricultural products.

Article 6 The administrative department for agriculture under the State Council shall establish a commission of specialist for risk assessment of the quality and safety of agricultural products, which shall be composed of specialists in this area, in order to analyze and assess the potential risks that may impair the quality and safety of agricultural products.

The administrative department for agriculture under the State Council shall take appropriate administrative measures on the basis of the results of the risk assessment of the quality and safety of agricultural products and notify the relevant departments under the State Council of such results in a timely manner.

Article 7 The administrative department for agriculture under the State Council and the administrative departments for agriculture under the people's governments of the provinces, autonomous regions, and municipalities directly under the Central Government shall, in compliance with their duties and within limits of their powers, publish information about the quality and safety of agricultural products.

Article 8 The State gives guidance on and promotes standardized production of agricultural products, encourages and supports the production of high-quality agricultural products, prohibits the production and marketing of agricultural products which do not meet the quality and safety standards set by the State for agricultural products.

Article 9 The State supports scientific and technological research in the quality and safety of agricultural products, introduces scientific approaches to quality and safety and spread the use of advanced and safe production technology.

Article 10 People's governments at various levels and the departments concerned shall improve the dissemination of knowledge about the quality and safety of agricultural products, enhance people's awareness of the importance of the quality and safety of agricultural products and gives guidance to agricultural producers and distributors in their efforts to improve management in respect of quality and safety and ensure the safety of agricultural products for consumption.

Chapter II Quality and Safety Standards of Agricultural Products

Article 11 The State establishes a sound system for quality and safety standards of agricultural products. The quality and safety standards of agricultural products provide the compulsory technical specifications.

The quality and safety standards of agricultural products shall be formulated and published in accordance with the provisions of the relevant laws and administrative regulations.

Article 12 In formulating the quality and safety standards of agricultural products, the results of the risk assessment of the quality and safety of agricultural products shall be taken into full consideration, and the opinions of agricultural producers, distributors and consumers shall be heeded, in order to ensure safety in consumption.

Article 13 The quality and safety standards of agricultural products shall be revised in a timely manner along with the scientific and technological development and in light of requirement for the quality and safety of agricultural products.

Article 14 Application of the quality and safety standards of agricultural products shall be organized by the administrative departments for agriculture after consulting with the departments concerned.

Chapter III Production Place of Agricultural Products

Article 15 Where the administrative department for agriculture under a people's government at or above the county level deems that some areas are not suited to certain agricultural products in view of the requirements for ensuring the quality and safety of agricultural products, the properties of the varieties, and the toxic and harmful substances in the atmosphere, soil and water body of the production areas, it shall propose prohibiting production of such varieties in the said areas and publish the fact upon approval by the people's government at the same level. The specific measures therefor shall be formulated by the administrative department for agriculture under the State Council after consulting with the administrative department for environment protection under the State Council.

The areas where production of certain agricultural products is prohibited shall be adjusted according to the procedure as prescribed in the preceding paragraph.

Article 16 People's governments at or above the county level shall take measures to strengthen the construction of agricultural production bases and improve production conditions.

The administrative departments for agriculture under the people's governments at or above the county level shall take measures to push forward the development of integrated demonstration zones and farms for standardized production, small-scale breeding areas and designed animal and plant disease free zones, in order to ensure the quality and safety of agricultural products.

Article 17 Producing, fishing for or collecting edible agricultural products, or establishing production bases of agricultural products, in areas where the amount of toxic and harmful substances exceeds the prescribed standards, is prohibited.

Article 18 Discharging waste water or exhaust gas or dumping solid wastes or other toxic or harmful substances to the production places of agricultural products in violation of the provisions of relevant laws and regulations is prohibited.

Water used for agricultural production and solid waste used as fertilizers shall be in conformity with the standards set by the State is prohibited.

Article 19 Agricultural producers shall rationally use chemical products, such as chemical fertilizers, pesticides, veterinary medicine and agricultural films, in order to avoid contaminating the production places of agricultural products.

Chapter IV Production of Agricultural Products

Article 20 The administrative department for agriculture under the State Council and the administrative departments for agriculture under the people's governments of the provinces, autonomous regions, and municipalities directly under the Central Government shall lay down technical requirements and operating rules for production to ensure the quality and safety of agricultural products. The administrative department for agriculture under the people's governments at or above the county level shall enhance guidance with respect to production of agricultural products.

Article 21 In accordance with the provisions of relevant laws and administrative regulations, an administrative permission system shall be applied to such pesticides, veterinary medicine, feed and feed additives, fertilizers and veterinary instruments as may impair the quality and safety of agricultural products.

The administrative department for agriculture under the State Council and the administrative departments for agriculture under the people's governments of the provinces, autonomous regions, and municipalities directly under the Central Government shall conduct regular supervision and make spotchecks of the pesticides, veterinary medicine, feed and feed additives, fertilizers, etc. that are put into agricultural production, and shall publish the results of such spotchecks.

Article 22 The administrative departments for agriculture under the people's governments at or above the county level shall improve control and guidance in respect of the use of agricultural inputs and establish a sound system for safe use of such inputs.

Article 23 Institutions of scientific research and education in agriculture and institutions for agricultural technology popularization shall improve training among agricultural producers in the knowledge about quality and safety and the skills in this respect.

Article 24 Agricultural producers and specialized cooperative economic organizations of farmers shall keep records of the production of agricultural products, in which shall be truthfully carried the following items:

(1) the names, sources, ways of application, amounts, and the dates of application and withdrawal of agricultural inputs;

(2) outbreaks of animal or plant diseases, attacks by insect pests or weeds, and prevention and treatment thereof; and

(3) dates of harvesting, slaughter or fishing.

Production records of agricultural products shall be preserved for two years. Fabrication of such records is prohibited.

The State encourages other agricultural producers to keep production records of agricultural products.

Article 25 Agricultural producers shall, in accordance with the provisions of relevant laws and administrative regulations and the regulations formulated by the administrative department for agriculture under the State Council, make rational use of agricultural inputs, strictly adhere to the regulations on the intervals for application and withdrawal, in order to prevent the quality and safety of agricultural products from being impaired.

Application of any agricultural inputs in the course of agricultural production that are explicitly prohibited by the State is prohibited.

Article 26 Agricultural producers and specialized cooperative economic organizations of farmers shall test the quality and safety of their products themselves or entrust the testing to a testing agency. No agricultural products that fail to pass the quality and safety test for agricultural products shall be marketed.

Article 27 Specialized cooperative economic organizations of farmers and agricultural producers associations shall provide their members with timely technical services in production, establish a management system for quality and safety of agricultural products, improve the system for controlling such quality and safety and enhance management through self-discipline.

Chapter V Packaging and Labeling of Agricultural Products

Article 28 Where agricultural products to be marketed by agricultural producers, specialized cooperative economic organizations of farmers, and by units or individuals engaged in the purchase of agricultural products need be packed or labeled according to regulations, they shall be marketed only after they are packaged or labeled. On the packages or labels shall be indicated the name of the product, place of production, name of producer, date of production, expiry date, quality grade and other information, as required by regulations; and where additives are used, the names of the additives shall also be indicated according to regulations. The specific measures in this regard shall be formulated by the administrative department for agriculture under the State Council.

Article 29 Antistaling agents, preservatives, additives and other materials used in the process of packaging, preservation, storage and transportation of agricultural products shall be in conformity with the relevant compulsory technical specifications set by the State.

Article 30 Agricultural products belonging to agricultural genetically modified organisms should be labeled according to the relevant regulations on safety control of such organisms.

Article 31 Animals, plants and their products that need be quarantined according to law shall be attached with the quarantine qualification labels and certification.

Article 32 Agricultural products for sale shall be in conformity with the quality and safety standards of agricultural products. Producers may apply for use of the label for harm-free agricultural products. For agricultural products the quality of which meets the standards for quality agricultural products set by the State, producers may apply for use of the appropriate quality label for such products.

Unauthorized use of the quality labels for agricultural products as specified in the preceding paragraph is prohibited.

Chapter VI Supervision and Inspection

Article 33 No agricultural products may be marketed under any of the following circumstances:

(1) containing pesticides, veterinary medicine or other chemical substances banned by the State;

(2) the residues of chemical substances, such as pesticides and veterinary medicine, or the toxic and harmful substances contained, such as heavy metals, are not in conformity with the quality and safety standards of agricultural products;

(3) the pathogenic parasites, microorganisms or biologic toxin contained are not in conformity with the quality and safety standards of agricultural products;

(4) the materials used, such as antistaling agents, preservatives and additives, are not in conformity with the compulsory technical specifications set by the State; and

(5) other circumstances where the quality and safety standards of agricultural products are not measured up to.

Article 34 The State establishes a system for monitoring the quality and safety of agricultural products. The administrative departments for agriculture under the people's governments at or above the county level shall, in compliance with the requirements for ensuring the quality and safety of agricultural products, draw up plans for monitoring the quality and safety of agricultural products and organize implementation of the plans, and conduct regular supervision and make spotchecks of the agricultural products under production or on the market. The results of such supervision and spotchecks shall be published by the administrative department for agriculture under the State Council, or by such department under the people's government of a province, autonomous region, or municipality directly under the Central Government within the limits of its powers.

Supervision, and spotchecks and test shall be entrusted to the agencies for testing the quality and safety of agricultural products that meet the conditions prescribed in Article 35 of this Law. No fees may be charged to the entity under spotcheck and the number of selected samples shall not exceed the number fixed by the administrative department for agriculture under the State Council. No administrative department for agriculture at a lower level may repeat spotcheck of the agricultural products that are already spotchecked by the administrative department for agriculture at a higher level by way of supervision.

Article 35 For test of the quality and safety of agricultural products, the existing testing agencies that conform to the relevant conditions shall be made full use of.

Agencies engaged in testing of the quality and safety of agricultural products shall possess the appropriate conditions and abilities for conducting such test, and shall be qualified if they pass the examination conducted by the administrative departments for agriculture under the people's governments at or above the provincial level or by the authorized departments. The specific measures in this respect shall be formulated by the administrative department for agriculture under the State Council.

Agencies for testing the quality and safety of agricultural products shall be subject to metrological accreditation in accordance with law.

Article 36 Where a producer or distributor of agricultural products who disagrees on the results of a spotcheck may, within five days from the date he receives the results of the spotcheck, apply for a second test with the administrative department for agriculture that has organized the spotcheck or with the administrative department at the next higher level.

Where a spotcheck of the quality and safety of agricultural products is conducted by means of rapid test which is recognized by the administrative department for agriculture under the State Council in conjunction with the departments concerned, and the spotchecked disagrees on the results of the test, he may apply for a second test within four hours from the time he receives the results of the test. Rapid test shall not be used for a second test.

Where damages are caused to the party concerned due to errors in the results of a test, the liability for compensation shall be borne in accordance with law.

Article 37 A wholesale market for agricultural products shall establish an agency for testing the quality and safety of agricultural products to spotcheck the quality and safety of the agricultural products marketed thereon, or entrust such an agency with the spotcheck. Where the agency discovers that an agricultural product is no in conformity with the quality and safety standards of agricultural products, it shall ask the seller immediately to cease selling the product and report the matter to the administrative department for agriculture concerned.

Agricultural products distributors shall establish a sound system of inspection and acceptance for their purchases. No agricultural products that fail to pass the inspection based on the quality and safety standards of agricultural products may be marketed.

Article 38 The State encourages units and individuals to oversee the quality and safety of agricultural products. All units and individuals shall have the right to report, expose, or make an accusation against, any violations this Law. The department concerned shall, after receiving the said report, letter of exposure, or accusation, handle the matter in a timely manner.

Article 39 When exercising supervision over and inspection of the quality and safety of agricultural products, the administrative departments for agriculture under the people's governments at or above the county level may inspect on site the agricultural products produced or marketed, investigate and get to know the conditions of the quality and safety of agricultural products and consult and duplicate the records and other data relating to the quality and safety of agricultural products. They shall have the right to seal up or seize the agricultural products that fail to pass the inspection based on the quality and safety standards of agricultural products.

Article 40 Where an accident involving the quality and safety of agricultural products occurs, the unit and individual concerned shall take control measures and report in time to the township people's government and the administrative department for agriculture under the people's government at the county level at the place where the unit or individual is located. The government and department that receive such a report shall deal with the matter without delay and report to the people's government at the next higher level and the departments concerned. In the event of a major accident involving the quality and safety of agricultural products, the administrative department for agriculture shall, in a timely manner, notify the food and drug regulatory department at the same level.

Article 41 When, in exercising supervision and control over the quality and safety of agricultural products, an administrative department for agriculture under the people's government at or above the county level finds a agricultural product in any of the circumstances prescribed in Article 33 of this Law, it shall, in compliance with the requirements of the responsibility system for the quality and safety of agricultural products, ascertain the person who is to be held responsible and handle the case according to law, or put forward suggestions on how to handle it.

Article 42 Imported agricultural products shall be subject to inspection according to the quality and safety standards of agricultural products prescribed by the State. Where the relevant quality and safety standards of agricultural products have not been established, they shall be established in a timely manner according to law and, before such standards are established, inspection shall be conducted with reference made to the appropriate international standards designated by the relevant department of the State.

Chapter VII Legal Responsibility

Article 43 Where a person responsible for supervision and control over the quality and safety of agricultural products fails to perform his duty of supervision in accordance with law or abuses his power, he shall be given an administrative sanction in accordance with law.

Article 44 Where an agency for testing the quality and safety of agricultural products fabricates the results of a test, it shall be ordered to rectify, its illegal gains confiscated and it shall also be fined not less than RMB 50,000 yuan but not more than 100,000 yuan, and the person who is directly in charge and the other persons who are directly responsible shall be fined not less than 10,000 yuan but not more than 50,000 yuan each; if the circumstances are serious, it shall be disqualified from conducting such tests; and if major damages are caused, it shall be liable for compensation in accordance with law.

Where the results of a test issued by an agency for testing the quality and safety of agricultural products are untruthful and therefore damages are caused, the said agency shall be liable for compensation in accordance with law; and if major damages are caused, it shall be disqualified from conducting such tests.

Article 45 An entity that, in violation of the provisions of laws and regulations, discharges waste water or exhaust gas or dumps solid wastes or other toxic and harmful substances to agricultural production places shall be punished according to the provisions of the laws and regulations on environment protection; and if damages are caused, it shall be liable for compensation in accordance with law.

Article 46 An entity that uses agricultural inputs in violation of the provisions of laws and administrative regulations or the provisions prescribed by the administrative department for agriculture under the State Council shall be punished according to the provisions of the relevant laws and administrative regulations.

Article 47 An agricultural producer or specialized cooperative economic organization of farmers that fails to establish or keep, as required by regulations, production records of agricultural products or fabricates such records shall be ordered to rectify within a time limit; if it fails to rectify at the expiration of the time limit, it may be fined not more than 2,000 yuan.

Article 48 An entity or individual that, in violation of the provisions of Article 28 of this Law, sells agricultural products without packaging or labels required by regulations shall be ordered to rectify within a time limit; and if it or he fails to rectify at the expiration of the time limit, it or he may be fined not more than 2,000 yuan.

Article 49 Where the anti-staling agents, preservatives, additives and other materials used are not in conformity with the relevant compulsory technical specifications set by the State, as specified in Subparagraph (4) of Article 33 of this Law, the entity or individual shall be ordered to cease selling the contaminated agricultural products and to give such products innocent treatment; with respect to the products to which no innocent treatment can be given, they shall be destroyed under supervision; its or his illegal gains shall be confiscated, and it or he shall also be fined not less than 2,000 yuan but not more than 20,000 yuan.

Article 50 Where the agricultural products marketed by an agricultural producer or specialized cooperative economic organization of farmers fall under one of the circumstances specified in Subparagraphs (1), (2) and (3) or Subparagraph (5) of Article 33, the said producer or organization shall be ordered to cease selling such agricultural products to recover the agricultural products already sold, to give innocent treatment to the ones illegally marketed, or have them destroyed under supervision; its illegal gains shall be confiscated, and it shall also be fined not less than 2,000 yuan but not more than 20,000 yuan.

Where the agricultural products marketed by an agricultural distributor fall under one of the circumstances specified in the preceding paragraph, the products shall be disposed of and the distributor punished according to the provisions of the preceding paragraph.

Where the agricultural products marketed on a wholesale market for agricultural products fall under the circumstances specified in the first paragraph, the agricultural products illegally marketed shall be disposed of according to the provisions in the first paragraph and the seller of such products shall be punished likewise.

Where a wholesale market for agricultural products violates the provisions of the first paragraph of Article 37 of this Law, it shall be ordered to rectify and shall be fined not less than 2,000 yuan but not more than 20,000 yuan.

Article 51 An entity or individual that, in violation of the provisions of Article 32 of this Law, makes unauthorized use of quality labels for agricultural products shall be ordered to rectify, it or his illegal gains shall be confiscated and it or he shall also be fined not less than 2,000 yuan but not more than 20,000 yuan.

Article 52 Adoption of the measures for disposition and punishment prescribed in Articles 44, 47, 48 and 49, in the first and fourth paragraph of Article 50, and in Article 51 of this Law shall be decided on by the administrative departments for agriculture under the people's governments at or above the county level. Adoption of the ones prescribed in the second and third paragraph of Article 50 shall be decided on by the administrative departments for industry and commerce.

Where administrative penalties and the authorities imposing such penalties are otherwise prescribed by laws, the provisions there shall apply. However, no penalty shall be imposed a second time on one and the same offence.

Article 53 Where a violation of the provisions of this Law constitutes a crime, criminal responsibility shall be investigated in accordance with law.

Article 54 An entity or individual that produces or sells the agricultural products specified in Article 33 of this Law, thus causing damages to consumers, shall be liable for compensation according to law.

Where agricultural products sold on a wholesale market for agricultural products fall under the circumstances prescribed in the preceding paragraph, consumers may claim compensation from the said market; if the responsibility falls on the producers or sellers, the market shall have the right to recourse. Consumers may also claim compensation directly from the producers and sellers.

Chapter VIII Supplementary Provisions

Article 55 Swine slaughter shall be controlled in accordance with the relevant regulations of the State.

Article 56 This Law shall go into effect as of November 1, 2006.

中华人民共和国农产品质量安全法（草案）

第一章　总　　则

第一条　为保障农产品质量安全，维护公众身体健康，促进农业和农村经济发展，制定本法。

第二条　本法所称农产品，是指来源于农业的初级产品，包括植物、动物、微生物及其产品。

第三条　县级以上人民政府农业主管部门负责农产品质量安全的监督管理工作；县级以上人民政府有关部门按照职责分工，负责农产品质量安全的有关工作。

第四条　县级以上人民政府应当将农产品质量安全管理工作纳入本级国民经济和社会发展规划，并安排农产品质量安全经费，用于开展农产品质量安全工作。

第五条　县级以上地方人民政府统一领导、协调本行政区域内的农产品质量安全工作，并采取措施，建立健全农产品质量安全服务体系，提高农产品质量安全水平。

第六条　国务院农业主管部门应当设立农产品质量安全风险评估专家委员会，对可能影响农产品质量安全的潜在危害进行风险分析和评估。农产品质量安全风险评估专家委员会由农业、食品药品、卫生、环境保护、检验检疫等方面的专家组成。

国务院农业主管部门应当根据农产品质量安全风险评估结果采

取相应的管理措施,并将农产品质量安全风险评估结果及时通报国务院有关部门。

第七条 国务院农业主管部门和省、自治区、直辖市人民政府农业主管部门应当按照职责权限定期发布有关农产品质量安全状况信息。

第八条 国家推行农产品标准化生产和规范化管理,生产无公害农产品,鼓励生产绿色食品和有机农产品。

第九条 国家支持农产品质量安全科学技术研究,推行科学的质量安全管理方法,推广先进安全的生产技术。

第十条 各级人民政府及有关部门应当加强农产品质量安全知识的宣传,提高公众的农产品质量安全意识,引导农产品生产者和销售者加强质量安全管理,保障农产品消费安全。

第二章 农产品质量安全标准

第十一条 国家建立健全农产品质量安全标准体系。农产品质量安全标准分为强制性标准和推荐性标准。涉及人体健康安全、动植物安全、资源和环境保护的,应当制定强制性标准,其他可以制定推荐性标准。农产品质量安全标准的制定和发布依照有关法律、法规的规定执行。

第十二条 国家鼓励农产品生产企业和农民专业合作经济组织制定高于法律、法规规定标准的农产品质量安全标准。

第十三条 制定农产品质量安全标准应当充分考虑农产品质量安全风险评估结果,听取农产品生产者、经营者和消费者的意见,保障消费安全。

第十四条 农产品质量安全标准应当根据科学技术发展水平以及农产品质量安全的需要,及时修订。

第十五条 农产品质量安全标准由农业主管部门商有关部门组织实施。

第三章 农产品产地

第十六条 国家对农产品生产区域实行分类管理。农产品生产区域根据农产品品种特性和大气、土壤或者水域的有毒有害物质状况等，分为适宜生产区、限制生产区和禁止生产区。具体划分办法，由国务院农业主管部门商国务院环境保护主管部门制定。

第十七条 农产品适宜生产区、限制生产区和禁止生产区由县级人民政府农业主管部门提出，报本级人民政府公布，并根据农产品产地监测结果，及时调整农产品生产区域。

第十八条 县级以上地方人民政府应当加强农产品基地建设，改善农产品生产条件和种植、养殖措施，根据公布的农产品生产区域，对农产品生产实行引导和分类指导与管理。

第十九条 县级以上地方人民政府农业主管部门应当结合农产品生产区域划分，推进无公害农产品标准化生产综合示范区、养殖小区、示范农场、无规定动植物疫病区建设。

第二十条 禁止在重金属等有毒有害物质超标的区域生产、捕捞、采集食用农产品和建立农产品生产基地。

第二十一条 禁止向农产品产地排放或者倾倒超过国家规定标准的废水、废气、固体废物和有毒有害物质。

用于农业生产的污水和固体废物，应当经过无害化处理，并符合国家规定标准。

第二十二条 农产品生产者应当合理使用农业投入品，防止对农产品产地造成污染。

第二十三条 因排放或者倾倒废水、废气和固体废物，或者因违反规定使用农业投入品，造成农产品产地污染事故的，县级以上人民政府环境保护主管部门或者农业主管部门应当及时调查处理。渔业污染事故的调查处理，依照有关法律规定执行。

第四章　农产品生产

第二十四条　国务院农业主管部门和省、自治区、直辖市人民政府农业主管部门应当制定农产品生产技术规范和操作规程。县级以上人民政府农业主管部门应当加强对农产品生产的指导。

第二十五条　国家对可能影响农产品质量安全的农药、兽药、饲料和饲料添加剂、肥料、兽医器械，依照有关法律、行政法规的规定实行许可制度。

国务院农业主管部门和省、自治区、直辖市人民政府农业主管部门应当定期对可能危及农产品质量安全的农业投入品进行监督抽查，并公布抽查结果。

第二十六条　县级以上人民政府农业主管部门应当加强对农业投入品使用的管理和指导，建立健全安全使用制度。

禁止在农产品生产过程中使用国家明令禁止、淘汰或者未经依法许可的农业投入品。

第二十七条　各级农业科研教育机构和农业技术推广机构应当加强对农产品生产者质量安全知识和技能的培训。

第二十八条　农产品生产企业和农民专业合作经济组织应当建立农产品生产记录。农产品生产记录应当如实记载下列事项：

（一）农业投入品的名称、来源、使用和停用日期、用法、用量；

（二）动物疫病、植物病虫草害发生和防治情况；

（三）收获、屠宰或者捕捞日期。

农产品生产记录应当保存两年。禁止伪造农产品生产记录。

国家鼓励其他农产品生产者建立农产品生产记录。

第二十九条　农产品生产者应当按照国务院农业主管部门的规定，合理使用农业投入品，防止危及农产品质量安全。

农产品生产者应当严格执行国务院农业主管部门制定的农业投入品使用安全间隔期或者休药期的规定，适时收获、屠宰或者捕捞农产品。

第三十条 农产品生产企业和农民专业合作经济组织，应当自行或者委托其他检测机构对农产品质量安全状况进行检测，保证销售农产品的质量安全；未经检测或者检测不合格的农产品不得销售。

第三十一条 农民专业合作经济组织和农产品行业协会对其成员应当及时提供生产技术服务，建立农产品质量安全管理制度，健全农产品质量安全控制体系，加强行业自律。

第五章 农产品包装和标识

第三十二条 农产品生产企业、农民专业合作经济组织以及从事农产品收购的单位和个人，应当对用于销售的农产品进行包装、标识；不能包装、标识或者不需要包装、标识的除外。包装物、标识上应当标明品名、产地、生产者、生产日期、保质期、产品质量等级等内容。使用添加剂的，还应当按照规定标明添加剂的名称。具体办法由国务院农业主管部门制定。

第三十三条 农产品在包装、保鲜、贮存、运输中所使用的保鲜剂和防腐剂等材料，应当符合国家有关安全、环保、卫生方面的规定。

第三十四条 属于农业转基因生物的农产品，应当按照农业转基因生物安全管理的有关规定进行标识。

第三十五条 依法需要实施检疫的动植物及其产品，应当附具检疫合格标志、检疫证明。

第三十六条 用于销售的农产品必须符合农产品质量安全强制性标准，并可以申请加贴无公害农产品标志；农产品达到绿色食品、有机农产品标准的，生产者可以申请使用绿色食品、有机农产品标志。

第三十七条 农产品生产者、销售者不得以其他产品冒充无公害农产品、绿色食品、有机农产品，不得伪造或者冒用无公害农产品、绿色食品、有机农产品标志。

第六章 监督检查

第三十八条 有下列情形之一的农产品,不得进入市场销售:

(一)含有国家禁止使用的农药、兽药或者其他化学物质的;

(二)农药、兽药等化学物质残留超过农产品质量安全强制性标准的;

(三)重金属等有毒有害物质超过农产品质量安全强制性标准的;

(四)致病性寄生虫、微生物或者生物毒素超过农产品质量安全强制性标准的;

(五)使用的保鲜剂、防腐剂和添加剂等材料不符合国家有关安全、环保、卫生方面的规定的;

(六)其他有毒有害物质超过农产品质量安全强制性标准的。

第三十九条 国务院农业主管部门应当根据农产品质量安全风险评估结果制定并组织实施国家农产品质量安全监测计划;县级以上地方人民政府农业主管部门应当根据合理布局、分类监测的原则,组织实施本行政区域内的农产品质量安全监测工作。监测结果由国务院农业主管部门或者省、自治区、直辖市人民政府农业主管部门按照权限予以公布。农产品质量安全监测办法,由国务院农业主管部门制定。

第四十条 县级以上人民政府农业主管部门可以对生产中或者市场上销售的农产品进行监督性抽查。不合格的农产品由国务院农业主管部门和省、自治区、直辖市人民政府农业主管部门按照权限予以公告。对不合格的农产品,由县级以上人民政府农业主管部门监督生产者、销售者进行无害化处理;不能进行无害化处理的,予以销毁。

上级农业主管部门监督抽查的农产品,下级农业主管部门不得另行重复抽查。

监督性抽查检测不得对被抽查对象收取费用,抽取的样本不得超过国务院农业主管部门规定的数量。

第四十一条 农产品质量安全检测应当充分利用现有的符合条件的检测机构。

县级以上人民政府农业主管部门设立的农产品检测机构承担农产品质量安全监督性抽查的检测工作。国务院农业主管部门也可以根据需要指定其他符合资质条件的检测机构承担农产品质量安全监督性抽查的检测工作。

承担农产品质量安全检测的机构应当依法进行计量认证。

第四十二条 农产品生产者、销售者对监督性抽查检测结果有异议的,可以自收到检测结果之日起 7 日内,向组织实施农产品质量安全监督性抽查的农业主管部门或者其上级农业主管部门申请复检。因检测结果错误给当事人造成损失的,应当依法赔偿。

第四十三条 采用国务院农业主管部门会同有关部门认定的快速检测方法进行农产品质量安全监督性抽查时,被检查者对检测结果有异议的,可以在 4 小时内申请复检。复检不得采用快速检测方法。

第四十四条 农产品批发市场、配送中心和超市等应当设立或者委托农产品质量安全检测机构,对销售的农产品进行检测。未经检测或者检测不合格的,不得配送销售。

第四十五条 国家鼓励单位和个人对农产品质量安全进行社会监督。任何单位和个人都有权对违反本法的行为进行检举、揭发和控告。有关部门收到相关的检举、揭发和控告,应当及时处理。

第四十六条 县级以上人民政府农业主管部门应当加强对农产品质量安全的监督检查。

县级以上人民政府农业主管部门在监督检查中,可以行使下列职权:

(一)对农产品进行现场检查;

(二)调查了解农产品质量安全有关情况;

（三）查阅、复制农产品质量安全有关记录和其他资料；

（四）查封、扣押、销毁不符合农产品质量安全强制性标准的农产品。

第四十七条 发生农产品质量安全事故时，有关单位和个人应当采取控制措施，及时向所在地乡级人民政府和县级人民政府农业主管部门报告；收到报告的机关应当及时处理并报上一级人民政府和有关部门。发生重大农产品质量安全事故时，农业主管部门应当及时通报同级食品药品监管部门。

第四十八条 县级以上人民政府农业主管部门在农产品质量安全监督管理中，发现有本法第三十八条所列情形之一的农产品，应当查明责任人，依法予以处理或者提出处理建议。

第四十九条 进口的农产品必须符合中华人民共和国农产品质量安全强制性标准。中华人民共和国尚未制定强制性标准的，可以采用国家有关部门认可的标准。

第七章 法律责任

第五十条 农产品质量安全监督管理人员滥用职权、玩忽职守、营私舞弊的，依法给予行政处分；情节严重，构成犯罪的，依法追究刑事责任。

第五十一条 检测机构伪造检测结果或者出具虚假证明的，责令改正，没收违法所得，并处5万元以上10万元以下罚款；情节严重的，5年内不得从事农产品质量安全检测工作。对直接负责的主管人员和其他直接责任人员给予纪律处分。造成损害的，依法承担赔偿责任。

第五十二条 向农产品产地排放或者倾倒超过国家规定标准的废水、废气、固体废物和有毒有害物质的，依照有关环境保护法律、行政法规的规定处罚；造成损害的，依法承担赔偿责任。

第五十三条 未按照农业投入品安全使用规定使用农业投入品

或者未执行农业投入品使用安全间隔期或者休药期规定的,依照有关法律、行政法规的规定处罚。

第五十四条 农产品生产企业和农民专业合作经济组织未建立或者未保存农产品生产记录的,责令立即改正,并处5000元以下罚款。

第五十五条 进行包装、标识销售的农产品未标明品名、产地、生产者、生产日期、保质期、产品质量等级的,给予警告,限期改正;逾期不改正的,处1万元以下罚款。

第五十六条 使用的保鲜剂、防腐剂和添加剂等材料不符合国家有关安全、环保、卫生方面的规定的,责令停止使用,限期对被污染的农产品进行无害化处理,并处5000元以上3万元以下罚款;不能进行无害化处理的,监督销毁被污染的农产品。

第五十七条 农产品生产企业和农民专业合作经济组织生产、销售禁止销售的农产品或者不合格农产品的,责令停止销售,追回已经销售的农产品,监督销毁或者进行无害化处理;有违法所得的,没收违法所得,并处5000元以上3万元以下罚款。

第五十八条 伪造或者冒用无公害农产品、绿色食品、有机农产品及其标志的,或者以不合格产品冒充合格产品的,责令改正;有违法所得的,没收违法所得,并处3万元以上10万元以下罚款。

第五十九条 农产品批发市场、销售和配送中心、超市购进禁止销售的农产品或者不合格农产品的,对购进、配送销售者,由工商行政管理部门责令停止销售,追回已经配送销售的农产品并监督销毁或者进行无害化处理;有违法所得的,没收违法所得,并处5000元以上3万元以下罚款。

第六十条 本法规定的行政处罚由县级以上人民政府农业主管部门决定。

法律、行政法规对行政处罚及处罚机关有规定的,从其规定,但不得重复处罚。

第六十一条 农产品生产者、销售者在农产品生产、销售过程中违反本法规定，情节严重，构成犯罪的，依法追究刑事责任。

第六十二条　违反本法规定，生产、销售不合格农产品对消费者造成损害的，依法承担赔偿责任。

因农产品质量安全给消费者造成损害的，消费者可以向农产品批发市场要求赔偿。属于生产者、销售者责任的，农产品批发市场有权追偿。消费者也可以直接向农产品生产者要求赔偿。

第八章　附　　则

第六十三条　生猪屠宰的管理按照国家有关规定执行。

第六十四条　本法自　　年　月　日起施行。

农业部部长杜青林关于《中华人民共和国农产品质量安全法(草案)》的说明

农业部部长 杜青林

委员长、各位副委员长、秘书长、各位委员:

我受国务院的委托,现对《中华人民共和国农产品质量安全法(草案)》作说明。

农产品质量安全关系到广大人民群众的身体健康、生命安全和新时期农业与农村经济的健康发展。党中央、国务院对此历来高度重视,采取一系列措施,不断加强农产品质量安全工作。如:加强农产品基地建设,改善农产品生产环境,开展农药、兽药等农业投入品的专项整治,加强新时期“菜篮子”工作,推进“无公害食品行动计划”,完善农产品质量安全标准体系和检验检测体系,建立无规定动植物疫病区等,对保障农产品质量安全起到了十分积极的作用。

为了将这些经实践证明行之有效的政策、措施法律化、制度化,进一步提高农产品质量安全水平,保障公众身体健康和生命安全,增强农产品竞争能力,促进农产品国际贸易,实现农民增收和农业可持续发展,农业部在总结多年实践经验的基础上,起草了《中华人民共和国农产品质量安全法(送审稿)》,于2004年1月报请国务院审批。法制办收到此件后,先后四次发送质检总局、卫生部、商务部等国务院有关部门和各省、自治区、直辖市人民政府征求意见,并赴海南、河南进行调研,专门召开了专家论证会。在此基础上,法制办会同农业部和有关部门多次进行研究、论证、协调、修改,形成了现在提请审议的《中华人民共和国农产品质量安全法(草案)》(以下简称草案)。在正式提请国务院常务会议讨论前,法制办专门向全国人大农委、教科文卫委和全国人大常委会法工委作了汇报。草案已经国务院第95次常务会议讨论通过。草案共8章64条。现就草案的主要内容说明如下:

一、明确本法调整的农产品范围

关于农产品范围,联合国粮农组织(FAO)和世界卫生组织(WHO)及其联合成立的国际食品法典委员会(CAC)将其统称为"农产食品"。考虑到我国现行的食品卫生法不调整种植业和养殖业,产品质量法主要调整经过加工、制作、用于销售的工业产品,为了做好与食品卫生法、产品质量法等有关法律的衔接,减少和防止农产品与食品的交叉,草案没有使用联合国粮农组织和世界卫生组织及国际食品法典委员会通用的农产品概念,而是根据我国农产品、食品的现行管理体制与《国务院关于进一步加强食品安全工作的决定》(国发[2004]23号)关于"农业部门负责初级农产品生产环节的监管","按照一个监管环节由一个部门监管的原则,采取分段监管为主、品种监管为辅的方式,进一步理顺食品安全监管职能,明确责任"的规定,明确:本法所称农产品,是指来源于农业的初级产品,包括植物、动物、微生物及其产品(第二条)。

二、建立农产品质量安全标准体系

农产品质量安全标准是农产品质量安全评价的重要依据,也是农产品质量安全管理的重要手段,草案对此作了以下规定:

一是,明确国家推行农产品标准化生产和规范化管理,生产无公害农产品,鼓励生产绿色食品和有机农产品(第八条)。

二是,建立健全农产品质量安全标准体系,明确农产品质量安全标准的分类。涉及人体健康安全、动植物安全、资源和环境保护的,应当制定强制性标准,其他可以制定推荐性标准。同时,考虑农产品质量安全标准管理现状,为给将来标准管理改革留有空间,规定农产品质量安全标准的制定和发布依照有关法律、法规的规定执行(第十一条)。

三是,要求制定农产品质量安全标准时充分考虑农产品质量安全风险评估结果,听取农产品生产者、经营者和消费者的意见,保障消费安全,并根据科学技术发展水平以及农产品质量安全的需要及时修订(第十三条、第十四条)。

四是,明确农产品质量安全标准由农业主管部门商有关部门组织实施(第十五条)。

三、加强农产品产地管理

生产环境与生产条件对农产品质量安全具有直接、重大影响,为了从源头加强管理,草案对此作了以下规定:

一是,对农产品生产区域实行分类管理。根据农产品品种特性和大气、土壤或者水域的有毒有害物质状况等,将农产品生产区域分为适宜生产区、限制生产区和禁止生产区(第十六条)。规定三类区域由县级人民政府农业主管部门提出,报本级人民政府公布,并根据监测结果,及时进行调整(第十七条)。

二是,规范农产品基地建设。要求县级以上地方人民政府加强农产品基地建设,改善农产品生产条件和种植、养殖措施,根据公布的农产品生产区域,对农产品生产实行引导和分类指导管理(第十八条)。农业主管部门要结合农产品生产区域划分,推进无公害农产品标准化生产综合示范区、养殖小区、示范农场、无规定动植物疫病区建设(第十九条)。

三是,加强对农产品的生产环境保护。禁止向农产品产地排放或者倾倒超过国家规定标准的废水、废气、固体废物和有毒有害物质;用于农业生产的污水和固体废物,应当经过无害化处理,并符合国家规定标准(第二十一条)。要求合理使用农业投入品,防止对农产品产地造成污染(第二十二条)。

四是,明确农产品污染事故的处理。因排放或者倾倒废水、废气和固体废物,或者因违反规定使用农业投入品,造成农产品产地污染事故的,由县级以上人民政府环境保护主管部门或者农业主管部门及时调查处理(第二十三条)。

四、规范农产品生产过程

生产过程是控制农产品质量安全的关键环节,草案对此作了以下规定:

一是,国务院农业主管部门和省、自治区、直辖市人民政府农业主管部门要制定农产品生产技术规范和操作规程;县级以上人民政府农业主管部门应当加强对农产品生产的指导(第二十四条)。农业科研教育机构和农业技术推广机构要加强对农产品生产者质量安全知识和技能的培训(第二十七条)。

二是,加强对农业投入品及其使用的管理。要求农业主管部门定期对可能危及农产品质量安全的农药、兽药、饲料和饲料添加剂等进行监督抽查,并公布抽查结果(第二十五条)。农业主管部门应当建立健全农业投入品安全使用制度,对农业投入品的使用加强管理和指导,并禁止生产者在农产品生产过程中使用国家明令禁止、淘汰或者未经依法许可的农业投入品(第二十六条)。

三是,规范农产品生产活动。要求农产品生产企业和农民专业合作经济组织建立农产品生产记录,如实记载规定事项,并按照农产品生产企业与农产品生产者个人区别对待的原则,鼓励农产品生产者个人建立农产品生产记录(第二十八条)。农产品生产者要严格执行国务院农业主管部门制定的农业投入品使用安全间隔期或者休药期的规定,适时收获、屠宰或者捕捞农产品(第二十九条)。

四是,规范农产品包装、标识。用于销售的农产品凡能包装、标识的要进行包装、标识(第三十二条)。使用的保鲜剂和防腐剂等要符合安全、环保、卫生规定(第三十三条)。属于农业转基因生物的农产品和依法需要实施检疫的动植物及其产品,应当进行转基因标识,附具检疫合格标志、检疫证明(第三十四条、第三十五条)。

五是,要求农产品生产企业和农民专业合作经济组织自行或者委托其他检测机构对农产品质量安全状况进行检测,保证销售农产品的质量安全;未经检测或者检测不合格的农产品不得销售(第三十条)。农产品批发市场、配送中心和超市等设立或者委托农产品质量安全检测机构,对销售的农产品进行检测;未经检测或者检测不合格的,不得配送销售(第四十四条)。

五、完善农产品质量安全监督检查制度

按照农产品质量安全标准对农产品加强监督检查,是保障农产品消费安全的重要措施,草案对此作了以下规定:

一是,明确禁止进入市场销售的农产品范围。规定含有国家禁止使用的农药、兽药或者其他化学物质的,农药、兽药等化学物质残留超标的,重金属等有毒有害物质超标的,致病性寄生虫、微生物或者生物毒素超标的,使用的保鲜剂、防腐剂和添加剂等材料不符合安全、环保、卫生规定的,以及其他有毒有害物质超标的农产品,均不得进入市场销售(第三十八条)。

二是,建立农产品质量安全监测制度。明确国务院农业主管部门根据农产品质量安全风险评估结果制定并组织实施国家农产品质量安全监测计划;县级以上地方人民政府农业主管部门根据合理布局、分类监测的原则,组织实施本行政区域内的农产品质量安全监测工作;监测结果由国务院农业主管部门或者省、自治区、直辖市人民政府农业主管部门按照权限予以公布(第三十九条)。

三是,规范监督性抽查。规定县级以上人民政府农业主管部门可以对生产中或者市场上销售的农产品进行监督性抽查;上级农业主管部门监督抽查的农产品,下级农业主管部门不得另行重复抽查

(第四十条)。

四是,规范农产品质量安全检测机构。明确农业主管部门设立的农产品检测机构和国务院农业主管部门根据需要指定的其他检测机构承担农产品质量安全监督性抽查的检测工作(第四十一条)。监督性抽查检测不得对被抽查对象收取费用(第四十条第三款)。

五是,建立农产品质量安全检测救济制度。规定农产品生产者、销售者对监督性抽查检测结果有异议的,可以申请复检;因检测结果错误给当事人造成损失的,应当依法赔偿(第四十二条、第四十三条)。

六是,建立农产品质量安全事故报告制度。规定发生农产品质量安全事故时,有关单位和个人应当采取控制措施,及时向所在地乡级人民政府和县级人民政府农业主管部门报告;收到报告的机关应当及时处理并报上一级人民政府和有关部门;发生重大农产品质量安全事故时,农业主管部门应当及时通报同级食品药品监管部门(第四十七条)。

此外,草案明确了农产品质量安全监督管理人员、检测机构和农产品生产经营者违反法律规定应当承担的法律责任,并注意了与相关法律、行政法规的衔接。

《中华人民共和国农产品质量安全法(草案)》和以上说明是否妥当,请予审议。

十届全国人大常委会第十八次会议分组审议《农产品质量安全法(草案)》的意见

十届全国人大常委会第十八次会议对农产品质量安全法(草案)进行了初次审议,现将主要意见简报如下:

一、总的看法

许多常委会组成人员认为,为保障农产品质量安全,维护公众身体健康,促进农业和农村经济发展,制定农产品质量安全法是必要的。

有的委员提出,产品质量法、食品卫生法已包括了农产品质量安全的内容,农产品质量安全问题可通过修改完善这两部法律来解决,不必再单独制定农产品质量安全法。

一些常委委员提出,草案应当与食品卫生法、产品质量法等有关法律相衔接,防止法律之间的交叉,同时明确有关主管部门的职责,避免政出多门。

有些委员建议本法与正在起草中的食品安全法(草案)通盘考虑一起审议。

二、关于总则

草案第一条对立法目的作了规定。有的委员建议增加维护公众生命安全的内容,增加保护农业生态环境、提高农产品国际竞争力、促进农业农村经济可持续发展方面的内容。

草案第三条规定,县级以上人民政府农业主管部门负责农产品质量安全的监督管理工作,县级以上人民政府有关部门按照职责分工,负责农产品质量安全的相关工作。一些常委委员提出,按照国务院规定,农业部门负责初级农产品生产环节的监管,农产品流通应依照食品卫生法的规定管理。草案赋予农业主管部门在市场上进行监督检查和行政处罚的权力,可能造成与工商、质检、食品药品等管理部门的交叉执法、多头管理。建议明确有关部门在农产品质量监督管理上的职责。

草案第七条规定,农业部门按照职责权限发布有关农产品质量安全信息。有的委员建议明确工商、质检部门有无权力发布农产品质量安全信息。有的委员建议对农产品质量安全信息的汇总、公布、管理作出具体规定,以便群众了解和监督。有的委员建议增加禁止未被授权的组织和个人发布农产品质量安全信息的规定。

草案第八条规定,国家推行农产品标准化生产和规范化管理,生产无公害农产品,鼓励生产绿色食品和有机农产品。一些委员提出,无公害农产品、绿色食品和有机农产品的概念不清楚,建议明确;有的委员建议明确这三类农产品的具体标准。有的法律委委员建议将"绿色食品"改为"绿色农产品",国家推行农产品标准化生产和规范化管理,首先是生产的农作物是无害的,建议明确规定禁止生产有害的农产品。有的委员提出,本法只能明确无公害农产品标准,对于绿色食品和有机农产品的提法要慎重,这两种提法都是商业品牌,绿色食品有证明商标,有机农产品更是与农业现代化背道而驰的。这两类农产品不能成为食品主流,不应用法律来肯定。有的委员认为,无公害农产品是最基本的安全要求,是强制性标准,不符合标准就不能进入市场,绿色食品和有机食品的标准高一些,不仅有较高的安全要求,还对品质有要求,草案对这三类农产品作这样分层管理符合实际。

三、关于本法的调整范围和名称

草案第二条规定，本法所称农产品，是指来源于农业的初级产品，包括植物、动物、微生物及其产品。

一些常委会组成人员和同志提出，“初级农产品”的具体范围不够清楚，建议明确。有的委员提出，植物、动物农产品中涉及一些林产品，如松子、榛子、蘑菇、木耳，如何管理，建议研究。有些委员建议将“植物、动物、微生物及其产品”改为“植物、动物、微生物及其初级产品”；有的委员建议改为“植物、动物、微生物及其未经加工的初级产品”。

有的委员建议将本法名称改为“食用农产品质量安全法”；有的委员建议改为“初级农产品质量安全法”；有的同志建议改为“农产品生产质量安全法”；有的委员建议改为“食用农产品生产管理法”。

四、关于农产品质量安全标准

草案第十一条、第十五条规定，农产品质量安全标准的制定和发布依照有关法律、法规的规定执行。农产品质量安全标准由农业主管部门商有关部门组织实施。有的常委会组成人员提出，应当明确农业主管部门与其他部门制定的有关农产品质量安全标准不一致时如何处理。有些委员提出，农产品质量安全标准出自多门、不统一的问题比较突出，建议明确国家制定统一标准。有的委员建议明确规定由国务院农业主管部门制定全国统一的农产品质量安全标准。有的委员提出，第十五条的规定有些模糊，究竟由哪一级农业主管部门制定不清楚。有的委员提出，制定标准是政府的事情，而实施工作很多是靠农产品生产者、销售者实施，组织实施不应限定在政府部门，建议删去第十五条。有的委员建议将上述两条合并为一条。

草案第十二条规定，国家鼓励农产品生产企业和农民专业合作经济组织制定高于法律、法规规定标准的农产品质量安全标准。有的委员提出，现在还没有一家农产品企业和农民专业合作组织在制定安全标准,充其量只是一些操作规程,只要把国家标准、行业标准、地方标准执行好就不错了,建议删去这一条。

草案第十三条规定,制定农产品质量安全标准应当充分考虑农产品质量安全风险评估结果。有的委员建议明确农产品质量安全风险评估结果作为制定农产品质量安全标准的科学依据。

有的同志提出,"农产品质量安全标准"一章内容比较单薄,条文规定较原则,建议对制定农产品质量安全标准的主要原则、依据作出规定。有的委员建议增加有关农产品质量安全地方标准的内容。有的委员提出,标准化法对有关标准的制定等作了规定,可不必再单列这一章。

五、关于农产品生产

草案第二十五条中规定,国家对可能影响农产品质量安全的农药、兽药、饲料和饲料添加剂、肥料、兽医器械,依照有关法律、行政法规的规定实行许可制度。有的委员提出,将"兽医器械"与农业投入品一并规定不妥,建议研究。有的委员建议增加"种子和种畜禽"。有的委员建议增加鼓励通过认证制度和行业自律等途径保证农业投入品的质量安全的内容。

草案第二十八条规定,农产品生产企业和农民专业合作经济组织建立农产品生产记录,鼓励其他农产品生产者建立农产品生产记录。有的委员建议明确要求农民的农业生产也应当建立农产品生产记录。有的委员提出,我国农民合作经济组织尚处于发展的初级阶段,目前主要是鼓励、扶持和引导其发展,进行适度的规范,同时许多农民专业合作经济组织,如从事农用生产资料供应的、农业技术服务的,都没有直接从事农产品生产,因此法律要求所有的农民合作经济组织建立农产品生产记录,既不现实也没有必要。

六、关于农产品包装和标识

草案第三十六条规定,用于销售的农产品必须符合农产品质量安全强制性标准，并可以申请加贴无公害农产品标志，达到绿色食品、有机农产品标准的，生产者可以申请使用绿色食品、有机农产品标志。有的委员和代表提出，在保障农产品质量安全方面，质量认证制度可以发挥重要作用，去年和今年的中央一号文件中都明确实施和完善农产品的认证制度，建议明确规定实施农产品质量安全认证制度。有的委员提出，农业部和其他部门联合发过实施无公害农产品、有机农产品的认证标志，这两类农产品标志是比较清楚的；而绿色食品标识已注册成证明商标，农业部有没有权威的绿色食品标识？在本法中这样规定是否合适，值得研究。

七、关于监督检查

草案第三十八条规定了6种农产品不得进入市场销售。有的委员提出，第三项和第六项讲的都是有毒有害物质超标问题，可以合并为一项规定。有的委员提出，除重金属外，还有很多毒性超过重金属的，如硝酸盐、亚硝酸盐、二恶英，建议将第三项修改为“重金属及其化学物质等有毒有害物质超过农产品质量安全强制性标准的”。有的委员建议增加禁止可能危害人民身体健康的疫源产品进入市场以及禽流感病毒的疫源扩散方面的内容。

草案第三十九条规定，县级以上人民政府农业主管部门组织实施本行政区域的农产品质量安全监测工作，按照权限公布监测结果，监测办法由国务院农业主管部门制定。有的委员提出，农业部门的农产品监测职责，与质检部门在相关方面职责的关系需要明确。

草案第四十一条中规定，农业主管部门设立的农产品检测机构承担农产品质量安全监督性抽查的检测工作，国务院农业主管部门也可以根据需要指定其他符合资质条件的检测机构承担检测工作。有的常委会组成人员建议明确：农产品检测机构是国有事业单位、政府派出机构，还是非政府民间组织；其资格、信用度谁来确认；这些检测机构与食品药品监管局系统的检测机构是什么关系。有的委员建议对农产品检测机构的认定和工作加以具体规定。有的委员建议明确执法主体应与检测机构分设,农产品检测机构不能都是农业部门下设的。有的委员建议明确“其他符合资质条件的检测机构”是何所指。有的委员建议明确“农产品质量安全检测由符合条件的检测机构承担”。有的委员建议将“国务院农业主管部门”改为“省级以上人民政府农业主管部门”。有的委员建议进一步规范抽查行为,防止过量取样和重复抽查侵犯农民权益。

草案第四十三条规定,对用快速检测方法检测的结果有异议时,被检查者可以申请复检。有的委员和华侨委的同志提出,快速检测准确性一般较低,容易发生纠纷,而复检成本较高,耗时较长,应明确复检的程序、方法、由谁来检等。

草案第四十七条规定,发生农产品安全事故时,应当及时向所在地乡级和县级人民政府农业主管部门报告。有些委员建议明确发生农产品安全事故时应当首先向食品药品监督部门报告。

有的委员建议明确规定:对农产品进行检测和发放相应的标志,不得收取检测费和标志费。

八、关于法律责任

草案第五十条对农产品质量安全监督管理人员滥用职权、玩忽职守、营私舞弊规定了行政处分和刑事责任。有的委员提出,在查封、扣押、销毁不符合强制性标准的农产品等执法过程中,发现有误给当事人造成损失的,政府应承担赔偿责任,建议增加有关民事赔偿责任的规定。

草案第五十一条对检测机构伪造检测结果或者出具虚假证明的行为规定了民事和行政责任。有些委员建议对上述违法行为加重处罚,增加刑事责任的规定。有的委员建议将草案第四十二条有关因检测结果错误的民事赔偿责任的规定移到此条中。

草案第五十五条规定,进行包装、标识销售的农产品未标明品名、产地、生产者、生产日期、保质期、产品质量等级的,限期改正;逾期不改正的,处以罚款。有的委员建议在“逾期不改正的”后加“责令停止销售”。有的委员和华侨委的同志提出，对加施虚假标识的，也应规定其应承担的法律责任。

草案第六十二条第二款中规定，因农产品质量安全给消费者造成损害的，消费者可以向农产品批发市场要求赔偿。有的委员建议此条规定应与消费者权益保护法相衔接；有的委员提出，消费者购买农产品，到批发市场较少，在消费者权益受损害时，首先是向销售者索赔，上述规定不利于消费者索赔。建议对本条规定的赔偿责任根据消费者权益保护法加以修改。

有些委员提出，“法律责任”一章中规定的罚款金额较高、处罚较多，建议适当减少处罚金额和其他处罚，体现教育引导作用。有的委员认为，这一章中一些条款规定的处罚显得软了一些，有些规定不够具体、明确。

九、其他意见

1. 农委有的同志建议，将草案第二十三条、第五十二条有关农产品产地污染调查处理的规定合并。有的委员建议，增加有计划地对已经污染的土壤或者生产基地进行科学治理的内容。

2. 有的委员建议将本法中的“农民专业合作组织”改为“农民合作组织”。

3. 有的委员提出，草案对农业生产企业、农民专业合作经济组织的规范比较具体，对广大农户如何规范较少，建议研究。

4. 有的委员和农委的同志建议增加对“农业投入品”的解释。

5. 有的委员建议增加加强对农业生产者职业教育的内容。

6. 有的委员和湖北的同志建议，增加禁止生产、销售、使用高毒、高残留农药的规定。

（法制工作委员会办公室提供）

全国人大法律委员会关于农产品质量安全法(草案)、护照法(草案)修改意见的报告(节录)

(2006 年 4 月 27 日)

全国人大法律委员会主任委员 杨景宇

委员长会议:

本次常委会会议于 4 月 25 日下午对农产品质量安全法(草案三次审议稿)进行了分组审议。常委会组成人员认为,这个法律草案已经比较成熟,建议本次会议进一步修改后通过;同时,有些常委会组成人员又提出了一些修改意见。法律委员会于 4 月 26 日召开会议,认真研究了常委会组成人员的意见,对这个法律草案进行了审议。农业和农村委员会、外事委员会和国务院法制办、农业部、外交部的负责同志列席了会议。法律委员会认为,这个法律草案是可行的。同时,提出以下主要修改意见:

(一)草案三次审议稿第三十三条第三项规定,"致病性寄生虫、微生物或者生物毒素不符合农产品质量安全标准的"农产品,不得销售。有的常委委员提出,这一规定的表述不够清楚,建议规定得准确一些。法律委员会经研究,建议将上述规定修改为:"含有的致病性寄生虫、微生物或者生物毒素不符合农产品质量安全标准的"农产

品，不得销售。（建议表决稿第三十三条第三项）

（二）草案三次审议稿第四十二条中规定，进口的农产品必须按照国家规定的农产品质量安全标准进行检验的；有关的国家标准未制定之前，可以“采用”国家有关部门指定的国外有关标准进行检验。有些常委委员提出，按照进出口商品检验法的规定，对进口商品的检验，我国尚未制定相关国家标准的，可以“参照”有关部门指定的国外有关标准进行检验。本法的规定应当与进出口商品检验法的规定相衔接。法律委员会经研究，建议将上述规定中的“采用”国外有关标准，修改为“参照”国外有关标准。（建议表决稿第四十二条）

（三）草案三次审议稿第四十四条对农产品质量安全检测机构伪造检测结果的法律责任作了规定。有的常委委员提出，农产品质量安全检测机构伪造检验结果的，不仅应当处罚该机构，还应当处罚对伪造检验结果负有直接责任的人员。法律委员会经研究，建议与产品质量法的有关规定相衔接，在本条中增加对直接负责的主管人员和其他直接责任人员给予行政处罚的规定。（建议表决稿第四十四条）

中华人民共和国农产品质量安全法(草案二次审议稿)

第一章 总 则

第一条 为保障农产品质量安全,维护公众健康,促进农业和农村经济发展,制定本法。

第二条 本法所称农产品,是指来源于农业的初级产品即植物、动物、微生物及其产品。

本法所称农产品质量安全,是指农产品质量符合保障人的健康、安全的要求。

第三条 县级以上人民政府农业行政主管部门负责农产品质量安全的监督管理工作;县级以上人民政府有关部门按照职责分工,负责农产品质量安全的有关工作。

第四条 县级以上人民政府应当将农产品质量安全管理工作纳入本级国民经济和社会发展规划,并安排农产品质量安全经费,用于开展农产品质量安全工作。

第五条 县级以上地方人民政府统一领导、协调本行政区域内的农产品质量安全工作,并采取措施,建立健全农产品质量安全服务体系,提高农产品质量安全水平。

第六条 国务院农业行政主管部门应当设立由有关方面专家组成的农产品质量安全风险评估专家委员会,对可能影响农产品质量安全的潜在危害进行风险分析和评估。

国务院农业行政主管部门应当根据农产品质量安全风险评估结果采取相应的管理措施，并将农产品质量安全风险评估结果及时通报国务院有关部门。

第七条　国务院农业行政主管部门和省、自治区、直辖市人民政府农业行政主管部门应当按照职责权限，定期发布有关农产品质量安全状况信息。

第八条　国家引导、推广农产品标准化生产，鼓励和支持生产优质农产品，禁止生产、销售不符合国家规定的农产品质量安全标准的农产品。

第九条　国家支持农产品质量安全科学技术研究，推行科学的质量安全管理方法，推广先进安全的生产技术。

第十条　各级人民政府及有关部门应当加强农产品质量安全知识的宣传，提高公众的农产品质量安全意识，引导农产品生产者和销售者加强质量安全管理，保障农产品消费安全。

第二章　农产品质量安全标准

第十一条　国家建立健全农产品质量安全标准体系。农产品质量安全标准是强制性的技术规范。

农产品质量安全标准的制定和发布，依照有关法律、行政法规的规定执行。

第十二条　国家鼓励农产品生产企业和农民专业合作经济组织制定严于国家规定标准的农产品质量安全标准。

第十三条　制定农产品质量安全标准应当充分考虑农产品质量安全风险评估结果，并听取农产品生产者、经营者和消费者的意见，保障消费安全。

第十四条　农产品质量安全标准应当根据科学技术发展水平以及农产品质量安全的需要，及时修订。

第十五条　农产品质量安全标准由农业行政主管部门商有关部

门组织实施。

第三章　农产品产地

第十六条　县级以上地方人民政府农业行政主管部门按照保障农产品质量安全的要求，根据农产品品种特性和生产区域大气、土壤、水域中有毒有害物质状况等因素，认为不适宜特定农产品生产的，提出禁止生产的区域，报本级人民政府批准后公布。具体办法由国务院农业行政主管部门商国务院环境保护行政主管部门制定。

农产品禁止生产区域的调整，依照前款规定的程序办理。

第十七条　县级以上地方人民政府应当加强农产品基地建设，改善农产品的生产条件和种植、养殖措施。

县级以上地方人民政府农业行政主管部门应当采取措施，推进保障农产品质量安全的标准化生产综合示范区、示范农场、养殖小区和无规定动植物疫病区的建设。

第十八条　禁止在重金属等有毒有害物质超过规定标准的区域生产、捕捞、采集食用农产品和建立农产品生产基地。

第十九条　禁止违反法律、法规的规定向农产品产地排放或者倾倒废水、废气、固体废物或者其他有毒有害物质。

用于农业生产的污水和用作肥料的垃圾、污泥等固体废物，应当符合国家规定的标准。

第二十条　农产品生产者应当合理使用农业投入品，防止对农产品产地造成污染。

第二十一条　因排放或者倾倒废水、废气和固体废物，或者因违反规定使用农业投入品，造成农产品产地污染事故的，县级以上人民政府环境保护行政主管部门或者农业行政主管部门应当依法及时调查处理。渔业污染事故的调查处理，依照有关法律规定执行。

第四章 农产品生产

第二十二条 国务院农业行政主管部门和省、自治区、直辖市人民政府农业行政主管部门应当制定保障农产品质量安全的生产技术规范和操作规程。县级以上人民政府农业行政主管部门应当加强对农产品生产的指导。

第二十三条 对可能影响农产品质量安全的农药、兽药、饲料和饲料添加剂、肥料、兽医器械,依照有关法律、行政法规的规定实行许可制度。

国务院农业行政主管部门和省、自治区、直辖市人民政府农业行政主管部门应当定期对可能危及农产品质量安全的农业投入品进行监督抽查,并公布抽查结果。

第二十四条 县级以上人民政府农业行政主管部门应当加强对农业投入品使用的管理和指导,建立健全农业投入品的安全使用制度。

第二十五条 各级农业科研教育机构和农业技术推广机构应当加强对农产品生产者质量安全知识和技能的培训。

第二十六条 农产品生产企业和农民专业合作经济组织应当建立农产品生产记录,如实记载下列事项:

(一)使用农业投入品的名称、来源、用法、用量和使用、停用的日期;

(二)动物疫病、植物病虫草害发生和防治情况;

(三)收获、屠宰或者捕捞的日期。

农产品生产记录应当保存二年。禁止伪造农产品生产记录。

国家鼓励其他农产品生产者建立农产品生产记录。

第二十七条 农产品生产者应当按照法律、行政法规和国务院农业行政主管部门的规定,合理使用农业投入品,严格执行农业投入品使用安全间隔期或者休药期的规定,防止危及农产品质量安全。

禁止在农产品生产过程中使用国家明令禁止使用的农业投入品。

第二十八条 农产品生产企业和农民专业合作经济组织,应当自行或者委托其他检测机构对农产品质量安全状况进行检测;经检测不符合农产品质量安全标准的农产品不得销售。

第二十九条 农民专业合作经济组织和农产品行业协会对其成员应当及时提供生产技术服务,建立农产品质量安全管理制度,健全农产品质量安全控制体系,加强行业自律。

第五章 农产品包装和标识

第三十条 农产品生产企业、农民专业合作经济组织以及从事农产品收购的单位或者个人销售的农产品,按照规定应当包装或者附加标识的,须经包装或者附加标识后方可销售。包装物或者标识上应当按照规定标明产品的品名、产地、生产者、生产日期、保质期、产品质量等级等内容。使用添加剂的,还应当按照规定标明添加剂的名称。具体办法由国务院农业行政主管部门制定。

第三十一条 农产品在包装、保鲜、贮存、运输中所使用的保鲜剂和防腐剂等材料,应当符合国家有关强制性的技术规范。

第三十二条 属于农业转基因生物的农产品,应当按照农业转基因生物安全管理的有关规定进行标识。

第三十三条 依法需要实施检疫的动植物及其产品,应当附具检疫合格标志、检疫合格证明。

第三十四条 销售的农产品必须符合农产品质量安全标准,并可以申请使用无公害农产品质量认证标志。农产品质量符合国家规定的有关优质农产品标准的,生产者可以申请使用绿色食品等质量认证标志。农产品质量认证的具体办法,由国务院农业行政主管部门会同国务院有关部门制定。

禁止伪造、冒用前款规定的农产品质量认证标志。

第六章　监 督 检 查

第三十五条　有下列情形之一的农产品,不得销售:

(一)含有国家禁止使用的农药、兽药或者其他化学物质的;

(二)农药、兽药等化学物质残留或者含有的重金属等有毒有害物质不符合农产品质量安全标准的;

(三)致病性寄生虫、微生物或者生物毒素不符合农产品质量安全标准的;

(四)使用的保鲜剂、防腐剂和添加剂等材料不符合国家有关强制性的技术规范的;

(五)其他不符合农产品质量安全标准的。

第三十六条　国家建立农产品质量安全监测制度。县级以上人民政府农业行政主管部门应当按照保障农产品质量安全的要求,制定并组织实施农产品质量安全监测计划,对生产中或者市场上销售的农产品进行监督抽查。监督抽查结果由国务院农业行政主管部门或者省、自治区、直辖市人民政府农业行政主管部门按照权限予以公布。

监督抽查检测应当委托符合本法第三十七条规定条件的农产品质量安全检测机构进行,不得向被抽查对象收取费用,抽取的样本不得超过国务院农业行政主管部门规定的数量。上级农业行政主管部门监督抽查的农产品,下级农业行政主管部门不得另行重复抽查。

第三十七条　农产品质量安全检测应当充分利用现有的符合条件的检测机构。

从事农产品质量安全检测的机构,必须具备相应的检测条件和能力,由省级以上人民政府农业行政主管部门或者其授权的部门考核合格。具体办法由国务院农业行政主管部门制定。

农产品质量安全检测机构应当依法经计量认证合格。

第三十八条　农产品生产者、销售者对监督抽查检测结果有异议的，可以自收到检测结果之日七日内，向组织实施农产品质量安全监督抽查的农业行政主管部门或者其上级农业行政主管部门申请复检。

采用国务院农业行政主管部门会同有关部门认定的快速检测方法进行农产品质量安全监督抽查，被检查者对检测结果有异议的，可以在四小时内申请复检。复检不得采用快速检测方法。

因检测结果错误给当事人造成损失的，应当依法赔偿。

第三十九条 农产品批发市场应当设立或者委托农产品质量安全检测机构，对进场销售的农产品质量安全状况进行抽查检测。对不符合农产品质量安全标准的农产品，不得销售。

农产品销售企业对其销售的农产品，应当建立健全进货检查验收制度；对经查检不符合农产品质量安全标准的，不得销售。

第四十条 国家鼓励单位和个人对农产品质量安全进行社会监督。任何单位和个人都有权对违反本法的行为进行检举、揭发和控告。有关部门收到相关的检举、揭发和控告，应当及时处理。

第四十一条 县级以上人民政府农业行政主管部门在对农产品质量安全的监督检查中，可以对生产、销售的农产品进行现场检查，调查了解农产品质量安全的有关情况，查阅、复制与农产品质量安全有关的记录和其他资料；对经检测不符合质量安全标准的农产品，有权查封、扣押。

第四十二条 发生农产品质量安全事故时，有关单位和个人应当采取控制措施，及时向所在地乡级人民政府和县级人民政府农业行政主管部门报告；收到报告的机关应当及时处理并报上一级人民政府和有关部门。发生重大农产品质量安全事故时，农业行政主管部门应当及时通报同级食品药品监督管理部门。

第四十三条 县级以上人民政府农业行政主管部门在农产品质量安全监督管理中，发现有本法第三十五条所列情形之一的农产品，应当查明责任人，依法予以处理或者提出处理建议。

第四十四条 进口的农产品必须按照国家规定的农产品质量安

全标准进行检验；尚未制定有关农产品质量安全标准的，应当依法及时制定，未制定之前，可以采用国家有关部门指定的国外有关标准进行检验。

第七章 法律责任

第四十五条 农产品质量安全监督管理人员利用职务上的便利，收取他人财物或者谋取其他利益，不履行监督职责，或者发现违法行为不予查处的，依法给予行政处分。

第四十六条 农产品质量安全检测机构伪造检测结果的，责令改正，没收违法所得，并处五万元以上十万元以下罚款；情节严重的，撤销其检测资格，五年内不得从事农产品质量安全检测工作；造成损害的，依法承担赔偿责任。

农产品质量安全检测机构出具检测结果不实，造成损害的，依法承担赔偿责任；造成重大损失的，撤销其检测资格。

第四十七条 违反法律、法规的规定向农产品产地排放或者倾倒废水、废气、固体废物或者其他有毒有害物质的，依照有关环境保护法律、法规的规定处罚；造成损害的，依法承担赔偿责任。

第四十八条 使用农业投入品违反法律、行政法规和国务院农业行政主管部门规定的，依照有关法律、行政法规的规定处罚。

第四十九条 农产品生产企业、农民专业合作经济组织未建立或者未保存农产品生产记录的，责令立即改正，可以处二千元以下罚款。

第五十条 违反本法第三十条的规定，销售的农产品未按照规定进行包装、标识的，给予警告，限期改正；逾期不改正的，处二千元以下罚款。

第五十一条 违反本法第三十五条第四项的规定，使用的保鲜剂、防腐剂和添加剂等材料不符合国家有关强制性的技术规范的，责令停止销售，对被污染的农产品进行无害化处理，不能进行无害化处理的，监督销毁；处二千元以上二万元以下罚款。

第五十二条 农产品生产企业、农民专业合作经济组织销售的农产品有本法第三十五条第一项至第三项或者第五项所列情形之一的，责令停止销售，追回已经销售的农产品，对违法销售的农产品监督销毁或者进行无害化处理；没收违法所得，并处二千元以上二万元以下罚款。

农产品销售企业销售的农产品有前款所列情形的，依照前款规定处理、处罚。

农产品批发市场中销售的农产品有第一款所列情形的，对违法销售的农产品依照第一款的规定处理，对农产品批发市场和该农产品的销售者分别依照第一款规定处罚。

第五十三条 伪造、冒用农产品认证标志的，或者以未经认证合格的农产品冒充认证合格的农产品的，责令改正，没收违法所得，并处五千元以上五万元以下罚款。

第五十四条 本法第四十六条、第四十九条至第五十一条、第五十二条第一款和第五十三条规定的处理、处罚，由县级以上地方人民政府农业行政主管部门决定；第五十二条第二款、第三款规定的处理、处罚，由县级以上地方工商行政管理部门决定。

法律、行政法规对行政处罚及处罚机关有其他规定的，从其规定，但是，对同一违法行为不得重复处罚。

第五十五条 违反本法规定，构成犯罪的，依法追究刑事责任。

第五十六条 生产、销售的农产品不符合本法第三十五条规定，给消费者造成损害的，依法承担赔偿责任。

在农产品批发市场中销售的农产品有前款规定情形的，消费者可以向农产品批发市场要求赔偿；属于生产者、销售者责任的，农产品批发市场有权追偿。消费者也可以直接向农产品生产者、销售者要求赔偿。

第八章　附　　则

第五十七条　生猪屠宰的管理按照国家有关规定执行。

第五十八条　本法自　　年　月　日起施行。

十届全国人大常委会第二十次会议分组审议农产品质量安全法（草案二次审议稿）的意见

十届全国人大常委会第二十次会议分组审议了农产品质量安全法（草案二次审议稿）。现将主要意见简报如下：

一、总的看法

发言的多数常委会组成人员认为，二审稿根据常委会会议初次审议的意见和有关方面的意见作了修改，内容比较全面，重点更加突出。建议进一步修改完善后，尽早出台。

有些常委会组成人员提出，本法应注意处理好与食品卫生法、产品质量法、标准化法、环境保护法等相关法律的衔接，防止法律之间的交叉重复甚至冲突，避免造成实际中的部门“打架”、多头执法。有的委员提出，草案有关监督管理体制的规定是国务院方面经过大量工作形成的，符合中国国情和国务院确定的食品安全分段管理模式，体现了部门之间的分工合作与协调，是现实可行的。

有的委员认为，草案给人的印象是不明确、不清楚，好像还不解决问题，需要进一步研究。有的委员认为，草案的文字可以大大压缩，不少内容在其他相关法律中都有规定，不必重复。

有的常委会组成人员提出，立法一定要符合实际。规定对农产品进行检测，实行无公害农产品认证等措施，都要考虑增加的成本和可实施的条件，以及农产品生产者、销售者、消费者可接受的程度等问题,否则实际上执行不了。有的委员提出,本法的规定应从中国农业生产的实际出发。草案中有的规定想得很好,但是否符合实际,能否做到,值得研究。

有些委员提出,本法与正在研究修改的食品卫生法密切相关,建议两部法律案一起审议。

二、关于农产品定义和本法的调整范围

1.草案二审稿第二条中规定:“本法所称农产品,是指来源于农业的初级产品即植物、动物、微生物及其产品。”

有些委员提出,上述规定对适用本法的农产品范围的界定不够清楚、容易产生歧义,建议再作研究。有的委员提出,这一定义不够严谨,与其他法律所调整的“产品”、“食品”是什么关系,值得研究。有的全国人大代表提出,这里讲的“及其产品”包括到什么范围?是经初加工还是精加工形成的产品,不清楚。有的委员建议将上述规定修改为:“本法所称农产品,是指来源于农业、牧业和水产的初级产品。”有的委员提出,对本法所称农产品的含义界定不准确,会引起几个部门都来管一件事,给基层带来麻烦。

2.有的委员提出,草案规定的调整范围既想写大,又想写小,不够明确。教科文卫委有的同志也提出,草案规定的调整范围还应进一步明确。有的委员认为,草案规定的调整范围有点宽了,实际上包含了食品的范围。有的委员提出,草案规定的调整范围太广,可否先把食用农产品纳进来,范围缩小一些。有的委员提出,应明确本法要管的是在农产品生产过程中保证农产品质量安全的问题。

3.有的委员建议,将第二条中关于本法所称农产品质量安全是指农产品质量“符合保障人的健康、安全的要求”的规定,改为“符合保障人的生命或健康的要求”;并建议加强对出口农产品质量管理的内容。

三、关于农产品质量安全标准

有的委员提出,草案二审稿第二章关于农产品质量安全标准的规定,应与标准化法的规定相一致,不要又写上又写不明白,造成法律之间不衔接。有的委员提出,这一章的许多内容在标准化法中都有规定,没有必要重复。有的委员则提出,这一章的规定比较原则、单薄,建议再充实一些。有的委员建议规定,农产品质量安全标准由国家标准化部门会同农业、畜牧水产及有关部门制定和发布。

草案二审稿第十二条规定,国家鼓励农产品生产企业和农民专业合作经济组织制定严于国家标准的农产品质量安全标准。有的委员提出,农民专业合作经济组织没有技术力量制定标准,现实中也没有一家农民专业合作经济组织制定标准,建议删去这一条。有的委员也建议删去这一条。有的委员则认为,这一条规定很好。

有的委员建议删去草案二审稿第十三条中关于制定标准应“听取农产品生产者、经营者和消费者的意见”的规定,因为这属于制定标准的具体程序问题,可不在法律中规定。

四、关于农产品产地

1. 草案二审稿第十六条规定,县级以上地方政府农业部门根据农产品特性和生产区域大气、土壤、水体中有毒有害物质状况等因素,认为不适宜特定农产品生产的,提出禁止生产的区域,报本级政府批准后公布。具体办法由国务院农业部门商环保部门制定。农产品禁止生产区域的调整,依照上述规定的程序办理。

有的委员建议,可以提出禁止生产区域的农业主管部门以规定为设区的市级政府农业部门为宜。环资委有的同志建议,在具体办法的制定部门中增加国土资源管理部门。有的委员建议规定:“农产品禁止生产区域的调整和使用,应当报国土资源部按有关土地使用的法律法规执行。”有的委员建议,增加对农产品禁止生产区域进行整治和恢复的规定。

有的委员提出,我国农产品产地比较分散,情况复杂,对农产品禁止生产的区域以不在法律中规定为好。

2. 草案二审稿第十八条规定,禁止在重金属等有毒有害物质超过规定标准的区域生产、捕捞、采集食用农产品。有的委员，教科文卫有的同志规提出，危害农产品质量安全的物质不仅是“重金属”，可以不必将“重金属”单独列出。

3. 草案二审稿第十九条第一款规定，禁止违反法律、法规的规定向农产品产地排放或者倾倒废水、废气、固体废物或者其他有毒有害物质。有的委员建议在“违反法律、法规的规定”后加上“超过国家规定标准的”，不超标是可以排放的。

第十九条第二款规定：“用于农业生产的污水和用作肥料的垃圾、污泥等固体废物，应当符合国家规定的标准。”有的委员建议，将这一规定中的“应当符合国家规定的标准”改为“应当经过无害化处理，并符合国家规定的标准”。有的委员提出，农业生产中使用污水、垃圾等，问题很大，不宜在法律中规定，建议删去这一款；有的委员也建议将这一款删去。

4. 草案二审稿第二十条规定，农产品生产者应当合理使用农业投入品，防止对农产品产地造成污染。有的委员建议将“合理使用”改为“科学使用”，将“农业投入品”改为“化肥农药等生产资料”。有的委员建议对“农业投入品”作出解释。

5. 草案二审稿第二十一条规定，因排放或者倾倒废水、废气、固体废物，或者违反规定使用农业投入品，造成农产品产地污染事故的，县级以上政府环保部门或者农业部门应当依法及时调查处理。有些委员提出，本条规定由两个部门调查处理，职责不明确，可能出现多头管理或无人负责的现象。有的委员建议修改为由“环保部门会同农业部门”调查处理；有的委员建议改为“农业部门应当协调和配合环保部门”调查处理；内司委有的同志建议由“环保部门负责”调查处理。有的委员建议改为由“农业部门会同环保部门”调查处理，或者改为对因排放或者倾倒污染物造成污染事故的，由环保部门处理；因违反规定使用农业投入品造成污染事故的，由农业部门处理。

五、关于农产品生产

草案二审稿第二十三条规定，对可能影响农产品质量安全的农药、兽药、饲料和饲料添加剂、肥料、兽医器械，依法实行许可制度。程贻举委员提出，应明确需实行许可制度的仅限于上述农业投入品的“生产和经营”。有的委员提出，这一规定与农业法的规定有重复，本法可不作规定。

有的常委会组成人员建议，在草案二审稿第二十六条关于农产品生产记录应记载事项中，增加“生产环境的变更”的内容。

六、关于农产品包装和标识

有的人大代表提出，对农产品包装和标识的规定，应当符合我国实际。草案二审稿第三十条关于农产品包装和标识的规定，对大量从事农产品销售的个体户难以做到。有的委员提出，草案关于农产品包装、标识的规定，是否符合实际还很难说；如果我国达到中等发达国家的水平，还可以实现。

有的委员建议，删去草案二审稿第三十二条有关转基因农产品标识的规定。

七、关于农产品质量认证和质量标志

1. 草案二审稿第三十四条规定，销售的农产品必须符合农产品质量安全标准，并可以申请使用无公害农产品质量认证标志。农产品质量符合国家规定的有关优质农产品标准的，生产者可以申请使用绿色食品等质量认证标志。

有的委员提出，将优质农产品标志定为“绿色食品”是否合适，应再研究。农产品认证是要收费的，这就为管理部门增加了一个要钱的口子。我国农产品市场还未达到一定的诚信程度，增加检验和收费就增加了滋生腐败的土壤。对此应再作研究。有的委员提出，我国对绿色食品及其标志的管理不够严格，存在的问题较多。关键是要明确禁止生产、销售不符合农产品质量安全标准的农产品。有的委员提出，“绿色食品”标志是一种商业标识，法律上引导推行这种商业性的标识不妥当。建议将这一条的规定修改为“农产品质量符合国家规定的有关优质农产品标准的，生产者可以申请使用相关的质量认证标志”。有的委员建议只保留无公害农产品质量认证的规定。

有的委员建议删去上述规定中的“绿色食品等质量认证标志”中的“等”字，以避免实际执行中再加进二审稿已删去的“有机农产品”的认证。有的代表提出，对符合有机农产品标准的产品进行质量认证也是可以的，建议保留“等”字。

2. 有些委员和农委有的同志建议，增加鼓励支持发展无公害农产品和绿色食品生产的规定。有的代表建议规定，国家鼓励有条件的地区发展有机农产品。农委有的同志建议明确规定无公害农产品、绿色食品、有机农产品的标准。

八、关于监督检查

1. 草案二审稿第三十五条规定了五种不符合农产品质量安全标准的农产品不得销售。华侨委有的同志提出，这几种农产品也不得生产。

2. 草案二审稿第三十六条规定，农业部门对生产中或者市场销售的农产品进行监督抽查。有的委员提出，对农产品质量安全的监督检查，可能涉及食品药品、工商部门的职权，应处理好部门间的职责和有关法律规定之间的衔接。有的委员和内司委有的同志提出，对生产者生产的准备进入市场的农产品质量，由农业部门负责监督检查；已进入市场的农产品质量的监督检查，应由工商部门负责。

有的委员建议，将第三十六条中关于由省级以上政府农业部门公布监督抽查结果的规定，改为由实施监督抽查的县级政府农业部门公布。

有的委员建议，将第三十六条中关于上级农业部门抽查的产品下级农业部门不得重复抽查的规定，修改为上级部门抽查的“同批次”产品，下级不得重复抽查。

3. 有的委员建议，将草案二审稿第三十八条第三款“因检测结果错误给当事人造成损失的”赔偿责任的规定，移入法律责任一章中。

4. 草案二审稿第四十一条中规定，农业部门在监督检查中，对经检测不符合质量安全标准的农产品,有权查封、扣押。有的委员提出,对市场上销售的不符合质量安全标准的农产品,应由工商部门查封、扣押。

5. 草案二审稿第四十二条规定,发生农产品质量安全事故时,有关单位和个人应当及时向所在地乡级政府和县级政府农业部门报告。有的委员提出,发生事故后向谁报告应取决于由谁出面处置事故更合适,建议对应向谁报告的问题再作研究。有的委员建议规定,"对已确定的安全事故,应在一定范围内公开",并增加建立农产品质量安全的预警和应急机制的规定。

九、关于农产品质量安全状况的信息发布和农产品质量安全责任追溯制度

有些常委委员建议明确规定,农产品质量安全状况信息由农业部门负责发布,其他部门、单位不得发布。有的常委会组成人员提出,全国的农产品质量安全信息都要汇总到农业部发布,难以做到,可以委托有关行业组织发布。

有些常委委员提出,实行农产品质量安全责任追溯制度很重要,建议在总则中增加国家逐步实行农产品质量安全责任追溯制度的规定。有的委员提出,畜牧法中对畜牧产品质量安全责任追究制度作了规定,本法应作出相衔接的规定。

十、关于法律责任

草案二审稿第四十六条规定,农产品质量安全检测机构伪造检测结果,情节严重的,撤销其检测资格,五年内不得从事农产品质量安全检测工作。有的委员提出,应明确五年后未重新取得资格的,也不得从事农产品质量安全检测工作。

有些委员建议,适当提高对有违法行为的农产品生产、销售企业的处罚力度。

有的委员建议,增加对行政主管部门及有关人员管理不当行为

的法律责任的规定。

有的委员提出,本法是否要授予农业部门执法权,应当研究,有关的行政处罚可以由工商部门、食品监管部门来执行。有的委员提出,目前各级农业部门有没有相应的执法队伍,能否承担本法规定的责任？如果没有,就不要立部法就设个新的执法部门。

十一、其他意见

1. 有的委员建议将本法名称改为“食用农产品质量安全法”。

2. 有的委员建议在草案二审稿第一条关于本法立法目的的规定中,增加“实现农产品增值,提高农业竞争力”。

3. 有的委员建议将草案二审稿中的“农民专业合作经济组织”改为“合作经济组织”。

4. 有的委员建议将第五条规定的县级以上地方政府统一领导、协调本行政区域农产品质量安全工作中的“协调”改为“负责”。

5. 有的委员提出,草案二审稿中授权国务院有关部门制定具体办法的条款较多,建议减少。

6. 有些常委会组成人员建议强化农产品生产源头控制和全过程质量管理方面的内容。

7. 有的常委会组成人员建议增加国家鼓励成立有关农产品质量安全的行业组织,并负责进行指导、管理的规定。

(法制工作委员会办公室提供)

中华人民共和国农产品质量安全法（草案三次审议稿）

第一章　总　　则

第一条　为保障农产品质量安全，维护公众健康，促进农业和农村经济发展，制定本法。

第二条　本法所称农产品，是指来源于农业的初级产品，即在农业活动中获得的植物、动物、微生物及其产品。

本法所称农产品质量安全，是指农产品质量符合保障人的健康、安全的要求。

第三条　县级以上人民政府农业行政主管部门负责农产品质量安全的监督管理工作；县级以上人民政府有关部门按照职责分工，负责农产品质量安全的有关工作。

第四条　县级以上人民政府应当将农产品质量安全管理工作纳入本级国民经济和社会发展规划，并安排农产品质量安全经费，用于开展农产品质量安全工作。

第五条　县级以上地方人民政府统一领导、协调本行政区域内的农产品质量安全工作，并采取措施，建立健全农产品质量安全服务体系，提高农产品质量安全水平。

第六条　国务院农业行政主管部门应当设立由有关方面专家组成的农产品质量安全风险评估专家委员会，对可能影响农产品质量安全的潜在危害进行风险分析和评估。

国务院农业行政主管部门应当根据农产品质量安全风险评估结果采取相应的管理措施，并将农产品质量安全风险评估结果及时通报国务院有关部门。

第七条 国务院农业行政主管部门和省、自治区、直辖市人民政府农业行政主管部门应当按照职责权限，定期发布有关农产品质量安全状况信息。

第八条 国家引导、推广农产品标准化生产，鼓励和支持生产优质农产品，禁止生产、销售不符合国家规定的农产品质量安全标准的农产品。

第九条 国家支持农产品质量安全科学技术研究，推行科学的质量安全管理方法，推广先进安全的生产技术。

第十条 各级人民政府及有关部门应当加强农产品质量安全知识的宣传，提高公众的农产品质量安全意识，引导农产品生产者、销售者加强质量安全管理，保障农产品消费安全。

第二章 农产品质量安全标准

第十一条 国家建立健全农产品质量安全标准体系。农产品质量安全标准是强制性的技术规范。

农产品质量安全标准的制定和发布，依照有关法律、行政法规的规定执行。

第十二条 制定农产品质量安全标准应当充分考虑农产品质量安全风险评估结果，并听取农产品生产者、销售者和消费者的意见，保障消费安全。

第十三条 农产品质量安全标准应当根据科学技术发展水平以及农产品质量安全的需要，及时修订。

第十四条 农产品质量安全标准由农业行政主管部门商有关部门组织实施。

第三章 农产品产地

第十五条 县级以上地方人民政府农业行政主管部门按照保障农产品质量安全的要求,根据农产品品种特性和生产区域大气、土壤、水体中有毒有害物质状况等因素,认为不适宜特定农产品生产的,提出禁止生产的区域,报本级人民政府批准后公布。具体办法由国务院农业行政主管部门商国务院环境保护行政主管部门制定。

农产品禁止生产区域的调整,依照前款规定的程序办理。

第十六条 县级以上地方人民政府应当采取措施,加强农产品基地建设,改善农产品的生产条件。

县级以上地方人民政府农业行政主管部门应当采取措施,推进保障农产品质量安全的标准化生产综合示范区、示范农场、养殖小区和无规定动植物疫病区的建设。

第十七条 禁止在有毒有害物质超过规定标准的区域生产、捕捞、采集食用农产品和建立农产品生产基地。

第十八条 禁止违反法律、法规的规定向农产品产地排放或者倾倒废水、废气、固体废物或者其他有毒有害物质。

农业生产用水和用作肥料的固体废物,应当符合国家规定的标准。

第十九条 农产品生产者应当合理使用化肥、农药、农用薄膜等化工产品,防止对农产品产地造成污染。

第四章 农产品生产

第二十条 国务院农业行政主管部门和省、自治区、直辖市人民政府农业行政主管部门应当制定保障农产品质量安全的生产技术要求和操作规程。县级以上人民政府农业行政主管部门应当加强对农产品生产的指导。

第二十一条 对可能影响农产品质量安全的农药、兽药、饲料和饲料添加剂、肥料、兽医器械，依照有关法律、行政法规的规定实行许可制度。

国务院农业行政主管部门和省、自治区、直辖市人民政府农业行政主管部门应当定期对可能危及农产品质量安全的农药、兽药、饲料和饲料添加剂、肥料等农业投入品进行监督抽查，并公布抽查结果。

第二十二条 县级以上人民政府农业行政主管部门应当加强对农业投入品使用的管理和指导，建立健全农业投入品的安全使用制度。

第二十三条 农业科研教育机构和农业技术推广机构应当加强对农产品生产者质量安全知识和技能的培训。

第二十四条 农产品生产企业和农民专业合作经济组织应当建立农产品生产记录，如实记载下列事项：

（一）使用农业投入品的名称、来源、用法、用量和使用、停用的日期；

（二）动物疫病、植物病虫草害的发生和防治情况；

（三）收获、屠宰或者捕捞的日期。

农产品生产记录应当保存二年。禁止伪造农产品生产记录。

国家鼓励其他农产品生产者建立农产品生产记录。

第二十五条 农产品生产者应当按照法律、行政法规和国务院农业行政主管部门的规定，合理使用农业投入品，严格执行农业投入品使用安全间隔期或者休药期的规定，防止危及农产品质量安全。

禁止在农产品生产过程中使用国家明令禁止使用的农业投入品。

第二十六条 农产品生产企业和农民专业合作经济组织，应当自行或者委托检测机构对农产品质量安全状况进行检测；经检测不符合农产品质量安全标准的农产品,不得销售。

第二十七条 农民专业合作经济组织和农产品行业协会对其成员应当及时提供生产技术服务,建立农产品质量安全管理制度,健全农产品质量安全控制体系,加强自律管理。

第五章 农产品包装和标识

第二十八条 农产品生产企业、农民专业合作经济组织以及从事农产品收购的单位或者个人销售的农产品,按照规定应当包装或者附加标识的,须经包装或者附加标识后方可销售。包装物或者标识上应当按照规定标明产品的品名、产地、生产者、生产日期、保质期、产品质量等级等内容;使用添加剂的,还应当按照规定标明添加剂的名称。具体办法由国务院农业行政主管部门制定。

第二十九条 农产品在包装、保鲜、贮存、运输中所使用的保鲜剂、防腐剂、添加剂等材料,应当符合国家有关强制性的技术规范。

第三十条 属于农业转基因生物的农产品,应当按照农业转基因生物安全管理的有关规定进行标识。

第三十一条 依法需要实施检疫的动植物及其产品,应当附具检疫合格标志、检疫合格证明。

第三十二条 销售的农产品必须符合农产品质量安全标准,生产者可以申请使用无公害农产品标志。农产品质量符合国家规定的有关优质农产品标准的,生产者可以申请使用相应的农产品质量标志。

禁止冒用前款规定的农产品质量标志。

第六章 监 督 检 查

第三十三条 有下列情形之一的农产品,不得销售:

(一)含有国家禁止使用的农药、兽药或者其他化学物质的;

（二）农药、兽药等化学物质残留或者含有的重金属等有毒有害物质不符合农产品质量安全标准的；

（三）致病性寄生虫、微生物或者生物毒素不符合农产品质量安全标准的；

（四）使用的保鲜剂、防腐剂、添加剂等材料不符合国家有关强制性的技术规范的；

（五）其他不符合农产品质量安全标准的。

第三十四条 国家建立农产品质量安全监测制度。县级以上人民政府农业行政主管部门应当按照保障农产品质量安全的要求，制定并组织实施农产品质量安全监测计划，对生产中或者市场上销售的农产品进行监督抽查。监督抽查结果由国务院农业行政主管部门或者省、自治区、直辖市人民政府农业行政主管部门按照权限予以公布。

监督抽查检测应当委托符合本法第三十五条规定条件的农产品质量安全检测机构进行，不得向被抽查人收取费用，抽取的样品不得超过国务院农业行政主管部门规定的数量。上级农业行政主管部门监督抽查的农产品，下级农业行政主管部门不得另行重复抽查。

第三十五条 农产品质量安全检测应当充分利用现有的符合条件的检测机构。

从事农产品质量安全检测的机构，必须具备相应的检测条件和能力，由省级以上人民政府农业行政主管部门或者其授权的部门考核合格。具体办法由国务院农业行政主管部门制定。

农产品质量安全检测机构应当依法经计量认证合格。

第三十六条 农产品生产者、销售者对监督抽查结果有异议的，可以自收到检测结果之日起五日内，向组织实施农产品质量安全监督抽查的农业行政主管部门或者其上级农业行政主管部门申请复检。

采用国务院农业行政主管部门会同有关部门认定的快速检

测方法进行农产品质量安全监督抽查检测，被抽查人对检测结果有异议的，可以在四小时内申请复检。复检不得采用快速检测方法。

因检测结果错误给当事人造成损害的，应当依法赔偿。

第三十七条 农产品批发市场应当设立或者委托农产品质量安全检测机构，对进场销售的农产品质量安全状况进行抽查检测；发现不符合农产品质量安全标准的，应当要求销售者立即停止销售，并向农业行政主管部门报告。

农产品销售企业对其销售的农产品，应当建立健全进货检查验收制度；经查验不符合农产品质量安全标准的，不得销售。

第三十八条 国家鼓励单位和个人对农产品质量安全进行社会监督。任何单位和个人都有权对违反本法的行为进行检举、揭发和控告。有关部门收到相关的检举、揭发和控告后，应当及时处理。

第三十九条 县级以上人民政府农业行政主管部门在农产品质量安全监督检查中，可以对生产、销售的农产品进行现场检查，调查了解农产品质量安全的有关情况，查阅、复制与农产品质量安全有关的记录和其他资料；对经检测不符合农产品质量安全标准的农产品，有权查封、扣押。

第四十条 发生农产品质量安全事故时，有关单位和个人应当采取控制措施，及时向所在地乡级人民政府和县级人民政府农业行政主管部门报告；收到报告的机关应当及时处理并报上一级人民政府和有关部门。发生重大农产品质量安全事故时，农业行政主管部门应当及时通报同级食品药品监督管理部门。

第四十一条 县级以上人民政府农业行政主管部门在农产品质量安全监督管理中，发现有本法第三十三条所列情形之一的农产品，应当按照农产品质量安全责任追究制度的要求，查明责任人，依法予以处理或者提出处理建议。

第四十二条 进口的农产品必须按照国家规定的农产品质量安

全标准进行检验;尚未制定有关农产品质量安全标准的,应当依法及时制定,未制定之前,可以采用国家有关部门指定的国外有关标准进行检验。

第七章 法律责任

第四十三条 农产品质量安全监督管理人员不依法履行监督职责,或者滥用职权的,依法给予行政处分。

第四十四条 农产品质量安全检测机构伪造检测结果的,责令改正,没收违法所得,并处五万元以上十万元以下罚款;情节严重的,撤销其检测资格;造成损害的,依法承担赔偿责任。

农产品质量安全检测机构出具检测结果不实,造成损害的,依法承担赔偿责任;造成重大损害的,并撤销其检测资格。

第四十五条 违反法律、法规规定,向农产品产地排放或者倾倒废水、废气、固体废物或者其他有毒有害物质的,依照有关环境保护法律、法规的规定处罚;造成损害的,依法承担赔偿责任。

第四十六条 使用农业投入品违反法律、行政法规和国务院农业行政主管部门的规定的,依照有关法律、行政法规的规定处罚。

第四十七条 农产品生产企业、农民专业合作经济组织未建立或者未按照规定保存农产品生产记录的,责令限期改正;逾期不改正的,可以处二千元以下罚款。

第四十八条 违反本法第二十八条规定,销售的农产品未按照规定进行包装、标识的,责令限期改正;逾期不改正的,可以处二千元以下罚款。

第四十九条 有本法第三十三条第四项规定情形,使用的保鲜剂、防腐剂、添加剂等材料不符合国家有关强制性的技术规范的,责令停止销售,对被污染的农产品进行无害化处理,对不能进行无害化处理的予以监督销毁;没收违法所得,并处二千元以上二万元以下罚款。

第五十条 农产品生产企业、农民专业合作经济组织销售的农产品有本法第三十三条第一项至第三项或者第五项所列情形之一的，责令停止销售，追回已经销售的农产品，对违法销售的农产品进行无害化处理或者予以监督销毁；没收违法所得，并处二千元以上二万元以下罚款。

农产品销售企业销售的农产品有前款所列情形的，依照前款规定处理、处罚。

农产品批发市场中销售的农产品有第一款所列情形的，对违法销售的农产品依照第一款规定处理，对农产品销售者依照第一款规定处罚。

农产品批发市场违反本法第三十七条第一款规定的，责令改正，处二千元以上二万元以下罚款。

第五十一条 违反本法第三十二条规定，冒用农产品质量标志的，责令改正，没收违法所得，并处二千元以上二万元以下罚款。

第五十二条 本法第四十四条、第四十七条至第四十九条、第五十条第一款、第四款和第五十一条规定的处理、处罚，由县级以上地方人民政府农业行政主管部门决定；第五十条第二款、第三款规定的处理、处罚，由县级以上地方人民政府工商行政管理部门决定。

法律、行政法规对行政处罚及处罚机关有其他规定的，从其规定。但是，对同一违法行为不得重复处罚。

第五十三条 违反本法规定，构成犯罪的，依法追究刑事责任。

第五十四条 生产、销售本法第三十三条所列农产品，给消费者造成损害的，依法承担赔偿责任。

农产品批发市场中销售的农产品有前款规定情形的，消费者可以向农产品批发市场要求赔偿；属于生产者、销售者责任的，农产品批发市场有权追偿。消费者也可以直接向农产品生产者、销售者要求赔偿。

第八章 附 则

第五十五条 生猪屠宰的管理按照国家有关规定执行。

第五十六条 本法自 年 月 日起施行。

全国人大常委会法制工作委员会负责人就农产品质量安全法答记者问

（2006 年 4 月 29 日）

十届全国人大常委会第二十一次会议于 4 月 29 日审议通过了《中华人民共和国农产品质量安全法》，将于今年 11 月 1 日起施行。记者就农产品质量安全法的有关问题采访了全国人大常委会法制工作委员会有关负责同志。

问：为什么要制定农产品质量安全法？

答：农产品质量安全，是指农产品的质量符合保障人的健康、安全的要求。

人们每天消费的食物，有相当大的部分是直接来源于农业的初级产品，即农产品质量安全法所称的农产品，如蔬菜、水果、水产品等；也有些是以农产品为原料加工、制作的食品。农产品的质量安全状况如何，直接关系着人民群众的身体健康乃至生命安全。“民以食为天，食以安为先。”我们不但要保证老百姓吃得饱，还要保证老百姓吃得安全、吃得放心，这是坚持以人为本、对人民高度负责的体现。在中央的高度重视和各有关方面的共同努力下，我国农产品质量安全状况总体上不断提高，但存在的问题依然不少，亟待依法规范，加强管理。全国人大常委会虽已制定了食品卫生法和产品质量法，但食品卫生法不调整种植业、养殖业等农业生产活动；产品质量法只适用于经过加工、制作的产品，不适用于未经加工、制作的农业初级产品。为了从源头上保障农产品质量安全,维护公众的身体健康,促进农业和农村经济的发展,有必要制定专门的农产品质量安全法。

问:农产品质量安全法规定了哪些保障农产品质量安全的基本制度?

答:农产品质量安全法从我国农业生产的实际出发,遵循农产品质量安全管理的客观规律,针对保障农产品质量安全的主要环节和关键点,确立了相关的基本制度,主要包括:(1)政府统一领导,农业主管部门依法监管,其他有关部门分工负责的农产品质量安全管理体制。(2)农产品质量安全标准的强制实施制度。政府有关部门应当按照保障农产品质量安全的要求,依法制定和发布农产品质量安全标准并监督实施;不符合农产品质量安全标准的农产品,禁止销售。(3)防止因农产品产地污染而危及农产品质量安全的农产品产地管理制度。(4)农产品的包装和标识管理制度。(5)农产品质量安全监督检查制度。(6)农产品质量安全的风险分析、评估制度和农产品质量安全的信息发布制度。(7)对农产品质量安全违法行为的责任追究制度。

上述各项基本制度的具体内容,在农产品质量安全法中都有明确规定。这些法定基本制度具有很强的针对性和可操作性,只要严格贯彻执行,我国的农产品质量安全就能够得到保障。

问:农产品质量安全法对农产品产地管理作了哪些规定?

答:农产品产地环境对农产品质量安全具有直接、重大的影响。近年来,因为农产品产地的土壤、大气、水体被污染而严重影响农产品质量安全的问题时有发生。抓好农产品产地管理,是保障农产品质量安全的前提。农产品质量安全法规定,县级以上政府应当加强农产品产地管理,改善农产品生产条件。禁止违反法律、法规的规定向农产品产地排放或者倾倒废水、废气、固体废物或者其他有毒有害物质;禁止在有毒有害物质超过规定标准的区域生产、捕捞、采集农产品和建立农产品生产基地。县级以上地方政府农业主管部门按照保障农产品质量安全的要求,根据农产品品种特性和生产区域大气、土壤、水体中有毒有害物质状况等因素，认为不适宜特定农产品生产的，应当提出禁止生产的区域，报本级政府批准后公布执行。

问：农产品生产者在生产过程中应当遵守哪些保障农产品质量安全的规定？

答：生产过程是影响农产品质量安全的关键环节。农产品质量安全法对农产品生产者在生产过程中保证农产品质量安全的基本义务作了规定，主要包括：（1）依照规定合理使用农业投入品。农产品生产者应当按照法律、行政法规和国务院农业主管部门的规定，合理使用化肥、农药、兽药、饲料和饲料添加剂等农业投入品，严格执行农业投入品使用安全间隔期或者休药期的规定，禁止使用国家明令禁止使用的农业投入品，防止因违反规定使用农业投入品危及农产品质量安全。（2）依照规定建立农产品生产记录。农产品生产企业和农民专业合作经济组织应当建立农产品生产记录，如实记载使用农业投入品的有关情况、动物疫病和植物病虫草害的发生和防治情况，以及农产品收获、屠宰、捕捞的日期等情况。（3）对其生产的农产品的质量安全状况进行检测。农产品生产企业和农民专业合作经济组织应当自行或者委托其他检测机构对其生产的农产品的质量安全状况进行检测，经检测不符合农产品质量安全标准的，不得销售。

问：农产品质量安全法对农产品的包装和标识有哪些要求？

答：逐步建立农产品的包装和标识制度，对于方便消费者识别农产品质量安全状况，对于逐步建立农产品质量安全追溯制度，都具有重要作用。农产品质量安全法对于农产品包装和标识的规定主要包括：（1）对国务院农业主管部门规定在销售时应当包装和附加标识的农产品，农产品生产企业、农民专业合作经济组织以及从事农产品收购的单位或者个人，应当按照规定包装或者附加标识后方可销售；属于农业转基因生物的农产品，应当按照农业转基因生物安全管理的规定进行标识。依法需要实施检疫的动植物及其产品，应当附具检疫合格的标志、证明。（2）农产品在包装、保鲜、贮存、运输中使用的保鲜剂、防腐剂和添加剂等材料，应当符合国家有关强制性的技术规范。(3)销售的农产品符合农产品质量安全标准的,生产者可以申请使用无公害农产品标识;农产品质量符合国家规定的有关优质农产品标准的,生产者可以申请使用相应的农产品质量标志。

问:农产品质量安全监督检查制度包括哪些主要内容?

答:依法实施对农产品质量安全状况的监督检查,是防止不符合农产品质量安全标准的产品流入市场、进入消费环节,危害人民群众健康、安全后果的必要措施,是农产品质量安全监管部门必须履行的法定职责。农产品质量安全法规定的农产品质量安全监督检查制度的主要内容包括:(1)县级以上政府农业主管部门应当制定并组织实施农产品质量安全监测计划,对生产中或者市场上销售的农产品进行监督抽查,监督抽查结果由省级以上政府农业主管部门予以公告,以保证公众对农产品质量安全状况的知情权。(2)监督抽查检测应当委托具有相应的检测条件和能力检测机构承担,并不得向被抽查人收取费用。被抽查人对监督抽查结果有异议的,可以申请复检。(3)县级以上农业主管部门可以对生产、销售的农产品进行现场检查,查阅、复制与农产品质量安全有关的记录和其他资料,调查了解有关情况。对经检测不符合农产品质量安全标准的农产品,有权查封、扣押。(4)对检查发现的不符合农产品质量安全标准的产品,责令停止销售、进行无害化处理或者予以监督销毁;对责任者依法给予没收违法所得、罚款等行政处罚;对依照刑法的规定构成犯罪的,由司法机关依法追究刑事责任。

问:为保障农产品质量安全法的贯彻实施,当前应当重点做好哪几项工作?

答:农产品质量安全法将从今年11月1日起施行,从现在起还有半年多的时间。各有关方面应当抓紧做好农产品质量安全法贯彻实施的各项准备工作。一是各级农业主管部门和其他有关部门应当认真组织学习好这部法律的各项内容。只有准确理解、全面把握好法律的规定,才能做到严格依法办事,正确履行监督管理职责。二是针对我国农业生产的特点,要特别重视做好本法的宣传普及工作。各级农业主管部门应当会同有关部门采取有效措施,努力使亿万农户都能了解这部法律的规定,在农业生产活动中自觉履行保障农产品质量安全的义务,这是摆在我们面前的一项紧迫而艰巨的任务。三是要抓紧制定或修订有关的配套规章,例如,关于确定农产品禁止生产区域的具体办法、保障农产品质量安全的生产技术要求和操作规程、农产品包装和标识的管理办法等,以使法律的相关规定具体化,落到实处。

农业部负责人就《农产品质量安全法》答记者问

（2006 年 4 月 29 日）

2006 年 4 月 29 日，十届全国人大常委会第二十一次会议表决通过了《中华人民共和国农产品质量安全法》，并将于 2006 年 11 月 1 日起实施。农业部有关负责人就此回答了记者的提问。

一、请问为什么要出台《农产品质量安全法》？出台这部法有何重要意义？

在全国上下认真贯彻十六届五中全会精神，加快推进现代农业和社会主义新农村建设，努力打牢“十一五”发展基础的新形势下，《农产品质量安全法》正式出台，这是关系“三农”乃至整个经济社会长远发展的一件大事，具有十分重大而深远的意义。

第一，出台《农产品质量安全法》，是坚持科学发展，促进现代农业和新农村建设的现实要求。随着我国农业农村发展进入新阶段，以科学发展观为统领，建设社会主义新农村，发展高产、优质、高效、生态、安全的现代农业，必须始终坚持数量与质量并重，扎实抓好农产品质量安全工作。《农产品质量安全法》的出台，必将提升全社会农产品质量安全的法制水平，推动优质安全农产品的生产与消费，加强农产品质量安全依法监管，为现代农业和社会主义新农村建设提供坚实支撑。

第二，出台《农产品质量安全法》，是构建和谐社会，维护最广大人民群众根本利益的可靠保障。“民以食为天，食以安为先”，农产品质量安全直接关系人民群众的日常生活和生命安全，关系社会和谐稳定和民族发展，党中央、国务院历来高度重视。近年来，通过组织实施“无公害食品行动计划”等一系列工作，我国农产品质量安全水平有了大幅度提高，但相关法规建设滞后的问题日益凸显。《农产品质量安全法》的出台，必将进一步规范农产品产销秩序，更加有效地保证公众农产品消费安全，保障最广大人民群众的根本利益。

第三，出台《农产品质量安全法》，是提升我国农产品竞争力，应对农业对外开放和参与国际竞争的重大举措。随着经济全球化进程加快，特别是我国加入世界贸易组织后，农业对外开放不断扩大，市场竞争更加激烈。质量安全是农产品市场竞争的关键因素，是导致贸易争端的重要原因，也是一些国家设置农产品贸易技术壁垒的主要借口。出台《农产品质量安全法》，严格按照法律规定，推进农业标准化，提高农产品质量安全水平，必将有利于全面提升我国农产品竞争力，更好地拓展我国优势农产品的市场潜力，促进优势农产品出口。

第四，出台《农产品质量安全法》，是推进依法行政，填补我国农产品质量安全监管法律空白的客观要求。建设法治社会首先要有法可依，长期以来，我国农产品质量安全管理缺乏专门的法律依据，一定程度上加大了农产品质量安全监管工作的难度，影响了农产品质量安全管理的有效性和权威性。党中央、国务院对加强农产品质量安全管理和健全相关法律法规高度关注并提出了明确要求，全国人大代表、政协委员连续多年呼吁加快农产品质量安全立法进程。《农产品质量安全法》的出台，填补了法律空白，必将促进体制创新、机制创新和管理创新，开创农产品质量安全管理的新局面。

二、请问《农产品质量安全法》的立法指导思想和基本原则是什么？

根据新形势下农业发展的需要，结合我国农业发展和农产品质量安全管理实际,《农产品质量安全法》立法过程中始终坚持以提高农产品质量安全水平为核心,以保障农产品消费安全和增强农产品竞争力为目标,以解决农产品质量安全管理无法可依、职责不清、制度缺失为重点,建立权责明晰、运转协调、管理高效的农产品质量安全管理体系,满足农产品从农田到市场全程质量安全控制的需要,为农产品质量安全管理工作提供法制保障,推动农业和农村经济持续、健康发展。

在立法工作中注意把握了以下几项原则:一是填补空白与现有法律衔接相结合。主要填补《食品卫生法》和《产品质量法》留下的空白,具体内容上监管农产品质量和安全,同时注意与现有食品卫生等法律相衔接。二是全程监控与突出源头治理相结合。在遵循全程监管的基础上,重点对农产品生产源头、产地环境、农业投入品和生产过程加强管理,建立市场准入制度。三是从严要求与区别对待相结合。农产品生产、加工和销售涉及不同行为主体,根据实际情况,对广大农户重在引导、教育和技术指导,对农民专业合作经济组织、生产企业、批发市场等组织化程度较高的主体则重在健全制度,规范行为。四是统一管理与分工负责相结合。在明确农业行政主管部门主体监管作用的同时,充分尊重我国现行体制,发挥各相关职能部门的作用。五是借鉴国际惯例与尊重国情农情相结合。借鉴国际惯例,设计我国的农产品质量安全管理制度,同时考虑我国的实际情况,增强管理制度的针对性和可行性。六是政府部门监管和行业协会自律相结合。在加强政府监管的同时,充分发挥农民专业合作经济组织、农产品行业协会和消费者团体的服务、自律和监督作用。

三、请问本法调整后的范围是什么?包括哪些主要内容?

本法调整的范围包括三个方面的内涵。一是关于调整的产品范围问题,本法所指农产品是指来源于农业的初级产品,即在农业活动中获得的植物、动物、微生物及其产品;二是关于调整的行为主体问题,既包括农产品的生产者和销售者,也包括农产品质量安全管理者和相应的检测技术机构和人员等；三是关于调整的管理环节问题，既包括产地环境、农业投入品的科学合理使用、农产品生产和产后处理的标准化管理，也包括农产品的包装、标识、标志和市场准入管理。可以说，《农产品质量安全法》对涉及农产品质量安全的方方面面都进行了相应的规范，调整的对象全面、具体，符合中国的国情和农情。

2006年4月29日全国人大常委会审议通过的《农产品质量安全法》共分八章五十六条。第一章是总则，对农产品的定义，农产品质量安全的内涵，法律的实施主体，农产品质量安全风险评估、风险管理和风险交流，农产品质量安全信息发布，安全优质农产品生产，公众质量安全教育等方面作出了规定；第二章是农产品质量安全标准，对农产品质量安全标准体系的建立，农产品质量安全标准的性质，农产品质量安全标准的制定、发布、实施的程序和要求等进行了规定；第三章是农产品产地，对农产品禁止生产区域的确定，农产品标准化生产基地的建设，农业投入品的合理使用等方面作出了规定；第四章是农产品生产，对农产品生产技术规范的制定，农业投入品的生产许可与监督抽查、农产品质量安全技术培训与推广、农产品生产档案记录、农产品生产者自检、农产品行业协会自律等方面进行了规定；第五章是农产品包装和标识，对农产品分类包装、包装标识、包装材质、转基因标识、动植物检疫标识、无公害农产品标志和优质农产品质量标志作出了规定；第六章是监督检查，对农产品质量安全市场准入条件、监测和监督检查制度、检验机构资质、社会监督、现场检查、事故报告、责任追溯、进口农产品质量安全要求等进行了明确规定；第七章是法律责任，对各种违法行为的处理、处罚作出了规定；第八章是附则。

四、《农产品质量安全法》主要确立了哪些农产品质量安全监管制度?

为确保农产品质量安全管理的各项规定落实到位，《农产品质量安全法》根据国际通行做法和中国农产品质量安全工作实际，在法中设立了一系列的监管制度，包括各级政府及其农业部门以及其他相关职能部门配合的管理体制、农产品质量安全信息发布制度、农产品生产记录制度、农产品包装与标识制度、农产品质量安全市场准入制度、农产品质量安全监测和监督检查制度、农产品质量安全事故报告制度和农产品质量安全责任追究制度等。法中明确规定了县级以上人民政府农业行政主管部门负责农产品质量安全的监督管理工作，县级以上人民政府相关部门按照职责分工负责农产品质量安全的有关工作；法中要求国务院农业行业行政主管部门要设立农产品质量安全风险评估专家委员会，对可能影响农产品质量安全的潜在危害进行风险分析和评估；法中授权国务院农业行政主管部门和省、自治区、直辖市人民政府农业行政主管部门发布农产品质量安全状况信息。法中还明确规定了不符合农产品质量安全标准和国家有关强制性技术规范的农产品不得上市销售的五种情形。同时，法对农产品质量安全管理的公共财政投入、农产品质量安全科学研究与技术推广、农产品质量安全标准的强制性措施、农产品的标准化生产、农业投入品的监督抽查和合理使用也进行了规定。

五、《农产品质量安全法》突出了农产品质量安全风险评估的作用和地位，请问其意义何在？

第一，明确风险评估法律地位是国际上农产品质量安全立法的立法趋势。世界贸易组织（WTO）《卫生与植物卫生措施协议》（SPS）第二条和第五条，以及《技术性贸易壁垒协议》（TBT）第二条均赋予风险评估的贸易争端仲裁地位。另外，2002 年生效的《欧盟新食品法》第六条明确构建欧盟风险分析框架。日本等国近几年颁布的有关管理法律中都明确强调农产品质量安全管理必须基于风险评估等。因此，我国《农产品质量安全法》突出风险评估地位，顺应了国际立法要求与发展趋势。

第二，风险评估是实现我国农产品质量安全管理科学化的基础。风险评估从事实认定来源、评估手段及结论鉴定方法等都基于科学性原则,而风险管理源自风险评估结论,从而实现管理从感性决策到理性决策的转变,最终提高农产品质量安全水平。

第三,风险评估是各国打破和建立农产品技术性贸易措施的重要技术基础。一方面,农产品贸易过程中必然涉及进出口标准及检验检疫措施,风险评估的技术合理性及科学性使其成为打破或设立技术性贸易措施的重要手段。近年来,发达国家在农产品贸易摩擦中多直接或间接应用风险评估解决贸易争端,从中可以看出风险评估的重要性。另一方面,风险评估技术在全球研究运用的差距性,使该项技术领先国家在构建农产品贸易技术性壁垒或变相成为贸易保护手段方面占有优势。因此,我国开展风险评估工作刻不容缓。

六、《农产品质量安全法》明确国家建立农产品质量安全监测制度,请问对此有何具体规定?

建立农产品质量安全监测制度是为了全面、及时、准确地掌握和了解农产品质量安全状况,根据农产品质量安全风险评估结果,对风险较大的危害进行例行监测,既为政府管理提供决策依据,又为有关团体和公众及时了解相关信息,最大限度地减少影响农产品质量安全因素对人民身体的危害。

农产品质量安全监测制度的具体规定主要包括:监测计划的制定依据、监测的区域、监测的品种和数量、监测的时间、产品抽样的地点和方法、监测的项目和执行标准、判定的依据和原则、承担的单位和组织方式、呈送监测结果和分析报告的格式、结果公告的时间和方式等。

七、本法规定开展监督抽查检测由符合相应条件的检测机构执行,并应充分利用现有符合条件的检测机构,请问对检测机构有何具体要求? 此规定有何现实意义?

《农产品质量安全法》规定,监督抽查检测应当委托相关的农产品质量安全检测机构进行,检测机构必须具备相应的检测条件和能力,由省级以上人民政府农业行政主管部门或者其授权的部门考核合格,同时应当依法经计量认证合格。规定应当充分利用现有的符合条件的检测机构,主要是避免重复建设和资源浪费。

建立农产品质量安全检验检测机构,开展农产品生产环节和市场流通等环节质量安全监测工作,是实施农产品质量安全监管的重要手段,也是世界各国尤其是发达国家的普遍做法。在《农产品质量安全法》中作这样的规定,对于政府依法开展农产品质量安全监管,确保农产品质量安全,保证人民群众的身体健康和生命安全,具有十分重要的意义。

近年来国家十分重视农产品质量安全检验检测机构的建设,已经具备了较好的工作基础。目前,通过农业部授权认可和国家计量认证的农产品质量安全检验检测中心已达238家,全国省、市、县农业部门已经建立检测机构1100多家,检测内容基本涵盖了主要农产品、农业投入品和农业环境等相关领域,拥有各类检测技术人员近2万名。今后,农业部门将通过优化配置、完善手段、强化培训、健全制度等工作,不断加强检测队伍的能力建设。

八、《农产品质量安全法》对批发市场的农产品质量安全责任有何要求?基于何种考虑?

本法明确规定了禁止销售的农产品范围,同时规定农产品批发市场应当设立或者委托农产品质量安全检测机构,对进场销售的农产品质量安全状况进行抽查检测;发现不符合农产品质量安全标准的,应当要求销售者立即停止销售,并向农业行政主管部门报告;应当建立进货检查验收制度。法中还规定了批发市场相应的民事赔偿责任和法律责任。

农产品批发市场主要是由国家投资的公益性事业,做这样的规定既参照了国际通行惯例,又充分考虑我国产品市场流通的现状。一方面,农产品批发市场作为提供农产品交易场所的独立法人单位,应当承担进入市场的农产品的质量安全责任,并有义务保证市场上农产品的质量安全;另一方面,目前我国大中城市的农产品主要通过批发市场流通,农产品批发市场是联系农产品生产、运输、消费等链条的关键环节,批发市场承担起相关的把关责任,就意味着向前可以追溯生产者的责任,向后可以保护消费者的消费安全。

九、本法对县级以上地方人民政府规定了哪些职责和义务?

农产品种类繁多,生产周期长,从生产到供应环节多,影响质量安全的因素多,农产品质量安全控制难度较大,加强农产品质量安全管理是一项长期艰巨的任务。从世界范围来看,政府作为公共安全的管理者,有义务履行农产品质量安全监管责任。从我国来看,全面提高农产品质量安全水平,建立健全农产品质量安全监管制度和长效机制,离不开政府的组织领导和统筹规划。为此,《农产品质量安全法》强化了地方人民政府对农产品质量安全监管的责任,对县级以上地方人民政府的职责和义务进行了专门规定:

第一,县级以上人民政府应当将农产品质量安全管理工作纳入本级国民经济和社会发展规划,并安排农产品质量安全经费,用于开展农产品质量安全工作。

第二,县级以上地方人民政府统一领导、协调本行政区域内的农产品质量安全工作,并采取措施,建立健全农产品质量安全服务体系,提高农产品质量安全水平。

第三,各级人民政府及有关部门应当加强农产品质量安全知识的宣传,提高公众的农产品质量安全意识,引导农产品生产者、销售者加强质量安全管理,保障农产品消费安全。

第四,县级以上人民政府应当加强农产品基地建设,建设农产品标准生产示范区和无规定动植物疫病区,改善农产品生产条件,加强对农产品生产的指导。

十、《农产品质量安全法》出台后,农业部门将采取哪些措施确保法律的实施?

《农产品质量安全法》是我国农业和农村经济管理中的一部重要

法律，它确立了农业行政主管部门在农产品质量安全监督管理工作中的主体地位。《农产品质量安全法》的发布与实施，对于推进农业标准化，加强农产品质量安全管理，转变农业生产方式，发展现代农业，实现农业的可持续发展，促进社会主义新农村建设具有十分重要的意义，对于农业部门强化依法治农，实施“转变、拓展、提升”三大战略和农产品质量安全绿色行动等九大行动，更好地履行农业和农村经济管理职能具有重大而深远的影响。农业部门必须采取有力措施，来推动和保障《农产品质量安全法》顺利贯彻实施。

第一，广泛宣传，做到家喻户晓。宣传培训是实施法律的首要前提。《农产品质量安全法》是农产品质量安全管理的综合性法律，涉及各个方面。我们要通过大众传媒，采取多种方式，广泛而又深入宣传《农产品质量安全法》的重要意义、主要内容、具体规定和法律责任，营造良好社会氛围，做到人人皆知，从而增强各级领导干部的法制观念，提高农业行政主管部门依法行政的能力和水平；让广大农业生产者、经营者和消费者知法、懂法、守法、用法，切实履行义务，依法维护自己的合法权益。

第二，抓紧配套法规建设，做好制度实施准备。《农产品质量安全法》的有效实施，需要一系列相关配套制度的支撑。近期农业部将根据法律授权，抓紧制定农业标准化、农产品质量安全检测机构资格认定、农产品质量安全监测、农产品禁止生产区、农产品包装与标识等配套制度。各地农业部门也应根据本地实际，推进相关配套制度的建设。

第三，健全体系，强化队伍和能力建设。各级农业部门要结合《农产品质量安全法》出台，加大资金投入，完善农产品质量安全保障体系建设。一要以保障消费安全和提高农产品竞争力为重点，加强农产品质量安全标准体系建设，推行标准化生产；二要加强农产品质量安全检验检测体系建设，人员队伍及制度建设，完善监督抽查检测制度，加大信息发布；三要以标志管理为重点，加强无公害农产品、绿色食品认证机构和队伍建设，加强产品有效性的监督；四要整合力量，加强执法队伍建设，认真履行各项法定职责；五要加强技术推广和人才队伍建设，造就一批高质量的农产品质量安全管理和专业人才队伍。

第四，严格执法，加强监督。《农产品质量安全法》对各级政府和农业等相关部门，在农产品质量安全管理中的责任和义务作出了明确规定。各级农业行政主管部门要在政府的领导下，与有关部门一道，切实履行法律规定，自觉接受人民群众和社会的监督，做到有法必依，执法必严，违法必究。

加拿大、墨西哥农产品质量安全立法考察报告

（2004 年 10 月 7 日）

经国务院批准并应加拿大联邦农业和食品部、墨西哥合众国农业部的邀请，农业部范小建副部长于 2004 年 9 月 17 日—28 日率中国农产品质量安全立法代表团对加拿大联邦和墨西哥合众国进行了访问，就两国农产品质量安全管理和立法问题进行了考察。国务院法制办农林司司长部风涛同志参加了考察。在加拿大期间，代表团先后访问了加拿大农业与食品部、联邦农业部所属的国家食品检验局、安大略省农业与食品部、安大略省食品中心，考察了不列颠哥伦比亚省农产品生产基地、批发和零售市场、水产品市场；在墨西哥期间，代表团访问了联邦农业部及国家农业食品卫生、无害、质量管理局，考察了瓜纳华托州农产品生产基地、农产品加工厂和农民组织——植物卫生检疫委员会。加墨两国农业部、我国驻两国使领馆对我农业代表团的访问非常重视，积极安排有关考察和交流活动，访问取得了积极成果。现报告如下：

一、有关农产品质量安全的法律法规

加墨两国十分重视农产品和食品的质量安全工作，都有明确的法律法规。加拿大有完善的法律法规体系，重点是提高本国农产品在国际市场上的竞争力和保障国民的食物消费安全，而墨西哥农产

品和食品的质量安全管理重点在于提高出口农产品和食品的竞争力,法规体系相对粗放一些。

加拿大是一个法制化程度很高的国家。完善的农产品质量安全立法,是巩固农业在其国民经济中的地位,保护农场主稳定的收入,保障农产食品的消费安全,提高加拿大农产品在国际市场上竞争力的根本手段。按照加拿大联邦宪法规定,农业管理是联邦政府和省政府的共管事务,联邦议会可以就任何农业问题进行立法。联邦政府主要负责农产品国际贸易和省际贸易,保障农产品及食品消费安全。为此,联邦议会先后制定了15部相关法律,联邦政府及有关部门为实施法律制定了39部配套法规,对农产品和食品的生产、加工、储藏和流通、农业投入品的生产、经营和使用及执法监督作了明确规定。省政府为了管理省内农产品和食品的质量安全事务,还制定了70多部相关法规。

加拿大联邦制定的与农产品质量安全相关的法律法规主要包括以下四个方面:

(一)关于农产品及食品安全、消费者保护。包括:食品与药品法及条例;肉类检验法及条例;鱼类检验法及条例;加拿大农产品法及乳品条例、蛋类条例、新鲜水果与蔬菜条例、许可与仲裁条例、畜禽胴体分级条例、枫产品条例、加工农产品条例、蜂蜜条例;消费者包装与标识法及条例。

(二)关于植物卫生。包括:植物保护法及植物保护条例、植物限制条例、植物分类条例及植物补偿条例;肥料法及条例;种子法及种子条例、杂草种子分类条例;农药管理法;农药残留赔偿法。

(三)关于动物卫生。动物卫生法及动物卫生条例、销毁动物补偿条例;饲料法及条例。

(四)其他方面。包括:农业及农产食品行政罚款法;食品检验局法;植物育种者权益法。

墨西哥农产品和食品质量安全法律主要有《墨西哥农村发展法》、《墨西哥动植物卫生法》、《墨西哥卫生法》以及基于上述法律制定的诸多法规。

二、有关农产品和食品质量安全的管理体制和主要制度

为了保障农产品和食品的质量安全,加墨两国都以法律和法规的形式规范了农产品和食品质量安全的管理体制、标准体系、许可制度、检验检测制度和认证管理制度。

(一)关于管理体制

近些年来,为了适应经济全球化,提高本国农产品在国际市场上的竞争力,保障消费安全,加强农产品和食品质量安全的管理工作,加墨两国政府都大幅度调整在联邦层面和联邦政府部门内部农产品和食品质量安全管理的体制。

1993 年,加拿大联邦政府基于食品的原料几乎全部来源于农业的客观现实,为提高农产品的市场竞争力,促进食品行业的发展,保障食品安全,将原属于加拿大工业部的食品行业发展职能调整到农业部,并将农业部更名为农业与食品部。但是,联邦政府的食品检验和执法监督职能仍分属于农业与食品部、卫生部、海洋与渔业部、工业部,执法交叉重叠、执法扰民和执法经费浪费问题比较突出。联邦政府曾试图通过成立协调委员会来解决上述问题,但没有成功。

为此,加拿大联邦议会于 1997 年通过了《加拿大食品检验局法》,整合原属于农业与食品部、海洋和渔业部、工业部、卫生部的职能、人员和设施设备,组建加拿大食品检验局,统一行使原来由不同部门行使的农产品和食品质量安全执法权,由农业部长负责管理和指导其日常工作。但是,省级、市级政府的职能整合工作发展不平衡。目前,只有魁北克省已经仿效联邦政府成立了食品检验局,但其余 9 个省尚未组建。

按照食品检验局法,加拿大食品检验局统一实施《食品与药品法》、《农产品法》等 13 部相关法律和 39 部法规,具体负责植物保护、动物卫生及联邦政府所有的食品检验和相关项目的执行。另外,由于农药和兽药的日常管理隶属于加拿大卫生部的农药和兽药登记机

构,因此农药、兽药残留的标准由卫生部负责制定,但农药、兽药的残留监控由食品检验局负责。

墨西哥农产品和食品质量安全管理职能主要分属于农牧渔业食品、乡村发展部(下称农业部)和卫生部,在一些工作上墨西哥环保部、交通部和经济部也承担部分职能。新一届的农业部整合了原属于环保部的渔业管理职能、卫生部的食品行业管理的部分职能。为满足国内外市场对墨西哥农产品和食品的质量安全要求,保障消费安全,促进农产品和食品出口,2001 年 7 月,墨西哥联邦农业部进一步调整内设机构,整合原分属于 6 个司局的农产品和食品质量安全管理职能,成立了隶属于农业部的国家农业食品卫生、无害、质量管理局(副部级),下设植物卫生、动物卫生、动植物卫生监督、食品安全、水产品安全和食品质量管理 6 个部门,负责规范种植业、养殖业、养蜂业、水产业和加工业的生产过程,控制和监督墨西哥的动植物疫病,控制食品中的化学污染。目前,墨西哥农业部主要负责农业投入品、农业生产过程监管、农产品质量分级和包装、农产品进出口检验检疫等方面的管理工作,监管的重点是进出口农产品的质量安全问题;卫生部与农业部等部门共同负责农药残留等食品安全标准的制定和加工食品质量安全的监督。

(二)关于农产品质量安全标准体系

加拿大农产品质量安全标准分为强制性标准和非强制性标准两类。强制性农产品质量安全标准主要由联邦卫生部和农业部所属的食品检验局共同制定,或由行政主管部门授权自律性行业协会或社会团体起草,以联邦法律或技术法规的形式批准发布,内容包括农产品生产技术规范、质量等级、标签标识、安全卫生要求及农药、兽药、种子、肥料、饲料、饲料添加剂、植物生长调节剂、设备等农业投入品生产、经营和使用等。非强制性标准属推荐性标准,主要由加拿大通用标准局组织制定,相关利益方形成一致意见后提交加拿大标准委员会批准发布。有机食品标准是一种自愿标准,全国统一的标准由加拿大农业与食品部牵头,组织通用标准局、有机咨询委员会、有机物栽培者协会等利益相关方的代表共同制定，目前尚未发布。目前在市场销售的有机食品由民间机构认定，一旦使用了有机食品标志，就必须保证标志及其内容的真实可信，必须符合相关规定。

墨西哥农产品质量标准主要由农业部制定并实施，农药残留标准由卫生部会同农业部共同制定。墨西哥农业部为了限制他国农产品进口，促进本国农产品出口，已经制定了葡萄、油梨、芒果三个强制性质量标准及25个推荐性农产品质量标准。

（三）关于投入品和农产品的许可

按照《加拿大农产品法》规定，农产品进出口和销售的场所必须经过登记，场所和场所内农产品必须接受监管。按《农药管理法》的规定，在加拿大境内生产农药必须经过登记，有效期为五年。经营农药要实行许可制度。毒性越高，审查越严格，经销许可的证书级别越高。农药使用者必须经过相关机构的培训并取得培训证书，才可购买和使用农药，生产过程要有严格的用药记录。农药经销商必须对农药使用者做出可以安全使用的承诺。加拿大没有对农药企业实行生产许可证制度。另外，根据《加拿大农药残留补偿法》的规定，农药使用者如严格按照农药标签的规定使用农药而造成农产品中农药残留超标的，政府要承担赔偿责任，但目前尚未发生过索赔事件。

在墨西哥，农药的生产、经营和使用受到更加严格的限制。生产农药要经过农业部、卫生部、环保部共同审查批准。销售农药申请人必须是经营者，销售企业必须有一位熟悉农药或植保知识的专业人员负责有关知识的培训，并得到墨农业部的注册许可。高毒农药只能由生产企业负责销售，农民不能在市场上直接购买零售商经销的高毒农药。

根据《加拿大消费者包装与标识法》的规定，标签是保障问题食品能够及时召回，并进行质量追溯的载体，也是保障相关利益方知情权的证明。在加拿大，农产品进入市场流通必须进行包装，要有标签，标注产品品名、净重、生产者及包装者等相关信息，否则，派驻市场的农业管理部门有权对其进行警告、扣留、罚款等。在墨西哥，出口农产品也有明确的标签规定,大多数大宗农产品都有明确的质量标准,葡萄、油梨和芒果三种水果有明确的市场准入标准,不符合国家标准的不能进入市场流通。

(四)关于检验检测

加拿大有完备的农产品和食品检验检测体系,农业部所属的食品检验局系统在全国分为四个大区,下设18个地区办公室,185个基层办事处,并在408个非政府机构设点,拥有22个实验室和研究机构,从事发展新技术、组织测试、提供咨询和指导科研工作。根据《加拿大农产品法》,农业部长可以指定任何从事研究或者执行检查、分级、测试、分析、科学实验的或者是生产化学品等制品的机构全部或部分作为授权的实验室。同时还有一些私人实验室向社会提供服务。安大略省农业与食品部则根据农产品质量安全管理的需要,以合同形式与官方或私营的检测机构合作,承担官方检测任务。对肉类产品,联邦农业与食品部所属的食品检验局和安大略省农业与食品部则要派人到每一个注册加工厂进行检测。企业自身必须具备质量自检和自控能力。联邦和省的有关部门要定期到市场上进行免费抽检和例行检测工作,并发表年度报告。

墨西哥政府重视农产品和食品的质量安全检测工作,但检测重点主要集中在出口领域,农民组织和私营企业也有部分检测机构。墨西哥农业部对国内销售的农产品也开展少量检测,但力量比较薄弱。

(五)关于农产品质量安全认证

基于保障农产品质量安全重在预防的基本理念和必须加强源头管理、过程监管的思路,加拿大政府和墨西哥政府特别重视农产品生产过程的监管。目前,加拿大农业与食品部及其所属的食品检验局主管农产品的生产监管和质量安全管理工作。对农产品和食品进行认证是联邦农业与食品部及食品检验局的重要工作方法和手段,通过推行危害分析与关键控制点(HACCP)的认证推动过程监管。对经审查符合认证要求并严格遵守过程控制规定的生产者发放认可证书。目前,在肉类产品、水产品的加工过程中强制推行 HACCP 认证,而对畜水产品、园艺产品和大田作物的种植养殖过程的 HACCP 认证尚处于起步阶段。加拿大联邦和省级政府的农产品质量安全管理部门都认为,从长远看,控制危害的关键点,实行农产品生产过程的认证管理,是不可逆转的趋势。

墨西哥农业部积极推行以产地环境治理、过程控制为主要内容的“农业无害计划”,充分发挥农民组织在质量管理中的作用,积极开展“最好农产品”国家注册认证活动,推动国际市场认证互认,促进了墨西哥农产品的出口。

三、启示和建议

通过对加墨两国的考察,我们感到,虽然加墨两国分属于发达国家和发展中国家,国情不同,经济发展水平有较大差距,但两国政府为提高农产品质量,保障农产品和食品消费安全,提高本国农产品在国际市场的竞争力而采取的一系列法律和行政措施对我国有很强的借鉴意义。为此,提出如下建议:

(一)加快和完善农产品质量安全的相关立法

从加墨两国的实践看,有一个完善的法律法规体系是农产品和食品安全监管的根本保证。对与农产品质量安全密切相关的农业投入品(农药、兽药、饲料、肥料、饲料添加剂、植物生长调节剂、植保机械)的生产、经营和使用实行许可制度,对入市销售的农产品实行安全准入管理,对农药、兽药、植保机械的使用者实行强制培训证书制度,对农民经济组织、农业产业化龙头企业等组织化程度较高的组织要提出更高的质量控制要求,是强化农产品质量安全管理的需要。目前,我国农产品质量安全管理的相关法律法规还有很大差距。建议尽快出台《农产品质量安全法》,制定《肥料法》,修改《农药管理条例》,填补农产品质量安全监管的法律空白。

(二)应进一步理顺农产品质量安全管理职能

近期,《国务院关于进一步加强食品安全工作的决定》明确了有关职能部门分工。关于“分段管理为主,品种管理为辅”的食品安全监管思路,符合我国的国情。但从国情出发,借鉴加拿大、墨西哥政府的农产品质量安全管理经验,贯彻国务院决定,应坚持以下三个原则:一是农产品质量安全监管部门宜简不宜繁,特别是执法部门要尽可能少,要在明确职责的基础上更多地强调综合执法;二是监管部门间的分工宜粗不宜细,从现实情况看,对不同产品按一个模式对一个产业链条进行明确的分段是非常困难的,在基本分清职责的基础上应更多地强调合作与配合;三是对食品安全监管体制应有一些更长远的考虑。农业系统自身也应加快农产品质量安全管理体制和力量的整合步伐。

(三)农业部门应进一步完善农产品质量安全检验检测体系,抓准监管的关键环节,才能收到事半功倍的效果

农产品和食品检验检测完全市场化,检测机构发育成为成熟的中介机构将是一个漫长的发育过程。即使是加拿大等发达国家也是政府检测机构和市场中介检测两个体系同时运行。农产品质量安全监测机构是农业部门进行农产品质量安全监管,发布初级农产品质量安全信息的基础和手段,由农业部门根据业务特点和工作需要,指定通过国家计量认证的质检机构从事农产品质量安全检测工作是必要的。同时也应充分发挥现有各级各类检测机构的作用。

从监管环节上看,加拿大全国农场总数仅有 28 万个左右,平均规模 300 公顷,政府有能力对生产企业进行直接监管。而我国则有 2.47 亿农户,规模小,数量大,政府对农产品生产环节本身进行监管是做不到的。只有进入流通环节进行检测和监管,才可以及时准确地发现生产过程中的问题,继而采取有效的措施,强化源头控制,保证农产品的质量安全。因此,农业部门进入市场进行例行检测是完全必要的,应当长期坚持下去。

(四)长期坚持基本安全认证,强化管理职能

从加拿大的情况看,即使是发达国家,也应不断地做好农产品质量安全的监管工作,而认证是农产品生产管理部门的工作手段和方

法。对农产品实行无公害认证是基本的安全认证，属于政府的公益服务性职能，应长期坚持，并不断强化。从长远看，我国的农业产业发展、种植养殖产品的生产过程监管必然要通过推行强制性和推荐性认证管理来实现。因此，无公害农产品认证的具体组织和管理、绿色食品行业管理及有机农业的产业发展应是农业部门的基本职能。

（五）推行农产品分级包装销售，建立标签制度

为保证问题农产品的生产、加工、包装和经营者的责任能够有效追溯和及时召回，上市的农产品，应当分级包装销售，并印贴标签。在我国农产品小规模生产的情况下，可以先对农业产业化龙头企业的农产品、进入大中城市批发市场和超市的农产品推行强制包装销售。农产品经销过程中，经销者必须索证索票。对无证无票、等级不定者，要扣留检测，并进行处罚。

美国农产品质量安全监督监测体系建设培训考察报告

（2003年3月）

为学习和借鉴国外在农产品质量标准管理、质量安全监督及其运行管理方面的做法和经验，农业部市场与经济信息司组织来自农业部科技发展中心、中国农业科学院、农业部中—欧农业技术中心、河南省农业厅及农业部相关质检中心等单位从事农产品质量标准管理、科研、检测工作的同志共17人，于2003年2月18日—3月10日赴美国就美国农产品质量安全监督监测体系建设进行了培训、考察。培训考察团先后到美国加州州立理工大学、美国农业部外国农业事务局（FAS）和食品安全与检验局（FAIS）等单位接受了有关美国肉类和禽蛋产品安全监管体制、HACCP理论、美国食品安全管理概况的培训。同时，按照“从农田到餐桌”的农产品生产、加工包装和销售的全过程安全监管的流程，考察了位于加州Oxnard县的种植农场以及Boskovich农产品加工包装公司，洛杉矶的海岸农产品包装批发公司、山谷水果蔬菜包装批发公司和中央农产品批发市场，洛杉矶县农业局及其环境毒理监测实验室等单位。通过考察访问和培训，大家一致认为：了解了美国食品安全管理方面的先进经验和技术，认识了美国食品安全管理体系的运作方式，了解到了美国农业生产、加工包装和销售现况，看到了我国农产品质量安全管理上存在的不足和差距，增强了搞好我国农产品质量安全工作的信心。现将培训考察团的有关情况汇报如下：

一、美国食品安全管理体系

美国食品安全管理体系是采用强有力的、灵活的、以科学为依据的法律以及行业的法规要求，规范和管理食品及其生产过程。联邦当局有可以互补和相互依赖的食品安全派出机构，它们与各州和地方政府的相关机构协调，并与企业和消费者协会等公益团体协作组成了一个覆盖全国、职能明确、管理有序、运行有效的食品安全管理体系。多年来，法令的实施和食品安全体系已经使公众对美国的食品安全产生了很高的信任度。

1. 组织机构与职能分工

美国联邦政府有 10 多个部门涉及食品安全，其中最直接、最主要的职能管理部门有 3 个，即卫生与人类服务部（DHHS）所属的食品与药物管理局（FDA）、美国农业部（USDA）和环境保护局（EPA）。FDA、USDA 和 EPA 这 3 个部门在管理范围上有明确的职能分工。

（1）美国农业部（USDA）所属的食品安全检验局（FSIS）和动植物卫生检验局（APHIS）：FSIS 负责依照美国联邦肉类检验法、禽产品检验法和蛋产品检验法对国内及进出口的肉类、禽和蛋产品实施检验，保证食品的安全卫生和适当标记、标签及包装。APHIS 负责动植物疫病的诊断、防治、控制以及对新发生疫病的监测，保护和改善美国动植物和动植物产品的健康、质量和市场能力状况。

（2）DHHS 所属的食品与药物管理局（FDA）：主要负责除肉类、禽蛋产品以外的所有上市食品和药品、化妆品、医疗器械、动物饲料和兽药的安全、卫生检验，负责批准可使用的兽药和食品添加剂；建立动物源食品中的兽药的允许残留限量。

（3）环境保护局（EPA）：负责饮用水、新的杀虫剂及毒物、垃圾等方面的安全，制定农药、环境化学物的残留限量和有关法规。

另外，财政部的海关署根据所提供的标准对进口货物进行检验或偶尔进行扣押，以协助食品安全管理部门的工作。至于海产品和鱼类安全检验可以根据自愿的原则,向国家海洋渔业局(NMFS)申请检验、出证。

美国各州、县(郡)主要负责本州内食品生产销售的安全,州与州之间运输、销售以及进出口的食品由联邦政府负责检验和签发安全合格证书;州、县(郡)各相关职能部门一般不直接进行食品安全的检测(卫生方面),主要进行卫生许可证发放,包括餐馆、商场、奶牛场、牛奶加工厂及食品加工厂。APHIS 和 FSIS 分别对检验检疫职责范围内的生产厂家进行驻厂检验检疫和监督管理,同时 FSIS 派出巡视员或督察官员不定期对生产厂家进行监督检查及进行评估和监测,联邦政府为州及地方政府检验检疫部门提供科技、信息咨询及培训帮助,保证双方运作能等同,并符合法律、法规的要求。当然,在贯彻和执行国家联邦层次职能部门的一些食品技术和管理规范时(如 FDA food Code),州、县(郡)也可以制定自己的食品规范。

在美国,还有一些部门在研究、教育、监督、标准制定以及在处理突发事件等方面设置了相关机构,包括 DHHS 的疾病预防和控制中心(CDC);国家卫生研究所 (NIH);USDA 的农业研究局(ARS)、州际研究、教育和推广合作局(CSREES)、农业市场局(AMS)、经济研究局(ERS)、谷物检验、包装和储存管理局(GIPSA);美国食品法典办公室等。

2. 法律法规体系

国会制定法令以保证食品供应的安全并建立全国性的保护机制,行政部门负责法令的实施,并可以颁布规章来实施法令。由国会制定的法令授予管理机构很大的权力,但也对管理行为设置了限制措施。在必须强调新技术、产品或健康风险的时候,管理机构可以有一定的灵活性,在没有新的立法的情况下就可以对规章进行修订或修改。

美国与食品安全监管相关的法律法规有:联邦食品、药物和化妆品法(Federal Food, Drug, and Cosmetic Act,FFDCA)、联邦肉类检验法(Federal Meat Inspection Act,FMIA)、禽类产品检验法(Poultry

Products Inspection Act,PPIA)、蛋产品检验法(Egg Products Inspection Act,EPIA)、食品质量保护法(Food Quality Protection Act,FQPA)、公共健康事务法(Public Health Service Act)。

涉及食品安全的有害物主要包括致病微生物、农药残留、兽药残留、放射性污染、真菌毒素、重金属和其他化学污染物、违禁食品添加剂。

3. 司法程序

食品安全管理机构必须遵守的程序性法令包括“行政程序法”(APA)、“联邦咨询委员会法”(FACA)和“信息自由法”(FOIA)。APA 对制定规章的过程提出了特定的要求;FACA 要求只有能够向政府提供咨询的团体才可被设立为咨询委员会,而且委员会的组成必须使其能够平衡各方面的利益以避免纠纷,委员会必须公开召开委员会会议并向委员会以外的人提供发表意见的机会;FOIA 规定公众有获得联邦机构信息的法定权利。

规章的制定与修订是在公开和透明的程序下进行的,这不仅允许,而且鼓励受管理的行业、消费者和其他资金持有者参与到规章的制定和颁布的过程中。在制定新法规和修订现有法规时,管理机构经常通过发布“拟议规章预告”(ANPR),向公众提供初步讨论和发表意见的机会。管理机构可以利用来自于公众的信息,以决定是否和如何使制定规章的工作更进一步完善。所有重要的公众意见必须在最后的规章中得到表达。APA 要求最后的规章必须根据政策的合理性、科学依据和法制权力等进行调整。

当遇到特别难以解决的问题时,需要向管理机构以外的专家进行咨询。这时管理机构可以选择召开公开会议或召开咨询委员会会议。召开公开会议时,可以根据管理机构的需要,通过非正常程序将专家和资金持有者召集在一起。这类会议可用于收集公众对某一专题或今后的项目的看法。召开公开会议和咨询委员会会议应在“联邦记录”上发布信息,除非讨论特定问题,比如贸易机密、秘密的商业信息或个人医疗信息等,否则会议应公开举行。

4. 预防措施

预防和以科学为依据的风险分析是美国食品安全决策的基础，美国食品安全的法律、法规和政策均是建立在风险分析的基础之上。风险分析包括风险评估、风险管理和风险信息交流。

(1)风险评估:由于绝对准确的风险评估是不可能的,美国用于风险评估的决策程序以保证风险不会被低估为原则。由以下步骤组成:①危害的识别;②危害描述;③暴露量评估。

(2)风险管理:风险管理的目的只有一个,就是为美国的消费者提供高度的保护。风险管理的原则就是尽可能使风险降至最低程度或可能达到的程度。例如,美国法律要求食品添加剂、动物药物和农药在使用前要设定安全标准,因此风险管理决策是根据非常实际的科学依据进行的。对于存在于食品成分中的有害物质(如,马铃薯所产生的低含量的天然毒素)或不可避免的食品污染物(如,鱼体内的汞、谷物的黄曲霉毒素),当其含量达到可以产生显著的风险时,政府就会出面干预。科学证据的数量和质量可以随着风险决策类型的变化而变化。

作为风险管理的一个例子,美国的联邦食品管理机构每年都一起制定一个系统性的、以风险为依据的年度采样计划以检测美国食品中的药物和化学残留。违反规定的残留量信息可作为制定标准、执行标准和其他随后活动的依据。

(3)风险信息交流:美国法律要求政府在制定规章时,要接受并考虑那些以事实为依据的意见作为决策参考。任何人都可以提出意见,包括美国以外的人也可以提意见。每一项法律要有其本质依据,每一条规则要有其事实依据。政府所依据的信息可以提供给任何人检查。政府部门可以使用公用通讯媒体向公众解释各项规章的科学背景。

当需要进行紧急风险信息交流时,可通过全国性的电信系统发出警告,电信系统将各级食品安全体系和全国性媒体联系起来,使全国人民都对这种风险产生警惕,并立即通过全球信息共享机制向国际组织(WHO、FAO、国际家畜办公室和WTO等)、地区(比如欧盟)以及各国通告。

二、美国农产品生产加工包装情况

美国农产品绝大部分均是包装上市,包装企业在农产品质量安全控制中处于核心地位。包装企业既要将品质优良、无污染的农产品供应市场,又要严把进货关,指导农产品生产与合理使用生产资料和调整产品结构。主要表现在以下几个方面:

1. 提倡规模化种植,监督生产资料的使用

在美国早已实施了农产品市场准入制度,蔬菜、水果等农产品生产资料的使用较为规范化。蔬菜种植面积大而且集中,加州每个农户平均种植面积约310英亩;栽培模式相同,采用标准化种植。农药等农业生产资料年初要报计划给县农业局审批同意后方可付诸实施;包装批发企业也经常抽查蔬菜基地生产资料的使用情况,检查使用记录,如有不按规定使用农药、化肥的现象,即终止收购该农场的蔬菜。

2. 及时分类包装,减少中间环节污染变质

为了确保蔬菜、水果等鲜活农产品的质量安全,通过调节布局,以地区和品种的选择而使收获期不同,保证了市场的平衡供应。同时,一些经营本国产品的包装批发企业直接在生产基地建厂,这样使产品采收后能得到及时分类包装,从产地采收后基本实现低温运输和贮存,转运速度也快;批发商收购蔬菜后立即送当地授权的具备先进检验仪器设备(如气质联用、液相色谱等)和简便快速的检测方法的检验机构检验,质量安全指标符合相关准则准许进入市场销售,不合格者就地销毁。不仅控制了不合格产品进入市场,也减少了临时堆放和无包装运输过程中的腐烂及有毒有害物质的污染,同时保证了农产品的新鲜度,相对延长了产品货架保质期。

3. 加强企业管理,实施HACCP认证

HACCP在美国的食品生产企业使用较为广泛,这些年在农产品

的生产加工企业中也纷纷开始使用,期望通过分析农产品生产加工包装过程中可能存在的影响产品质量安全的关键点,提出解决措施并督促检查,从而确保农产品的质量安全。培训考察中访问的加州海岸农产品包装批发公司等3家大型农产品包装批发企业均建立了HACCP管理体系。公司管理人员普遍认为,利用HACCP后管理更加科学规范,雇员的工作环境得到明显改善,企业加工的产品质量安全有了保证,订货的客户(尤其是常年固定大客户)增多,企业增效,政府和消费者满意。

此外,在考察中也发现美国的部分企业申请有机食品认证,但都是企业的自觉行为,政府不介入。这些企业更看中的是通过产品认证,扩大销售量及范围,创立自己的品牌。

4. 完善包装条件,实现产品低温贮运

农产品包装批发企业的共同特点是厂区(特别是加工车间)的管理十分严格。投入较大资金建立符合防鼠、防蝇、防污染的包装车间,购置先进的包装设备,建立大容量的可以调节温湿度的低温冷库。仅一盒用做沙拉的菠菜,就要经过淋洗—筛分—分级—脱水(表面水)—去杂—磁性金属物检验—分装—称重—封装等多道工序。保证从种植田间收购的蔬菜能够及时处理包装好后进入冷库或低温运输至销售场所,而且每个公司都有专门的符合卫生要求的集装箱式的低温保存车负责运输。

三、美国农产品批发市场情况

培训考察团在美国期间有幸在洛杉矶县原农业局副局长 Jits Teruya 先生的陪同下,现场参观访问了美国销售量最大的洛杉矶中央农产品批发市场,并了解了洛杉矶整个农产品批发市场的运行机制和质量安全监督机制。

1. 洛杉矶农产品批发市场的规模及构成

洛杉矶农产品批发市场位于洛杉矶市奥林匹克大街,年农产品批发销售量达35亿美元,全美排名第一。由洛杉矶中央农产品批发市场、城市农产品批发市场、阿拉米达农产品批发市场及附属市场4个批发市场及周边地区组成,占地总面积达138英亩,约有450家农产品经销商。其中中央批发市场大规模经销商有25家,经营的农产品种类多达450余种,包括国产及进口蔬菜、水果及花生、豆类等农产品。所有销售农产品均必须有符合标准的包装,并标注产品名称、产地、数量和等级,个别农产品还要求标注品种名称。

(1)洛杉矶中央农产品批发市场:1986年洛杉矶农产品批发市场完成了现代化改造,并正式营业。市场占地29英亩,拥有50万平方英尺的货物贮藏室,3.5万平方英尺装卸位及1万余平方英尺的办公室。市场建有88个货位,共有25家大型批发从事公司的农产品批发交易,该市场建有3个出口,每幢仓储建筑均建有大吞吐量的装/卸货位。市场设施由经销商组成的农产品市场发展联合体拥有,并由联合体负责管理。

(2)城市农产品批发市场:城市农产品批发市场是洛杉矶市最古老的农产品批发市场,又称为第9街农产品市场,始建于1909年,属私有农产品市场,占地10—12英亩,约有50家经销商从事农产品批发交易。

(3)阿拉米达农产品批发市场:阿拉米达农产品批发市场又称第7街市场,占地10英亩,属阿拉米达农产品市场联合公司拥有。市场近期完成了对仓储和门面用房的翻新与装修。该批发市场内多数经营者为小规模私有企业。

(4)附属品批发市场:与洛杉矶农产品批发市场相邻,占地8英亩,多为小规模私有企业在此从事农产品批发交易。

农产品批发市场在洛杉矶具有200余年的历史。早期,农产品批发市场规模小,数量多,农民将自产的当地水果、蔬菜用马车运送到市场并直接卖给消费者。随着洛杉矶市区扩大,对市外农产品的需求量不断增大,促进了农产品批发市场的发展。今日的洛杉矶农产品批发市场不仅经营当地生产的农产品,而且经营地区性、全国性及世界各地的农产品,已发展成为全美经营量最大的农产品批发市场。

2. 批发市场的农产品来源及配送销售

洛杉矶农产品批发市场营业时间一般为午夜0:00点至上午10:00点。批发市场经营的农产品来自于美国的50个州和美国以外的40多个国家。其中加利福尼亚州(下称加州)生产的农产品销售量位居榜首。向美国出口农产品的国家中,墨西哥和智利排名第一,此外,向美国出口农产品量不断增加的其他国家依次为阿根廷、澳大利亚、比利时、巴西、加拿大、中国、哥斯达黎加、多米尼加共和国、厄尔多尔、萨尔瓦多、委地瑞拉、洪都拉斯、意大利、日本、荷兰、新西兰、秘鲁、尼加拉瓜和南非,在美国进口农产品中,中国排名第7,特别是中国生产的大蒜占领了美国市场,其中红皮大蒜比白皮大蒜更为畅销。

约有60%的农产品销售在洛杉矶农产品批发市场进行,其余40%通过订货直接配送给零售商和销售公司。批发市场销售的形式包括连锁市场、独立零售市场以及机关、饭店、轮船、校区和军队的供给销售,此外还有通过代理人向加州以外其他州销售以及通过空运或海运向美国以外的其他国家销售。

3. 市场农产品质量安全检查与监督

市场销售的农产品不论是当地生产的还是外地生产运输到加州的,均必须符合加州食物与农业局(CDFA)标准和美国农业部(USDA)标准,一般各州制定的农产品标准比联邦政府制定的标准严格,而加州农产品标准在全美是最严的。洛杉矶县农业局检查官负责对洛杉矶农产品批发市场所有农产品进行质量安全检查。通常,根据经销商的要求或申请,美国农业部检查官员负责对外来农产品的到货检验。洛杉矶农产品批发市场对农产品质量安全实行从农田生产者到消费者的连锁责任制,一旦发生产品安全事故,很容易查找出责任工序或责任人。洛杉矶县农业局在洛杉矶农产品批发市场派驻有市场监管部,有5—6人专门负责洛杉矶农产品批发市场销售农产品的质量安全工作,其主要职能包括对经销商发证、调查抱怨事件、履行质量安全符合性检验、进行违规处罚以及进行销售者和生产者之间的第三方协调。销售者及消费者均可向县农业局或美国农业部派驻洛杉矶食品安全检查办公室提出农产品检查申请。

四、美国县级检测实验室情况

培训考察团此次专门到美国洛杉矶农业局，详细了解和参观访问了该农业局所属的环境毒理监测实验室，对美国县级农产品检测机构的基本情况和运行有了较深入的认识。

洛杉矶县农业局下属有 5 个主要部门，环境毒理实验室是其中的一个部门。该实验室成立于 1973 年，它是一个为政府机关、工业和环境工程提供检测服务和咨询服务的机构，是加州在县级政府层面上唯一的环境监测实验室。

1. 人员素质：该实验室主任是一位具有 25 年分析化学经验的环境毒理学博士，有 21 位化学分析师和微生物学家以及两位辅助人员组成，技术人员都有 12 年以上化学分析和微生物学方面的工作经历。

2. 仪器设备：该实验室配有完备的仪器设施，所有设备经常更新，并采用最新最有效的技术。日常实验室仪器设备有：

- GC/mass 气质分析仪及数据库　2 套
- GC 气相色谱仪（常规）　6 套
- HPLC 高压液相色谱仪　5 套
- ICP 离子色谱仪　2 套
- 原子吸收光谱仪　3 套

3. 检测范围：该实验室的人员和仪器配备常年能测试500 个不同物质，检测 120000 个样品，其内容有：

- 22 家国内自来水联盟提供的样品
- NPDES 允许的加盟者提供的样品
- 有害物质评价
- 铅测试
- 农药残留测试

4. 检验报告要求:实验室的检测结果是机密的,只提供委托单位使用。除非法律需要,否则,不经委托单位同意,报告不能发放给其他部门。该实验室是在加州卫生署认可的质量保证的正式文件下运行的,它使环保局和其他行政管理机构的质量控制具体化。实验室的质量保证和质量控制方针是:保证数据科学有效、公正、准确和精确。

5. 获奖和公认度:洛杉矶环境毒理实验室在农药测试方面在全州范围内被公认为是领先的单位。1986 年获得国家先进服务组织进步奖,1987 年获得洛杉矶县生产能力和效能奖。

6. 认证和认可:洛杉矶环境毒理实验室经加州卫生署认可,测试范围为:饮用水、废水、有害废弃物和农产品。该实验室还得到美国联邦劳动职业安全卫生部的许可进行血液中铅的测试。

7. 检测费用:洛杉矶环境毒理实验室的服务同样适用于私人和公众,收取的费用只是用来弥补服务所需的费用,不以获利为目的。收费标准每年由洛杉矶县审计员核准。

五、培训团共同的感受

1. 公众质量安全意识强:美国农产品生产、加工、销售全过程的质量安全意识很强,让人明显感觉到农产品质量安全已成为生产者和经营者的自觉行为。农民按操作规程从事种养业,科技素质高,守法意识强,什么时间用药,用什么药,怎样用药掌握得清清楚楚,更不会滥用。加工企业、超市在生产经营过程中按食品规范的要求保障食品安全,诸如温度、卫生条件、清洗消毒、包装物等均在严格的控制之中。

2. 管理部门分工明确:美国政府职能部门的明晰分工和协调配合为质量安全提供了有效保障。美国的食品安全管理体系,把部门的管理职能具体到某一类农产品,而不是将产、加、销分开来管理,这样执法主体和责任主体很明确,避免了部门间扯皮和工作交叉。

3. 检测体系完善:美国高度重视检测体系建设,人员和设施条件良好。FDA 和 USDA 都有遍布全美的检测机构或派出单位，负责相关职责范围内的产品质量安全检查和监督工作。而且，为了满足所针对产品的检查工作需要，高度重视检测机构的建设投资。仅县级检测机构的仪器设备配置，就已经是目前我国部分部级农产品质检中心所不能相比的。

4. 美国法规健全，宣传普及力度大。FDA 每二年更新一次食品法规(Food Code)，USDA 制修订农产品生产过程的标准规范，一些州政府通过举办食品安全月活动，提高公众的食品安全意识。

日本、韩国和香港地区农产品质量安全管理考察报告

（2002 年 5 月）

为了全面了解日本、韩国和我国香港地区（以下简称“两国一区”）农产品质量安全管理方面的做法，学习和借鉴“两国一区”的管理经验，摸清我国出口“两国一区”农产品质量安全的真实状况，经国务院批准，以农业部范小建副部长为团长的中国农产品质量安全管理考察团，于 2002 年 4 月 17 日—30 日，分别对“两国一区”的农产品质量安全管理情况进行了为期两周的实地参观和考察。国家标准化管理委员会、国家认证认可监督管理委员会和卫生部有关主管领导和同志参加了考察。现将有关“两国一区”的农产品质量安全管理考察情况报告如下：

一、中国内地与“两国一区”的农产品贸易情况

“两国一区”均属土地少，人口多，工业较发达，农业比重低、进口农产品比重大的地区，是中国农产品出口贸易的重要伙伴。2001 年中国内地出口“两国一区”的农产品贸易额，分别占出口农产品贸易总额的 36%、10%、12%；日本（2000 年统计数据）、韩国、我国香港地区从中国内地进口农产品贸易额，分别占其进口农产品贸易总额的 13.8%、10.4%、21.6%。

近一个时期“两国一区”均因农产品质量安全问题与中国内地发

生了一些贸易纠纷。先是日本以中国官方公布蔬菜农药残留超标率达47.5%为由,从2002年1月4日起,实施了"中国蔬菜质量安全检查强化月"活动,要求各口岸对从中国进口的蔬菜产品批批开箱检查,致使中国内地供日蔬菜周期延长,成本增加,品质下降,出口难度加大;随之韩国以欧盟已限制中国动物源性食品进口和日本加大了中国进口蔬菜质量安全检查频率为由,也加大了检查力度,加大了开箱检查比重,增加了疫病、农药残留、兽药残留及重金属等残留检测指标,对水产品则批批开箱检查;香港地区由于历史上和近年来的"毒菜"、"毒肉"、"毒蟹"(氯霉素污染)事件和禽流感风波,对内地进口农产品的监管更加严格。不仅要求产地出具农药使用报告、产地标识、质量安全保证卡、口岸检验检疫证书,还要经港方口岸检验,批发销售环节跟踪监测等一系列的检查,发现问题一律销毁。可谓程序复杂,项目繁多。

二、"两国一区"农产品质量安全管理的基本特点

(一)政府高度重视。"两国一区"农产品质量安全状况社会透明度很高,民众的消费安全意识强,政府对此问题十分重视,均将其纳入政府的重要议事日程。日本因"疯牛病"事件迫使农林水产省副大臣辞职;韩国总统金大中亲自过问食用农产品的质量安全问题,并成立了由国务总理主持的食品安全管理协议会,专门研究解决农产品质量安全问题;香港特区政府为从根本上解决食用农产品安全问题,2000年1月1日新组建了食品安全专管机构——食物环境卫生署。在他们看来,农产品安全直接关系到国民健康、政府形象、政权稳固和社会稳定,不容轻忽。

由于"两国一区"农产品进口需求量大,一方面考虑质量安全,另一方面也考虑对本地同类产业的影响,他们都将进口农产品质量安全作为重中之重加以管理,尤以日本和香港地区为甚。这一点从其口岸检验机关为数之多、人员之众、装备之精良即可见一斑。对本国和本地产品的质量安全管理,虽然标准与进口农产品的要求是一样

的，但检查程序、抽检比重、检验精度、检查频率等方面相对不如进口农产品质量把关那么严格，更多的是采取终端产品检查、产品质量认证、政策扶持、资金支持、技术指导与服务的方式。

（二）法律法规较为健全。“两国一区”农产品质量安全管理的各项行为均须依法进行，并由若干个法共同构成农产品安全法律体系，详见附表一。从表一可以看出：

1. 农产品质量安全立法大体上包括五个方面，一是食品卫生，二是农产品质量（包括品质），三是投入品，四是动物防疫，五是植物保护；

2. 与“两国一区”比较，中国内地主要是缺少一部农产品质量法。

（三）部门分工明确。管理部门少，分工明确，职责清楚，为“两国一区”在农产品质量安全管理方面共同特色之一。在安全管理方面，直接对社会发生行政执法行为的部门，日本、香港地区仅为两家，韩国为三家。

日本，负责农产品安全管理的，一个是农林水产省，另一个是厚生劳动省。农林水产省负责农产品生产过程中的安全管理和进口农产品的检疫工作；厚生劳动省负责流通农产品的安全性检查和进口农产品有毒有害物质残留检查工作。

韩国，负责农产品安全管理的为农林部、海洋渔业部和食品药品安全厅。农林部负责：一是种植业产品生产过程的安全管理；二是畜产品从“牧场到餐桌”全过程的质量安全管理；三是农产品、畜产品的进口检疫工作。海洋渔业部负责水产品生产环节的安全管理和进口水产品的安全性检查工作。食品药品安全厅负责进口和流通领域种植业产品的安全性检查，并指导上市水产品的安全性检查工作。

香港地区，负责农产品安全管理的，一个是渔农自然护理署，另一个是食物环境卫生署。渔农自然护理署负责本地农产品（包括畜产品和水产品）生产过程和批发市场农产品的安全自检管理工作；食物环境卫生署负责进口农产品和所有上市销售农产品的安全性检查工作。

至于农产品质量管理方面，“两国一区”均由农口一家负责，详见附表二。农产品从农田到餐桌的质量安全，全由一个部门管理难度很大，但管理部门不宜过多。

（四）质量安全标准全面、系统。日本、韩国农产品质量安全标准主要分两类。一类是安全卫生标准，包括动植物疫病、有毒有害物质残留等；另一类是质量标准。日本厚生劳动省颁布了200多个品种、1000多个残留限量标准；农林水产省已颁布7类、351种品质规格标准。韩国食品药品安全厅已颁布264个蔬菜、22个人参、22个茶叶农药残留限量标准；农林部已颁布127个品质规格和包装规格标准，69个畜产品残留限量标准。香港特区政府主要是实施农产品的安全性检查，其农产品品质要求则由供求双方约定。安全性检查依据的标准是各种规例，没有规例的，则依据食物环境卫生署制定的《进口指引》或参照国际标准执行。

另外，在农产品安全标准制修订方面，“两国一区”基本做法是谁主管，谁制定。涉及有关部门，由有关部门参加制定，并注意积极采用CAC（国际食品法典委员会）、OIE（国际兽医局）及IPPC（国际植物保护公约）标准。详见附表三。明确的分工和严格的标准制定程序，是建立农产品质量标准体系的保障。

（五）认证已成为国家农产品安全管理的重要手段。在日本和韩国，农产品质量认证和HACCP认证，已成为农产品质量与安全管理的重要手段，并普遍为消费者所接受，经认证的农产品较之未认证的农产品在价格上要高出1倍至几倍。该认证有如下特点：第一，符合农产品质量安全标准是取得认证的基本前提；第二，认证主体为政府机构或政府支持的行政性组织。日本为农林省所属独立行政法人组织——农林水产消费技术中心，韩国为国立农产物质量管理院和国立兽医科学检验院；第三，认证的法律与标准由官方制定；第四，申请自愿、违法严惩；第五，认证形式多样。日本农林水产省推出的JAS认证中有普通JAS认证（质量保证性认证）、特定JAS认证（加工工艺的认证）和有机JAS认证。韩国农产品质量认证有普通质量认证、有机农产品认证、低农药农产品认证、无农药农产品认证、转换期有机农产品认证等。两国都开展了 GMO 标识认证(详见表四)。此外,两国均允许非官方的认证。值得一提的是生产者自我质量声明,不少生产者在产品的包装或销售点贴上自己的照片及联系电话,还有的生产者对农产品生产的过程控制、产地条件和减施农药、化肥情况逐一表述,让消费者一目了然。认证产品普遍在市场设有专销区,以示区别。

为鼓励和推广 HACCP 认证,使农产品质量在生产、加工环节就得到保障,两国均采取了鼓励政策。日本于 1998 年开始,对采用 HACCP 的农产品加工企业给予三项支持:第一,低息贷款,2002 年拟发放 100 亿日元,利息 1.6%,偿还期 15 年。第二,降低设备折旧率,厂房 7%,设备 14%。第三,减免用贷款购置的房产所得税。

在香港地区,农产品的质量认证刚刚起步,有渔农自然护理署和蔬菜统营处联合推出的“有机蔬菜”和“转型有机蔬菜”认证,蔬菜统营处推出的“好农夫”牌“信誉蔬菜”、“信誉农场”和“信誉菜档”认证。由于起步晚,目前尚不够规范和完善,认证的品种和数量也较少。

把农产品质量认证分为无公害、绿色食品和有机食品,大体符合国际通行的做法。

(六)实施机构健全、检测手段先进。日本、韩国均设有较健全的农产品质量安全检验检测机构,且人员优秀,仪器精良,技术先进。

日本农林水产省设有独立行政法人组织——农林水产消费技术中心,该中心除东京本部外,在神户、横滨等各大区设有 7 个分中心,共有技术人员 480 余名。在动物防疫方面农林水产省尚设有 1 个本所、6 个支所、17 个出张所、170 个家畜保健卫生所,有 2000 多名兽医技术人员。在植物病虫害防治方面,在县级设有 180 个防治所。这些机构具体负责农产品质量安全检验检测、质量认证、风险评估、动植物防疫检疫，多种技术服务与指导工作。厚生劳动省在东京、横滨、神户、名古屋、大阪等地设有13个口岸检验所，其中东部的横滨检验所和西部的神户检验所仪器设备和技术水平最高，主要负责进口农产品（包括加工食品）的安全性检查。

韩国农林部设有国立农产物质量管理院、国立兽医科学检疫院，“两院”在各大区设有支院，各支院设有出张所，主要负责种植业产品和畜产品的质量安全检验检测、质量认证、技术服务工作；海洋渔业部下设水产品检查所及其各支所、出张所，主要负责水产品的质量安全检验检测工作；食品药品安全厅下设检验所、地方政府（省级）也设有食品药品安全检查所，主要负责市场农产品（不包括畜产品）的安全性检查检验工作。

两个国家检验检测机构的仪器设备层次高、门类全、配备齐，适合大批量、多项目、高精度、高速度检验的需要，且均由国家出资购置，其检验技术人员开支统一纳入财政预算。

香港地区实行的是农产品质量安全检验检测机构社会共享机制。全港除批发市场自检设备外，官方有三个农产品质量安全检验检测机构。一是特区政府直属的政府化验所；二是渔农自然护理署所属的兽医化验所；三是食物环境卫生署所属的口岸检查站。食物环境卫生署在农产品质量安全检查过程中，除所属的口岸检查站承担入关检测外，其他农产品（如超市农产品）的检验工作均委托特区政府化验所和兽医化验所承担。检验机构统一由特区政府规划和投资建设，政府各部门共同使用。

在韩国和香港的批发市场，普遍配有速测设备，与目前我国市场配备的速测设备大体相当，速测结果可以作为处罚参考依据。

（七）对违法行为处罚严厉。在日本，假冒JAS认证标识或标有JAS标志但产品达不到JAS标准要求的，对个人处一年监禁和100万日元的罚金；对企业法人处1亿日元的罚金。在韩国，凡发现经营农产品不符合质量安全要求的，即可责令对产品进行废弃处理、延期收获或改变用途；凡是应该标识而未标识或标识不正确的，处1000万韩元的罚金；对获得认证的产品，如果发现产品质量安全指标不合格，政府即可取消认证证书，责令停止使用认证标识和上市销售；对假冒认证标识的，可处3年劳役（判刑）和3000万韩元的罚金。在香港地区，农产品质量安全执法更严，处罚更严厉。凡发现经营产品安全指标不合格的，可对货物进行扣押和销毁，并处以6个月的监禁。

严厉的行政执法与处罚对“两国一区”农产品质量起了保驾护航的作用。广泛的社会监督，也是做好这项工作的一个重要方面。日本充分发挥社会监督作用，给人留下特别深刻的印象。日本消费者和新闻媒体均有很强的农产品质量安全意识。据2000年调查结果表明，消费者在选择农产品时，首先考虑安全性的占82%，而首选价格因素的仅占10.5%。新闻媒体传播的信息以及消费者所作出的反应，对农产品生产者构成了强大的压力。日本最大的食品企业“雪印公司”就是因为酸奶中毒事件，在新闻媒体曝光之下，在一个月内倒闭。

（八）信息发布口径统一。在日本，农产品安全性检查结果、进口产品的安全状况和国内市场产品的安全状况，只有厚生劳动省一家有发布权。农产品质量检查结果则由农林水产省一家公布。在韩国，市场种植业产品的安全性检查结果只有食品药品安全厅一家对外公布。种植业产品生产过程中的质量安全检查结果和畜产品及其加工品的质量安全检查结果由农林部一家对外公布。在香港，所有进口农产品和上市农产品的安全性检查结果均由食物环境卫生署一家公布。

（九）农产品质量安全监管经费有保证。“两国一区”农产品质量安全管理所需经费均是在政府正常预算中列支，尤其是检验检测经费，一律根据当年工作计划由财政足额解决。2001年，日本政府财政预算安排农林水产消费技术中心的总经费高达49亿日元，主要用于农产品的质量安全检查、认证、培训和仪器设备更新添置。韩国政府2001年支持农林部用于农产品质量安全管理的经费高达102.89亿韩元。其中农产品质量安全性检查76.7亿韩元，品质认证管理8.06亿韩元,地理标识管理2400万韩元,GMO标识管理8.88亿韩元,原产地标识管理9亿韩元。香港地区政府在2001年安排的农产品安全检查专项经费达1000多万港元,用于禽流感监控的专项经费达3000多万港元;政府每年在农产品安全工作方面的经费预算,用于信誉农场的经费125万港元,用于牲畜护理和食用安全测试的经费2295万港元。

由于财政支持经费充足,“两国一区”的农产品质量安全技术检测机构没有收费行为和创收现象。

三、中国供应“两国一区”农产品质量安全状况

日本、韩国和香港地区的批发市场和超市里面,从中国内地进口的农产品比比皆是,品种丰富。从消费者的选购情况看,尚看不出中国内地农产品有什么质量安全问题。在走访“两国一区”有关进口检查机关时,其检验结果也进一步证实了中国农产品质量安全水平远没有日、韩两国媒体所渲染的那么严重。据日本厚生劳动省最大的口岸检验所——横滨检验所介绍,今年1—3月,该所共抽检从中国进口的蔬菜样品3000多件,经严格的检测,只有12个样品农药残留微有超标,不到0.4%。另外,据韩国食品药品安全厅所属进口农产品安全化验所介绍,今年1—3月,所检的2400多个从中国进口的蔬菜样品,农药残留超标的只有9个,也不到0.4%。同时,据我国香港食物环境卫生署提供的检测数据,近两年内地农产品质量安全总体水平有了跨越式的提高。1998年上半年,内地输港生猪“瘦肉精”检出率高达40%,1998年下半年检出率下降到8%,1999—2000年下降到1.5%,2001年上半年下降到0.5%。2001年下半年,香港本地生猪的“瘦肉精”检出率0.8%,内地输港生猪的“瘦肉精”检出率已下降到0.05%。内地输港蔬菜农药残留不合格率近期也极低。香港食物环境卫生署2001年抽检的13849个内地蔬菜样品,农药残留超标样品41个,不到0.3%;2002年1—3月,共抽检内地蔬菜3400个样品,超标样品12个,超标率仅为0.35%。

从总体上看,中国内地输日、输韩和供港的农产品质量安全是基本有保障的,“两国一区”消费者并无特殊的关注和恐慌。

四、几点建议

(一)应尽快出台《农产品质量法》。以我国目前现状和国际经验做法看,没有一部强有力的法律和一整套科学的标准,农产品质量安全工作很难做好,要下决心解决立法问题。首先是尽快制定一部专门的《农产品质量法》,以规范农产品的生产、加工、经营行为,规范无公害农产品、绿色食品和有机食品的管理,切实做到有法可依、违法必究。其次要加快农产品质量安全的配套法规及技术法规的制定,包括《无公害、绿色、有机农产品认证条例》、《植物防疫法》、《农药管理法》、《农产品产地环境管理法》等法律及农药残留、兽药残留限量标准和检测方法等标准。

(二)尽快明确部门分工。由于历史的原因,目前国内涉及农产品质量安全管理的部门有十几个之多,彼此之间职责不清,责任不明,既增加了国家行政管理成本,又造成工作效率低下。此局面不改,农产品质量安全实难管好。建议国务院责成有关部门本着“统一、精简、效能”的原则,尽快解决这一问题。借鉴“两国一区”的经验,负责农产品质量安全管理的部门宜少不宜多,职能宜归不宜散。当前的重中之重是要加强农产品在生产过程中的质量安全管理和市场流通农产品的安全性检查工作。

(三)切实加大农产品质量安全管理工作资金的投入力度。从农产品安全管理工作的性质和特点看,没有资金保障这一条,即使有了法,明确了主管部门,也难以真正做好。参照“两国一区”的做法,应下决心加大农产品质量安全监管工作的资金投入,保证足够的监管经费,并纳入国家财政预算管理。

表一：中国内地与“两国一区”农产品质量安全立法情况表

类别＼区域	中国内地	香港地区	日　本	韩　国
食品卫生	《食品卫生法》	《食物内有害物质规例》《食物内防腐剂规例》《进口野味、肉类及家禽规例》	《食品卫生法》	《食品卫生法》《畜产物加工处理法》
农产品质量（包括品质）	无	无	《农林物资标准化及质量标识管理法》	《农产物质量管理法》《水产物质量管理法》
农业投入品	《兽药管理条例》《农药管理条例》《饲料和饲料添加剂管理条例》	《除害剂条例》	《农药管理法》	《农药管理法》
动物疫病和防疫	《动物防疫法》	《公众卫生（动物及禽鸟）条例》、《海鱼养殖条例》	《动物防疫法》	《畜禽传染病预防法》
植物保护	《植物保护条例》	《植物进口管制及病虫害控制条例》	《植物防疫法》	《植物防疫法》
其他		《抗生素条例》《衣物掺杂人造糖规例》		《亲环境农业育成法》

表二：中国内地与“两国一区”农产品质量安全部门分工情况表

类别＼区域		中国内地	香港地区	日本		韩国		
				农产品	畜水产品	农产品	畜产品	水产品
安全管理	生产环节	农业部	渔农署	农林省	农林省	农林部	农林部	海洋水产厅
	加工环节	多部门待定	渔农署批发市场自检	厚生省	厚生省	食药厅	农林部	
	流通环节	多部门待定	食环署抽检	厚生省	厚生省	食药厅	农林部	食药厅指导
	进口	质检总局	食环署	农林省进口检疫；厚生省残留	农林省检疫；厚生省残留	农林部检疫；食药厅残留	农林部检疫；食药厅残留	海洋水产厅
农产品质量（包括品质）		农业部	渔农署	农林省		农林部		

表三：中国内地与“两国一区”农产品质量安全标准情况表

单位：个

类别＼区域	中国内地		香港地区	日本	韩国
	国标	行标			
质量与包装标准④	220	204	无	313	351
有害物质残留标准	限量：197② 方法：41	限量：1③ 方法：48	59①	217	1000多

注：①香港地区的59个标准为动物产品、农兽药残留标准；

②其中农药残留限量标准197个，兽药残留限量标准0个；

③其中农药残留限量标准0个，兽药残留限量标准1个（农业部规章，含90多个兽药残留限量指标）；

④农产品包装标准多为前轻工等部门制定，且时间大部分为1990年前后，需修订。

表四：中国内地与“两国一区”农产品质量安全认证情况表

类别＼区域	中国内地	日　本	韩　国	香港地区
农产品安全	准备开展无公害认证	HACCP	HACCP	无
农产品质量	绿色食品认证	普通 JAS 认证（质量保证性认证） 特定 JAS 认证（加工工艺的认证）	普通质量认证 低农药农产品认证 无农药农产品认证	“好农夫”信誉蔬菜认证 信誉农场认证 信誉菜档认证

我国台湾地区农产品批发市场建设与管理考察报告

（2001 年 11 月）

应我国台湾地区财团法人农村发展基金会邀请，农业部农产品批发市场建设与管理考察团一行 10 人，于 2001 年 11 月 19 日—28 日在台北、台中、台南、嘉义等地对农产品批发市场、农会、合作社、大学、农业改良（试验）场（所）等 10 多个单位进行了参访、座谈，从不同角度和层面考察了台湾地区农产品流通模式、分级包装、质量安全管理以及市场信息、农民合作组织、农政管理等方面的有关情况。

一、农产品批发市场建设和管理

台湾农产品批发市场自 1973 年开始依法筹建，有近 40 多年的发展历史。台湾农产品批发市场建设和管理给我们留下的突出印象：一是将批发市场明确定位于公用事业而不是以盈利为目的的公司，并基于这个定位，加强市场管理；二是批发市场在农产品运销中的作用比较突出，发挥着商品集散、价格形成、信息传递、产销调节和质量控制等多方面的功能；三是虽然仍以小农经营为基础，但批发市场交易和管理的现代化程度较高。

台湾在农产品批发市场建设和管理上，有以下几个方面的特点：

1. 健全的法律法规。台湾关于农产品营销的法律法规比较健全，主要有“农产品市场交易法”、“农产品市场交易法施行细则”、

“农产品批发市场管理办法”等，还有与市场运作和管理紧密相关的“农会法”、“农民团体共同运销辅导奖励办法”、“农产品分级包装标准与实施办法”、“农产品贩运商辅导管理办法”等。这些法律法规涉及批发市场建设、管理和运行的方方面面，明确了批发市场的性质、主管机关和运作方式。

2. 统一的建设规划。台湾明确规定了设立农产品批发市场的基本条件，使市场建设能够做到科学规划。具体为：果菜市场以每乡、镇、市、区各设一处；家畜（肉品）、家禽市场以每县、市各设一处；渔市场以每一渔会区域各设一处；在直辖市区域内设立各类农产品批发市场，以人口每满50万人各设一处为原则。在提出这些基本原则的同时，还规定：各地方主管机关“得视实际需要报请中央主管机关核定增减或与邻区合并设立之”。也就是要求“行政院农委会”进行市场数量的调整和布局规划，从而避免重复建设和恶性竞争。台北市200多万人口，有三处分隔较远的果菜市场；整个台湾省有台北、彰化、台中和台南四大花市，这样的数量和布局看起来是比较合理的。

3. 市场的专业性强。这次我们在台北考察的几处市场，分别是花卉、果菜、水产品的专业市场。台北第一果菜市场与台北水产品市场虽然仅一墙之隔，但却是两个独立的市场。据了解，台湾的大多数农产品批发市场是以专业市场为主，不盲目求大、求全。市场经营形式依不同农产品运销、交易的不同特点和产销规律决定，便于市场实行专业化运作和现代化管理。

4. 积极推动拍卖交易。台湾的花卉、果菜、生猪、水产品批发市场大多已经采取拍卖的交易方式，并采用现代化的电子设备，改变了传统的人工竞价方式。拍卖特别是电脑化拍卖，减少了“菜霸”等恶势力操控市场的可能，克服了管理者与交易者“暗箱操作”等人为因素的干扰，对维护市场秩序起到了很好的作用。据了解，台北花卉市场拍卖时平均一个小时能成交2200件商品，台北农产运销股份有限公司的两个果菜批发市场，每日交易蔬菜约1200吨，水果约700吨，75%的蔬菜和50%的水果实现了电脑化无线竞价拍卖。经营的产品不同，拍卖设施也不一样，花卉、生猪是场馆式的，货动人不动；果菜是移动式的，人动货不动，较好地适应了不同农产品的交易特性。

5. 严格的商品和客户管理。台湾的农产品市场管理具体而细致。在商品的管理方面：要求入市商品进行分级、包装，在包装上标明供货商、品名、品级和数量等。这种分级和包装看起来只是对农产品的简单处理，但却是提升农产品质量的重大变革，对于农产品大量而快速地集散是非常必要的。在对客户的管理方面：对供货商有统一的编码，有完备的资料，能够清楚供货商的基本情况，并确切地知道商品的来源；对承销人实行严格的资格审查，要求承销人有较好的信用、较大的经营规模和较强的经营能力。例如，台北花卉市场的"供应单位"申请流程为："供应单位填写申请书—文件备齐后由当地乡（镇、市）农会、公所或合作社场发文代为提出申请—函文直接发至台北、台中或彰化市场（就近选择其中一家）—资料初审—通过审核后，10 天内核发正式供应代号并同时函文发至其他花卉批发市场使该供应代号可以多家市场同时启用。"

6. 切实有力的支持。基于农产品批发市场是公用事业这一基本认识，台湾各级"政府"和农政部门对批发市场的建设高度重视，给予了切实有效的支持。一是在市场土地利用上按照农业用地对待，通常由"政府"低价租让给批发市场的经营者。即使是私有土地，也先由"政府"出面征用，再转给批发市场。二是给予财政补贴。财政对批发市场"地上物"建设的支持比例大体在 50% 左右。台北第一果菜批发市场总投资 2 亿元新台币，其中由"农委会"和"台北市政府"投资的公股占 45.5%。三是免税减费。台湾对农产品的交易实行免税。农产品进场交易的费用也很低。按照有关规定，批发市场只能收取交易额 5% 以下的手续费，而我们考察的几个市场实际执行只有 2%—3%。四是市场建成运营后，明确由独立的市场法人统一进行市场管理，其他部门和机构不得入场干预，避免多头管理。

目前，台湾农产品批发市场的数量已经基本稳定，主要任务在于提高市场建设和管理水平，包括在一些尚未建立拍卖制度的市场开展拍卖。随着现代超市、直销等流通方式的发展,台湾农产品批发市场也面临更加激烈的竞争,一些市场的经营者也在积极地参与和应对这种市场竞争。经营台北第一、第二果菜市场的台北果菜运销公司,就相继发展了19家专业超市,并且建立配送中心为其他单位提供生鲜食品供应,使传统批发市场与现代商品流通融为一体,焕发出新的生机和活力。

二、农产品质量安全管理

台湾农产品质量安全管理有以下特点:

1.重视农产品质量安全管理的立法,对体系建设投入较大。目前台湾涉及农产品质量安全方面的法律法规有:“农产品批发市场管理办法”、“农产品市场交易法”、“农药使用管理办法”、“食品卫生管理法”、“畜牧法”、“农药残留检测要点”(主要用于批发、拍卖市场农产品检测)、“蔬果安全管理办法”(主要是供军方农产品)等。完善的法律法规,为实施农产品安全管理提供了前提和基础。

台湾重视涉及农产品安全标准的制定修订工作,根据农业生产、流通和检验工作的需要,目前已针对20种不同作物,289种农药制定农产品中农药残留限量标准就已达1149项。

台湾药物毒物试验所等产品质量检测检验机构,均由台湾财政支持,购置先进仪器设备,配备技术人员以及工作实验室,经费充足,不需要靠收费或创收来维持其正常运转。作为一项公益性事业,所需人员、检测工作经费均由财政列支。

2.农产品质量安全管理部门职责明确,体系健全。台湾农产品质量安全管理分别由“农业委员会”、“卫生署”和“标准检验局”三个部门负责,各部门之间职责明确。农产品进入市场销售前的检验工作由“农业委员会”负责,市场销售农产品的检验由“卫生署”负责,进口农产品的检验由“标准检验局”负责。

“农业委员会”下设农业试验所和农业药物毒物研究所,负责全省的农药安全管理工作;在全省设有8个农药监测中心,14个农药检测站；同时在各乡农会、合作社、合作农场、果菜市场、超市设置农药残留生化检验站80多个。由畜产会设立了畜产品药物残留检验实验室，并负责培训屠宰卫生检查兽医师，派赴各屠宰场执行屠宰检验检查工作。

3. 快速检测（生化法）与化学分析检测结合，严格农产品市场准入。为解决农产品市场准入，台湾快速检测方法应用广泛，在主要的果蔬产地、批发市场和超级市场，均设立了农药残留检测站，对产地及进入市场的农产品实施快速检测。对于快速检测不合格的样品，再用化学分析方法进行准确定量检测。经检测不合格的样品，一律销毁，并通知生产者加强产地管理。通过财政建立风险基金，对快速检测误判的产品给予补偿。

4. 从分级包装入手，建立农产品产地追溯制度。目前台湾进入市场的主要果蔬产品均依据标准进行了分级包装，在产品包装上注明农产品名称、产地、生产者（编号）、产品等级、供应市场等。通过分级包装，一方面使好的产品在市场销售过程中建立了品牌和信誉，购买者一看包装便知其产品质量；另一方面，如果产品经检测发现质量问题，通过其包装所标注内容，便可直接追溯到该批产品的生产者，并直接影响其产品的市场信誉。

5. 加强生产过程管理，推行农产品质量认证，建立农产品品牌和信誉。台湾十分重视农产品的生产过程管理，推行农产品质量认证，认为这是保证农产品质量安全的源头和关键环节。目前在果蔬方面已经推行了GAP（吉园圃）、CAS（优良农产品）认证，在畜牧方面推行了ISO、HACCP和GMP认证。通过质量认证，提高了农产品的质量安全水平，树立了品牌产品在市场中的信誉。

为了鼓励农民生产符合安全标准的蔬菜、水果，从1993年开始，台湾开始推行“吉园圃”标志（GOOD AGRICULTURE PRODUCT），现已成为台湾消费者认可的安全蔬果主要标志。在生产管理上，特别强调这样几点，一是正确使用农药，强调适时适地适种、病虫害防治和遵守安全采收三个环节；二是“吉园圃”标志的推行，以产销班为对象，由各级农会加强对生产班的辅导；三是作物施药要有用药记录；四是产销班提出申请“吉园圃”标志，必须出具每个班员的产品均有检验合格的证明；五是要经过各农政部门、农会、药物所的审查和产品检测后，方可取得标志的使用资格；六是标志的有效期为一年，有关单位不定期对其产品进行抽检，若有一位班员生产的产品不符合标准要求，则取消全班使用标志的资格。目前已取得“吉园圃”标志的产销班有 270 多个。

三、农产品市场信息网络与信息服务

台湾农民家庭普遍拥有电脑，一些产销班十几年前就开始应用电脑，而一些农户家里的电脑至今已经更新三四代。

1. 信息网络成为沟通产销的重要渠道。1994 年起，“农委会”开始构建现代双向信息网络。2000 年 11 月，“农委会”整合农产运销相关的业务信息系统，包括行情与行销专区、农产品标准化规格化条码化专区及农产品电子商务专区等 15 个子系统，辅导台湾省农会、台湾省青果运销合作社、台湾区农业合作社联合社建立了农产运销资讯网。基层生产经营单位也十分重视上网宣传，如台南县玉井乡农会、彰化县大村乡台大兰园花卉公司等，都建立了因特网站，并通过电子邮件接受订货要求。

2. 批发市场依法提供价格行情查询服务。1980 年制定的“农产品市场交易法”及“农产品批发市场管理办法”规定，交易数量和价格要公示；经营者要配合有关调查，向交易者提供服务。根据这些规定，大型果菜花卉批发市场普遍提供了多种形式的信息服务。如台北农产运销股份有限公司，有关市场交易数量、价格及等级、规格等信息都及时导入果菜行情系统，提供语音查询、传真下载和网上浏览服务。台北花卉产销股份有限公司也开通语音行情查询专线，每天将当日交易价格免费提供给生产经营者，每月发布季节性行情分析。

3. 信息分析预测成为引导市场的重要手段。为了应对加入世贸组织开放市场的挑战，按照“畜牧法”的规定，台湾于 2000 年 1 月成立了“畜产会”。作为当局与畜产企业、农民组织之间重要的沟通桥梁，收集、整理、分析、发布行业动态，提供预测预警信息，建立产销平衡调节机制，稳定畜禽产品市场价格，是该会的主要职能之一。该会在县级设立调查站，乡镇设立调查点，从生产者中选聘调查员，定期收集饲养情况。经过汇总整理，联系岛内外市场价格行情进行综合分析，通过《畜产报道》(月刊)、畜产会网站等发布。在正确的信息分析预测基础上，该会运作畜产品价格保护调节基金，在稳定猪价、促销羊乳等方面取得了成功。

4. 农产品电子商务开始起步。台北县农会去年开始构建农会超市联合采购系统，即通过因特网把供应厂商、联合采购中心、区域中心和所辖超市联系业务网络化、电子化，开展农特产品电子商务(B to B)。目前已有台北区域中心的 9 家农会超市实现网上订货采购，初步达到了降低成本、提高效率的目标。台北县农会还建立农特产品 B to C 电子商务网站，提供具有乡土风味和地方特色的农特加工产品供客户上网点选。在线订货从去年 9 月的每天 5 件，发展到目前每天 25 件，预计再经过一年，可达到 50 件，营业额 6 万元新台币，实现保本。在农委会辅导下，云林县西螺镇汉光果菜生产合作社于 1999 年建立网站向消费者提供即时果菜产销信息，通过网络下单订购所需产品的服务。

台北县农会和汉光合作社探索电子商务取得了一些经验。第一，先商务后电子。台北县农会开办购物中心，运行 10 年，转制为超级市场，又运行 10 年，从事商品流通有丰富经验，并已形成成熟的商务体系，进行信息技术改造升级见效比较快。第二，商品标准化是网上交易的前提。台北县农会网站主要提供加工制品，商品包装化、条码化、特色化，消费者容易认知其内在质量标准。而汉光合作社主要提供自产的生鲜产品，配送难度大成本高，消费者无法实际感受和把握商品性状，容易引起对质量等级方面的争议。

四、农民合作组织在市场体系中的地位和作用

台湾农民组织形式多样，主要有农会、合作社和产销班。县、乡

两级普遍建立农会，广泛吸收农民参加，具有社区性和综合性特点；合作社是各类从事专业生产的农民自愿合作建立的经济组织，目前全岛有400多个，参加农户11万个；产销班是各类从事专业生产的农民自愿联合建立的以共同营销为主要目的的小规模合作组织。目前全岛有6300多个，参加农户11万个。

这些农民组织在台湾农产品市场体系中扮演着带领小生产者进入大市场的重要角色。

1. 建立集货场，实现分级包装。由于产量、场地、设施等方面的限制，单户农民进行产品分级包装比较困难。组织起来以后，一般都选择一块交通方便的共用场地，共同出资并接受当局的补助，建立地面设施，购置有关设备，经济有效地实现分级包装，达到进入批发市场的门槛要求。一些集货场还进一步建立了贮藏和初加工设施。

2. 形成商品规模，提升运销效率。农民合作组织办理共同运销，农民不用进城，就能以比较合理的价格将产品卖出去。随着直销方式和超市业态的发展，组织起来的农民可以方便地实现批量直接销售。如汉光合作社销售的全部果菜中，采取直销方式的已经占到95%以上；嘉南羊乳运销合作社联系108个社员和19个鲜乳配销处，日加工羊乳32吨，通过直销保证了产品质量，也大大增加了社员所得。

3. 共享销售渠道，共担质量责任。产销班的领头人很多是市场营销的能人，头脑活，门路多，有明显的带动作用。班内共同运销的货品，包装物上都有明确的标识，一旦出现质量安全问题，可以迅速准确地判定货品生产者，追溯到源头，并追究全班的“连带”责任。

4. 开办自营商业企业。如台北县农会，早在20世纪80年代就建立农民购物中心，通过共同购销来降低成本，为农民提供方便和实惠。进入90年代，农会购物中心纷纷扩大服务范围和功能，改制为农会超市，并于1996年成立7个农会超市区域中心，向超市供应生鲜蔬菜、水果、鱼、肉等，1997年成立联合采购中心，开始形成一个全面的连锁体系，目前已发展超市80家。

五、借鉴和启示

1. 加强对农业、农民的扶持和保护。台湾是工业化程度较高的地区,2000 年国内生产总值(GDP)中,农业仅为 2020 亿元新台币,占 2.1%,农村人口则不到总人口的 17%,但仍然把农业作为弱势产业,把农民作为弱势群体,保护很有力度。不仅始终重视包括市场建设在内的基础设施建设,而且在鼓励共同运销、推行分级包装、推进信息化等方面,也都有交易税收的减免和大量的补助补贴。

两岸农业都以小农经营为基础,农业和农民处于弱势是共同的问题。加入 WTO 后,内地农业可能面临更为严峻的挑战,加大对农业和农民的支持力度十分必要。第一,积极推进农村税费改革,减免农业和农产品交易税费。第二,利用 WTO 规则,用好"绿箱"、"黄箱"政策,支持农业生产和实施农民收入补贴。第三,加大对农业和农村的基础建设投入,切实改善农村生产和生活条件。第四,发展农村金融,为农业和农村经济发展提供有效的金融、保险服务。

2. 选好提高农民组织化程度的突破点。台湾从流通环节入手,组织产销班,开展分级包装和共同运销,使小农在进入市场的时候就成了有规模优势的大农,在不涉及土地流转、不触及土地制度的前提下,提升了农民的市场地位及其产品的竞争力。

提高农民的组织化程度,我们可以考虑把着眼点放在运销环节,借鉴台湾产销班、合作社的做法,从产地入手,组织分级包装和共同运销。目前,山东等省已经开展专业合作社试点工作,取得了一些成绩,但也还面临一些问题。下一步,应当总结各地合作社试点工作经验,解决存在的问题,推动运销专业合作组织的发展。

3. 充分发挥信息调节市场供需、提升产业素质的功能。台湾发展农业和农村市场信息体系有可取之处,比如,在服务主体上重视发挥行业协会、批发市场、合作社等民间机构的信息服务和引导功能。在内容结构上强调价格行情信息,强调从需求入手开展产销平衡分析,用前瞻性预测信息指导生产。在基础设施建设上多元化投入,集中组织共用软件的统一开发和推广，对产销班公用电脑给予购置补助，等等。

为充分发挥信息为结构调整服务、为农民增收服务的作用，第一，我们要重视行业协会、批发市场、龙头企业、中介组织、经营大户在信息服务中的作用，大力发展基层信息服务站和农民信息员队伍。第二，研究设立市场形势评估指标体系，建立农产品市场形势“晴雨表”系统，开展分地区分品种产销平衡分析预测，使信息分析预测工作逐步从生产领域向流通领域延伸，从初级农产品市场分析向加工制品市场分析延伸，从国内产品市场分析向国际产品市场分析延伸，从产量预测向价格预测转变。第三，在继续加强“菜篮子”产品批发市场价格收集工作的同时，进一步拓宽价格信息来源，增加价格信息种类，广泛收集其他产品各流通环节价格，特别是名特优新产品价格，充实中国农业信息网价格行情信息内容，多形式多渠道发布。第四，在组织“一站通”农村供求信息全国联播系统软件的集中开发的基础上，组织科技专家咨询系统软件的集中开发，进一步整合信息资源，向农民提供看市场、选项目、学技术、卖产品全程服务。

4. 加快农产品批发市场建设和管理步伐。两岸农产品批发市场基本构架相似，差距主要在于管理方面，既包括市场内部管理和交易制度，也包括政府对市场定位、管理和支持。

借鉴台湾在批发市场建设和管理方面的做法，一是要加快农产品批发市场立法步伐，进一步理顺农产品生产管理与流通管理的部门分工。二是明确农产品批发市场的公用事业性质，积极争取各级政府支持。三是逐步理顺批发市场管理体制，避免多头管理，减免税费负担。四是积极推动批发市场交易和管理的现代化。包括产品的规格化包装、分级分类销售、统一结算，以及尝试在有条件的市场开展农产品拍卖。

5. 建立健全农产品质量标准和检测检验体系，加强质量安全管理。台湾在农产品质量安全方面，曾经面临与内地相似的问题，在20世纪80年代后期，其不合格产品的比例曾经高达30%以上。此后台湾采取的一系列质量安全控制和管理办法，对我们很有启发。

加强农产品质量安全管理，首先，要完善相关质量标准体系，特别要加快农药残留限量标准、检测方法标准的制定修订工作进度，以满足开展农药残留检测工作的需要。其次，要加强检测检验体系建设，因地制宜、因产品制宜，开展质量安全检测检验工作。比如在果菜方面，可以考虑靠快速检测满足市场准入管理的需要，靠科学检测解决生产过程管理的问题。再次，逐步建立从“田间到餐桌”的全程质量安全控制。要从生产基地和市场入手，建立质量安全控制制度、质量安全管理责任制度和产品质量安全追溯制度等市场准入制度。最后，发展无公害食品和绿色食品，加强质量认证和标识管理，树立优质农产品品牌和形象，扩大其国内、国际市场占有率。

法国、德国农产品质量安全管理考察报告

（2005 年 3 月）

为学习、借鉴国外农产品质量安全管理先进经验，构建我国新时期农产品质量安全管理体系，提高我国农产品质量安全水平，2005 年 1 月 14 日—29 日，农业部“948”重大项目（国际通行农产品质量安全管理技术体系的引进与建立）子课题“农产品质量安全全程控制技术规范（HACCP、GAP）的引进与制定”课题组组织农业部农产品质量安全中心、农业部科技发展中心、全国畜牧兽医总站、中国水产科学研究院、中国农科院农产品加工所等单位的 6 位专家，先后对法国农业、食品、渔业及农村事务部，德国农业部，德国巴伐利亚农民协会，德国现代化养牛场，德国 GIF 公司等单位进行了为期 15 天的考察。现将考察情况报告如下：

一、法德农业及农产品贸易基本概况

法德两国均属欧盟成员国，农业发达，是中国最大的贸易伙伴国。

法国农业占整个欧洲农业的 23%，2001 年的农业生产总值为 655 亿欧元，是欧洲最大的农业强国。农业种植面积 3300 万公顷，占整个国土面积的 59%。农业人口 110 万，占总人口的 4%，其中 40% 从事畜牧业，20% 从事大面积耕作，14% 从事葡萄种植。法国农业在

整个国民经济中处于非常重要的地位，农产品生产、加工及食品工业在整个国民经济中的比重高达50%，是法国的第一大产业，每年营业额高达1150亿欧元，盈余额达78亿欧元。法国畜牧业发达，农牧场众多，牛的存栏量达2000多万头，是世界上重要的牛肉和牛奶生产国，酸奶、奶酪等产品享誉世界。法国农业在世界农业中也具有举足轻重的地位。甜菜产量居世界第1位，葡萄酒产量居世界第2位，牛奶产量居世界第3位，肉类产量居世界第4位，小麦、玉米产量居世界第5位，蔬菜、水果和马铃薯产量也位居欧洲前列。法国也是欧盟农产食品第一大出口国，20%的产品出口第三世界国家。

德国是欧盟国家中仅次于法国的第二大农产品生产国，国土总面积35.6万平方公里中，约一半用于农业生产。其中德国北部以种植业较多，南部则以畜牧业为主。畜牧业在德国农业中占有及其重要的地位，其产值占农业总产值的61.11%，远高于种植业38.72%的产值比重。畜牧业中以养牛业为主，其次为养猪和养鸡业。2003年牛的总存栏量为1338.6万头，其中奶牛饲养量达433.8万头，年产奶量居世界首位的荷斯坦牛便产于德国，其饲养量占德国奶牛总量的66%。

作为欧盟的农业大国，法国、德国对农产食品的质量安全非常重视，均制定了一系列的规章制度，从立法、科研、风险分析、风险评估、风险管理到食品安全全程监控等进行严格管理，以确保食品安全。

二、法德农产品质量安全管理的主要做法

法德在农产品质量安全管理方面采取了很多有效措施，主要包括以下九个方面。

（一）政府高度重视，专门立法加强管理

早在1905年，法国便有了第一部公共健康食品卫生法。疯牛病、二噁英事件的发生，使欧盟各国政府对农产品质量安全监管工作的重视程度大大加强，并专门立法加强管理。法国、德国除严格执行欧盟和国际组织［如国际食品法典委员会（CAC）、国际植物保护公约

(CIPV)、国际兽疫局(OIE)等]的指令和公约外,在本国也还有一套完善而严厉的法律。

法国为保证农产食品的卫生安全,调动了农产食品链中上至政府机关,下到农业生产者的各个环节,进一步加强农产品质量安全管理体系建设。此外,法国还通过法律明确规定,食品安全的责任由整个食品链上的各参与方共同分担。为此,法国政府在农产品生产、加工、分销等环节大力推行管理规范,如企业的自检自测和实验室资格认证,HACCP 制度,质量管理和质量保证认证,产品标准化,生产记录及可追溯制等,以增强生产者的质量安全意识。如法国 1993 年发布,1998 年修订的《消费法》,从产品的成分、生产加工一直到销售流通都进行了严格规定。1999 年发布的《农村法》,对农产食品生产加工企业进行了规范,并规定了食品的质量要求和检测内容。该法另外一个贡献是明确了质量安全管理中食品链的概念,即"食品的卫生安全始于田地和饲养场,并在加工过程中逐步形成",以及由此而产生的一个颇具影响的概念——可追溯性。法国农产食品质量安全管理中非常成功的一项制度——生产记录制度便源于此。1998 年 7 月 1 日颁布的《公共健康监督与产品安全性控制法》规定,政府在公共安全事务中(包括食品安全、医用产品安全和环境污染等),不仅要承担监督职责,更要起到警戒和预防的作用。此法同时对食品卫生安全体系重新进行了定义,并将风险评估从管理工作中独立了出来,以便使政府在农产食品中的决策更加科学和快捷。这些法律共同构成了法国的农产食品安全管理法律法规基础。

德国早在 1879 年就制定了《食品法》,目前实行的《食品法》包罗万象,所列条款多达几十万个。此外还有《动物饲养法》、《联邦自然保护法》、《动物福利法》等。2002 年以来,德国加快了有关农产食品方面法律法规的建设。国会新近通过了《有机标志法》,在此基础上又颁发了《有机标志条例》,近年颁布的《有机农业法》,把欧洲有机法案转化为了德国法律。为了保证国家制定的《食品法》得到实施,德国在 16 个联邦州的 440 个区县设立了覆盖全国的食品检查机构,联邦政府、各州和各地方政府都设有负责检查食品质量的卫生部门，对食品生产、加工、流通的每一个环节都进行严格的检查和监督。在生产层面，一旦有新的政策出台，生产企业也都自觉执行。如我们考察的奶牛饲养场，在《动物福利法》的执行中，除了按法律规定提供良好的饲养环境和饲养条件外，甚至连是否挤奶都由奶牛自己选择，饲养者绝不强求。这一方面说明了发达国家生产的机械化程度，另一方面也说明了生产者的自觉性和执行力。

国家的重视和法律的约束，使得法国、德国上下对食品质量安全的意识大大增强，即使是基层餐饮业经营者和一般消费者也知道如何鉴别、选购优质安全的农产品。

（二）管理部门明确分工，协调运转

德、法两国农产品质量安全之所以能始终保持在一个较高的水平，得益于其管理部门的明确分工和团结协作。

法国政府于 1999 年通过法律专门成立了“法国食品卫生安全署”（AFSSA），负责评价食品的卫生营养风险。随后又成立了“卫生监督所”（INVS）和“健康产品卫生安全局”（AFSSAPS），加强对食品卫生的监管。这些机构均为独立机构，不隶属任何部委，直接对“全国卫生安全委员会”负责，委员会是一个国家层次的综合协调机构，由与食品安全密切相关的健康部，农业、食品、渔业和农村事务部，经济、金融和工业部，社会事务、劳动和团结部组成。法国农产食品质量安全管理体系实行“一主多辅”的管理模式，分政府层面和技术层面，政府层面以农业、食品、渔业和农村事务部（农业和食品部）为主，经济金融和工业部（商业和消费部），社会事务、劳动和团结部（健康部）3 个部门为辅（负责风险管理和预防），技术层面由法国食品卫生安全署，法国健康产品卫生安全局，国家卫生监督所 3 个独立的技术机构组成（负责风险分析和卫生检查与监督）。其中农业和食品部负责动物源性产品的全部食物链，植物源性产品及其初加工，以及“从农田到餐桌”的卫生质量监管；商业和消费部负责跟踪管理植物产品初加工后的食品链，主要对销售和消费地点的产品进行检查，尤其着重检查交易的正当性及对消费者的保护；健康部负责水的质量安全。法国食品卫生安全署、法国健康产品卫生安全局、国家卫生监督所不仅负责农产食品的风险分析和卫生监督，还负责向上述3个政府部门组成的“全国卫生安全委员会”提交关于食品安全方面的意见和建议。

德国政府也于2002年11月1日专门成立了联邦消费者保护和食品安全局，负责食品、饲料的快速预警、风险管理和市场监控。该局隶属联邦消费者保护部。德国的食品安全管理体系同法国相似，也是由政府层面和技术层面组成。其中政府层面包括联邦消费者保护、食品和农业部（负责消费政策和消费者健康保护，风险评估与风险管理的组织协调工作），联邦消费者保护和食品安全办公室（成立于2002年，负责风险管理工作），地方消费者保护和食品安全管理部门（负责各州食品和饲料的卫生安全监督检查工作），联邦洲际消费者保护和食品安全管理委员会（综合协调地方部门）。技术层面包括联邦研究中心，联邦风险评估研究院。联邦研究中心向联邦风险评估研究院和联邦消费者保护和食品安全管理办公室提供技术支撑，研究院根据委员会的风险管理要求，向联邦农业部提出风险评估结果及政策建议，农业部结合风险管理和风险评估结果，协调地方做出决策。

此外，法国、德国农产食品安全管理部门除组织协调本国内的食品安全与消费者保护工作外，还必须与欧盟健康与消费者保护总局协调，以反映本国问题，执行欧盟指令。

法国、德国这种按照管理对象设置管理部门，明确管理权限，并将行政与技术相分离的做法，使各部门的分工更加明确，工作重点更加突出，整个食品安全管理体系的运转也更加协调。

（三）十分注重风险评估和风险管理

WTO/SPS协议规定：“世贸组织成员应以风险评估为基础制定卫生和植物检疫措施。”如前所述，法国、德国均成立有专门的风险评估机构对农产食品的安全进行评估。风险评估是法国、德国以及其他欧盟国家在农产食品质量安全管理中较为成功的一种做法。

法国为了更好地发挥科研机构在农产食品质量安全控制技术研究中的作用,为政府风险管理提供全面、科学的技术依据,同时也为了提高这些科学依据的独立性和透明度,于 1998 年 7 月 1 日专门通过《公共健康监督与产品安全性控制法》,把风险评估和卫生监督这种技术性相对较强的工作从管理中独立出来,并成立了"法国食品卫生安全署"和"国家卫生监督所",将分散的评估咨询机构集中进来,专门负责农产食品质量安全监督检查、公众健康状况的动态观察以及相应的风险评估工作。法国食品卫生安全署在食品安全方面有很大的权限,从原材料(动植物产品)的生产到向最终用户的分销都在其评估范围内。为保证评估的科学性,该机构的专家委员涉及营养学、微生物学、生物技术、传染型亚急性海绵状脑炎、物理和化学污染物和残留物、动物饲料、接触材料、添加剂、技术工艺辅助物质和香料、动物健康、水供应等诸多学科领域。

德国是风险评估和风险管理工作做得较好的国家之一。德国既有专门的风险评估机构——联邦风险评估研究院(Federal Institute for Risk Assessment, BfR),也有专门的风险管理机构——联邦消费者保护和食品安全办公室(Federal Office of Consumer Protection and Food Safety, BVL)。BfR 成立于 2002 年,该机构与欧盟食品安全总局和国内各研究机构密切合作,就食品、药品、消费品的安全问题向德国政府、联邦消费者保护和食品安全办公室以及国际组织提出政策建议。BfR 还负责向公众通报风险,使消费者对农产食品中可能的危害有足够的认识,以将致病风险降至最低。BVL 是欧盟食品与饲料快速预警体系的国家预警点,负责将国内各地监督检查机构反馈的信息传向欧盟委员会,并将欧盟委员会的相关信息向地方机构通报。BVL 同时还具卫生监督检查职能,该机构在综合风险评估结果后向德国政府以及欧盟委员会提交管理方面的政策建议。

风险管理人员与风险评估机构密切合作,凡与食品安全有关的政策的任何变动,均须征求评估机构的意见,评估机构可提出其认为适当的任何措施以保护公众健康。通过风险识别、风险评估、风险通报和风险管理,法国、德国的农产食品质量安全水平大大提高,食源性疾病发病率大大降低,如法国的李氏杆菌病,采用风险评估和风险管理后,1998 年的发病率比 1988 年相比下降了近 70%。

(四)采用多种形式推广技术法规和技术标准

法国、德国技术法规和技术标准的实施推广措施主要有法律法规规范、市场准入要求和合格评定三个方面,但推广形式却多种多样。德、法除通过其下属的食品检查监督机构贯彻本国的技术法规和技术标准外,技术推广机构和农民协会等也是主要的宣贯、推行力量。法国的技术推广机构由政府资助,是中央和地方、基础研究和应用研究、科研和推广、科研和生产紧密结合的重要渠道。随着农产食品质量安全在世界范围的高度重视,农业技术法规和技术标准也成为农业技术推广机构的工作内容。如今,私营企业和农业合作社都把推广应用先进的农业科学技术,放在重要地位。法国的中央和地方政府、农业行业组织和工业企业都从各自不同的角度共同参与农产品技术要求和技术标准的推广和普及。德国的农民协会影响广泛,如巴伐利亚农民协会,已形成区、县、村三级服务网络,目前已有成员 18 万人。协会有自己的宣传媒介,并且每年均要举办学习班,学习欧盟、联邦政府和州政府的农业政策和技术法规,推荐先进的农业生产、加工方面的技术标准,以提高农业产出率和农产食品质量安全水平。此外,德国的农产品检测联合会在技术法规和标准的宣贯实施中以市场准入检测为手段,大大促进了企业和生产者对国家技术法规和技术标准的了解和执行。

(五)严格市场准入要求

法国、德国市场准入标准执行的主要是欧盟指令,主要包括如安全限量、动植物疫病、产品包装等强制性的安全类技术要求。众所周知,欧盟安全指标是世界上变化最快、要求最严的地区之一。以安全限量指标为例,截至 2004 年 12 月,欧盟动植物产品的安全限量虽然仅涉及199种农、兽药，但其规定的安全限量值却多达30240个，包括20个植物品种150个产品上的19964个农药限量，以及7个动物产品种类23个产品上的2276个农、兽限量。仅茶叶产品一项就涉及173种农药，而奶及奶制品的限量则多达500种，肉制品更是高达620种。如此严格的准入条件，再加上本国自己的安全要求，一般国家的农产品是很难进入的。为保证农产品在其形成链上各个环节上的质量安全，法国、德国均推行严格的检验检测制度，并斥巨资强化检测力量，完善检验队伍。以德国牛奶业为例，德国对牛奶的检验历来十分严格，从牛奶生产到加工、销售的各个环节都要进行严格检测，早在1890年，德国便有了专门从事牛奶检验检测以及相关技术研究的团体——牛奶检测协会。如今，仅牛奶生产场一个环节平均每月就要进行四次检验，一旦发现牛奶不达标，惩罚措施将是十分严厉的。此外，由于德国是联邦制国家，一州产品未经他州许可是绝对不允许在该州销售的，除非该产品已获得国家级认证。这种州间壁垒无形中也抬高了市场准入门槛。

（六）以认证为抓手，保证上市农产品食用安全

认证或称合格评定是法国、德国保证上市农产品质量安全的另一项有效措施，而且均是以食品安全国际法、欧盟指令以及各自的相关法律为基础制定的。不论何种认证对于企业来说均是自愿行为，但企业为了提高自己的产品信誉，扩大品牌知名度，树立在消费者心目中的形象，争取优惠政策，获取市场份额，一般都会自觉申请认证。

1. 法国的农产品认证

法国的认证制度最早可上溯至1935年的“原产地冠名制度”，现在的原产地冠名标签便源于此。目前，法国农产食品的官方认证主要有生态农业认证（Agriculture Biologique，AB）、红色标签认证（Label-rouge）、产品合格证认证（Certification de Conformité）和原产地冠名认证（Appellation d'origine Controlee，AOC）四种产品认证形式，以及近年法国在农产食品加工领域大力推行的HACCP过程认证形式。

这几种认证都是政府行为。

一是生态农业认证。是由法国农业部主管,用于证明产品符合欧盟及法国有关法令规定,以精细方式种植或养殖,注重环境保护和自然界平衡,不使用杀虫剂、化肥、转基因物质,严格限制添加剂的一种认证形式。此外,它还证明该产品以及至少95%以上的配料经过了政府部门授权的认证机构的检验。除了法国和欧盟专门法确立外,该认证还得益于法国政府启动实施的一项发展计划——“多年生态农业发展计划”。该计划由法国农业部为促进法国传统农业向生态农业转换,满足市场对生态食品的需求,使法国始终处于欧盟生态农业的领先地位而于1997年12月发起的。其目标是,到2005年使生态农业的耕种面积达到100万公顷,占现有耕种面积的三分之一(1999年,法国生态农业的耕种面积是31.6万公顷)。因为有政府推动,目前生态农业认证在法国影响最广,市面上销售的农产食品标签上几乎都能看到“AB”标志。如图1所示。

AB
AGRICULTURE
BIOLOGIQUE

图1 生态农业认证标志

二是红色标签认证。它是法国于1960年在农业指导法律中确立创设的,由法国农业部主管。该认证主要用以证明某种农产品或食品具有特定品质,并达到优质水平。它所强调的主要是味觉方面的特征,而特殊的生产工艺标准也是认证部门评审和检查监督的一个重要方面。如图2所示。

图2 红色标签

三是产品合格认证。根据1988年12月30日法令创立，并依据1990年7月25日法规实施。它证明一种农产品或食品符合某些特殊的品质要求，其生产、包装、来源地等均达到特定要求。这些特殊的品质要求必须是客观、可测量或可检测的。它强调的是每种品质，包括包装、产地必须达到相应技术标准的规定。该认证由法国商业和消费部主管，但没有统一的官方标志。

四是原产地冠名认证。它用以标识某产品来源于某特定地域，该产品特有的品质、特色、声誉或其他特征归因于该地域，并且用该地域的地理名称命名的一种特殊认证。据统计，法国AOC的葡萄酒产值已达156亿欧元，占所有葡萄酒类总产值的85%，AOC的烈性酒产值达15亿欧元，是法国农产品出口中盈余最大的一项。AOC的奶制品，特别是奶酪的产值达20亿欧元，占同类产品的20%。目前AOC标签已扩展到水果、蔬菜和油类产品，产值已达1.5亿欧元。另一项统计表明，AOC的产品要比普通产品平均增收三分之一。因为在文化遗产保护、“名特优新”产品保护、生态环境保护，尤其在农村经济增长、农民收入增加方面的积极作用，AOC成为法国另一个重要的认证标志。如今AOC已被吸收进WTO/TRIPS协议，成为国际地理标志保护的重要内容。

五是HACCP认证。近年，HACCP得到了法国政府的高度重视。法国农业部食品总局专门从事HACCP的研究推广工作。法国的HACCP并不涉及种植、养殖过程，仅适于加工领域。尽管HACCP为政府推动，但并非强制执行，对国内小规模生产企业并不推荐，对于进口农产食品政府层面也不强调。

2. 德国的农产品认证

在德国具有较大影响力的认证有“德国农业中央营销协会认证”（CMA）、“质量与安全认证”（QS）以及“生态食品认证”和“普通食品认证”四种，其中前两种是民间行为，后两种是政府行为。

一是 CMA。CMA 是德国农业中央营销协会授予农产品和食品的认证标志。申请 CMA 认证的农产品和食品必须达到 CMA 标准。

二是 QS。QS 体系是德国 2001 年 10 月由商业、零售业、食品行业和农业自发成立的组织，成员包括农业、饲料行业、屠宰和肉类加工业、零售业等多个农产食品相关行业。QS 是德国最基本的质量保证，但其标准比国家法律法规的要求更为复杂和严格。消费者比较认可 QS 标志，若某产品获 QS 认证，则可在全联邦销售，不受州间壁垒限制。

三是生态食品认证。它是德国规格较高的一种认证。该认证用以证明产品中至少有 95% 的成分是来源于生态农业，并且是按照欧盟生态农业的有关规定进行生产的。生态食品认证的前期审核工作十分复杂，一般需要 3 年的调整期，在调整期内，企业主不仅要提供产品的种植、养殖地，生产方式等资料，还要提供详实的生产记录。此外，资质机构还须对产品进行定期不定期的检查。2001 年，德国专门出台了《生态食品标识法》对生态食品认证进行确立和规范。

四是普通食品认证。它是以 QS 为基础发展起来的，用以区别生态食品。普通食品认证采用的依然是 QS 认证体系。

值得一提的是，德国的农业生产标准化程度很高，据巴伐利亚农民协会称，德国早在 10 年前便推行 GAP，如今 GAP 种养模式已相当普遍，是农业生产的最基本要求，获认证的产品均已达到 GAP 规范。德国目前注重的是更高层次的生态农业和有机农业。

（七）注重生产记录，可追溯制度完备

法国、德国甚至是整个欧盟国家都十分注重生产过程记录，重视农产品、食品追溯制度的建立。考察期间，不论是我们走访的生产企业还是农产品市场，均能看到产品信息记录卡。生产记录已经成了法国、德国农业生产中必不可少的一个环节。超市中销售的农产品每一件都有详细的产品信息,包括产品名称、等级规格、产地、生产商、联系地址、联系电话等,一旦产品出现质量安全问题,监管部门可迅速追溯至源头。作为农业产值之首的畜牧业,可追溯制度更是完善。以养牛业为例,牛冷冻精液保存管上详细记录有该牛的品种、年龄、来源地、遗传背景和家族系谱等代码信息;每头牛均有耳标,耳标将伴其一生,耳标上不仅记录着出生日期、产地、遗传背景、系谱、检疫证明等基本信息,甚至还包括户主的详细资料。牛出生三天至两周内必须到登记部门进行登记,户主的任何改变也都将登记其中。奶牛的产奶时间、产奶量等也是必备信息。所有这些信息都将汇入信息中心备案。如今,德国有产奶记录的奶牛多达 362 万多头,占奶牛总量的 83.1%。产品认证也是促使过程记录的一个有效手段。如德国的生态食品认证,要求生产企业必须将整个生产过程及生产所需的设备、原料等记录在案,如购买的种子、肥料、杀虫剂名称、数量及来源等。企业要获得认证,就必须详细记录生产过程。

(八)严把"出口"关,惩罚措施严厉

"严出口"是法国、德国农产品质量安全管理共有的特点之一,严厉的惩罚措施是保证农业生产者自觉遵守农业生产规定的有效手段。在法国,农产品认证标志归国家所有,国家在例行检查中一旦发现认证产品出现问题,该产品的认证标志将被立即取消并通报全国,该企业也将永远不得再次申请认证。不仅如此,认证企业也将遭受严厉惩罚。再如法国的餐饮经营者,若因食品卫生不合格而出现安全问题,一旦查出,除了重罚外,经营者也将就此关门。在德国,牛奶的检测十分严格,第一次检测若不合格,牛奶收购价将从每公斤 0.28 欧元降至 0.14 欧元,考查期间若再次不合格,该牛奶场所有牛奶将全部拒收,企业损失将十分惨重。

三、几点体会

(一)经济建设与生态建设和谐统一

通过考察,我们感到法、德两国不仅重视工业,也十分重视和扶持农业,尤其重视经济建设与生态建设,人类发展与自然保护间的和谐统一。这一点在我们考察的农场和生产企业尤为明显。

(二)法律法规不仅全面而且具体,每一环节都有法可依

法、德两国农产品法律法规表现出“五严”的共同特点,即制修订过程严肃、环节严密、内容严谨、规定严格、惩罚严厉。这就使得每部法律都十分实用,农产食品生产、加工、销售等过程的每个环节都有法可依,同时严厉的惩罚措施也使得生产企业能够自觉做到有法必依。

(三)管理机构上以农业部门为主,实现了权责统一

法、德两国的农产品质量安全机构虽涉及多个部门,但却是“一主多辅”,即以农业部门为主,其他部委为辅,农业部门全面负责农产品从生产到销售全过程、各环节的质量安全管理工作。这种以品种监管为主、分段监管为辅的管理方式,真正实现了管理上的权责统一,因而使得法、德两国农产品质量安全管理体制顺畅,管理高效。

(四)管理措施上严两头、细中间、重配套

即投入品质量要求严,农产品市场准入严,生产过程管理细。与我国目前“严两头、宽中间”的做法相比,法、德两国更加注重对农产品生产过程的控制和管理,如生产过程记录制度,认证中的过程监控等。在政策法规上和管理措施也更加注重系统性、完整性和配套性,一项政策出台必然有完善的配套措施作保障。如在风险管理中,因为有风险评估相配套,法、德两国技术法规在向 WTO 成员方通报过程中理由充分,一般国家很难找出纰漏,致使法、德两国技术壁垒越筑越高,发展中国家农产品也越来越难进入。

(五)认证虽然形式多样,但管理规范,社会认可程度高

在法国认知程度较高的认证有五种形式,德国也有四种。这些认证既有官方的,也有民间的,但都是非强制性的。由于管理规范,这些认证各有侧重,互不交叉,认证内容唯一,因而易于识别,社会认可程度很高,以认证促安全的效果也很好。

四、建议

与法、德两个农业发达国家相比，我国农产品质量安全管理中还存在诸多问题，而体制上的问题短期内还无法有效解决。我们认为，要尽快提高我国农产品质量安全水平，促进农业“三增”，我国可在以下几个方面加大力度。

（一）尽快出台农产品质量安全管理专门法

国外农业生产中每个环节之所以都很规范，是因为每个环节都有法可依。而我国农业生产相关法律中长期忽视质量安全管理方面的规定，致使现在虽然农业产量增加，但质量安全问题也随之增加。尽快出台农产品质量安全管理专门法规，以有效约束农业生产、加工等环节，提高我国农产品质量安全水平是当务之急。

（二）下大力气做好风险评估与风险管理工作

风险分析、风险评估、风险通报与风险管理是欧盟等发达国家和地区农产品质量安全管理工作中一个十分有效的措施。这对于政府管理风险和预防风险，提高快速反应能力意义重大。同时，将风险评估等技术性工作从管理中分离出来，以充分发挥各自优势也是发达国家的一个成功经验。而我国在两方面都十分薄弱，这也是我国农业标准指标设置科学性和可操作性不强，管理风险和预防风险的能力不强，农产品质量安全水平不能继续有效提高的一个主要原因。因此，农业部门应下大力气建立风险评估体系，做好风险管理工作。

（三）规范管理，使认证成为农产品质量安全管理工作的重要抓手

认证的直接对象是产品，通过认证可以将农业标准、检验检测与农产品有机结合起来，一方面可以促进农业标准的有效实施，加快农业标准化进程，另一方面通过严格的认证管理，也可有效促进农产品质量安全水平的整体提高。因此，现阶段我国应尽快理清我国农产品认证体系，清理散布在各部门的认证形式，借鉴国外成功做法，确立农业部门在农产品认证中的主体地位，树立消费者的消费信心，提

高认证的可信度，以认证保安全，使认证成为农产品质量安全管理工作的重要抓手。

（四）尽快建立健全农产品追溯制度

发达国家的实践证明，追溯制度是提高政府管理效率，增强企业责任意识，确保产品质量安全的有益做法。我国在这方面刚有零星尝试。由于没有健全的农产品质量安全追溯制度，一方面给假冒伪劣农产食品以可乘之机，扰乱正常的市场秩序，危及人身安全，另一方面，一旦农产品出现质量安全问题，政府部门往往要花大量人力物力调查，而且往往收效甚微，不能有效管理和预防风险。2005 年国务院政府工作报告中明确提出要建立“问责制”，权责统一已成为社会共识。因此，农业部应尽快建立健全农产品追溯制度，以增强农业生产者责任意识，统一利益与义务，提高政府管理效率，确保农产品质量安全。

（五）充分利用现有资源，加大农业标准的实施推广力度

欧盟农业技术法规虽然变化迅速，但农业生产者几乎均能快速应变，这一方面得益于农业生产者的自觉性和执行力，另一方面也得益于其成熟完善的推广体系。在我国目前农业标准推广体系缺乏的状况下，建议农业部门一是依托农技推广队伍，二是利用农业标准化技术委员会，三是利用农民协会，四是利用农业项目和社会活动，加强对农业标准的宣贯，促进农业标准快速实施推广，以有效发挥农业标准的经济效益、生态效益和社会效益。

（六）尽快开展农产品地理标志保护工作

我国地大物博，资源丰富，生态多样，历史悠久，形成了各地独特的风俗习惯和文化特点，产生了多种多样的地方特色农产品，如浙江杭州西湖龙井茶、新疆库尔勒香梨等。这些特色农产品均具备地理标志的四个重要条件：特定的自然地理环境，特定的生产加工工艺，独特的禀性和品质及其与特定区域之间的特有联系。而且 WTO/TRIPS 多边协议已经对地理标志保护进行了专门规定，法国等国家在地理标志保护方面已有成功经验，再加上农业部门在农业标准化和

检验检测体系建设中的多年基础,农业部门开展农产品地理标志保护工作时机成熟。

（七）正确引导,辩证应用 HACCP、GAP 管理体系

HACCP、GAP 作为农业生产、加工领域的优秀管理体系,目前在国际社会得到了普遍认可,我国也十分重视,各地农业部门也在引进、应用 HACCP、GAP 管理体系。但实际操作中也出现了盲目引进,盲目推行的问题。通过考察,我们发现,HACCP 重点应用于农产品加工环节,GAP 重点应用于种植、养殖环节,并且二者在具体应用中均是以大类农产品为范围进行设计、构建,并根据不同品种逐级细化的。HACCP、GAP 管理规范虽然十分复杂和严格,但它们的基本原理却十分简单,确切地说,它们所提供的是一种管理理念和管理思路,而非具体的管理方法和管理技术。我们虽然引进的是具体的管理技术,但我们真正应用于我国农产品质量安全管理工作的并非它的技术,而是经过认真消化吸收后提炼出来的、适合我国农业实际的、中国化的管理理念,以及由此形成的管理方法和管理技术。因此,在引进和应用 HACCP、GAP 等国际先进管理体系时,应遵循其本质特性,明确其适用领域,抓住消化吸收这一工作重点,紧紧围绕我国农业实际,辩证应用,将 HACCP、GAP 等先进管理体系真正用活,并发挥最大功效。

南非、津巴布韦农产品质量安全立法考察报告

（2005 年 12 月）

2005 年 11 月 6 日—16 日，由农业部、全国人大农委、全国人大常委会法工委、国务院法制办 7 位同志组成考察团，赴南非、津巴布韦就两国农产品质量安全立法情况进行了考察，与两国有关部门举行了会谈，参观了农产品生产、加工和流通企业，了解了两国农产品质量安全立法和管理的基本状况。现将有关情况报告如下：

一、两国农业概况

南非、津巴布韦原来都是英国的殖民地，自然资源丰富，工农业基础较好，经济发展水平在非洲大陆处于领先地位。1994 年 5 月，南非结束了长期实施的种族隔离制度，成立了以曼德拉为总统的多党民族团结政府。1980 年 4 月，现任总统穆加贝领导的津巴布韦独立，定国名为津巴布韦共和国。

南非经济的发展走的是一条以农牧业起步、采矿业发家、制造业后来居上，采矿业、制造业成为其支柱产业的独特道路。随着工矿业的发展，农业在南非国内生产总值中的比重逐步下降，目前仅占国内生产总值的 4.54%，但仍是非洲大陆的农业大国和强国，其谷物、小麦、蔗糖、羊毛等产量在非洲乃至世界都居领先地位，农产品不仅自给有余，正常年份还能实现净出口，在某种意义上对整个南部非洲地

区的发展和稳定都起着至关重要的作用。

津巴布韦原经济发展水平在南部非洲仅次于南非，素有"非洲的面包篮子"、"非洲粮仓"之称。农业是其支柱产业之一，占国内生产总值的43%。烟草、棉花是其最主要的出口农产品，以玉米为主的粮食原来也是自给有余，还能出口到本地区其他国家，被原粮农组织总干事萨乌马称为"非洲农业发展的榜样"。但自2000年现任总统穆加贝推行"土地改革"、无偿收回白人农场土地以来，大量农场主移居他国，带走了资金、技术；英美等西方国家也对其实施经济制裁，导致津巴布韦经济持续下滑，通货膨胀率高居不下（2005年10月份为411%），农产品产量急剧下降，由粮食出口国变为了进口国。

二、津巴布韦农产品质量安全立法情况

津巴布韦并没有一部专门规范食品安全的法律，有关食品安全的法律规定散见于多部法律中，主要是《植物检疫法》（Plant Quarantine Act）、《动物健康法》（Animal Health Act）、《食品标准法》（Food Standards Act）和《公众健康法》，其中，前两部法律主要调整农产品质量安全，后两部法律主要调整食品监管，四部法律结合起来，构成了相对完整的食品安全法律体系。

津巴布韦的食品安全监管部门主要有两个，即农业部和卫生部。其中，农业部主要负责农产品质量安全管理，卫生部主要负责食品监管。此外，消费者理事会（Consumer Council）从保护消费者权益的角度、科技部从科技研发的角度、工业贸易部下属的标准协会从标准管理的角度也参与部分食品安全事务的管理。为加强部门间的协调配合，津巴布韦拟成立一个"国家食品局"（National Food Agency）的协调机构，由卫生部长担任首长，有关部门负责人参加，以协调各部门在食品安全方面的监管政策和措施，但目前议会尚未批准该机构的成立。

在农产品质量安全监管手段方面，津巴布韦目前仅限于对农药、饲料等农业生产资料进行登记，对动植物病虫害进行检疫、实行定点

屠宰等方面,对农产品本身的品质控制尚未开展。值得注意的是,津巴布韦农产品标准在绝大多数情况下都采用国际标准,而不再另起炉灶,这主要是出于方便农产品出口和减少行政成本的考虑。

尽管津巴布韦在农产品质量安全方面也有相应的法律规定,但就我们调查了解的情况看,有关管理工作仍处于初级阶段,这与该国的经济低迷密切相关:一是工业不发达,农田环境污染问题尚不突出;二是农民收入下降,很多人连种子都买不起,更无力购买和使用农药、肥料等生产资料;三是财政紧张,连警车用油都难以保障,农业执法的力度更可想象。最重要的是,当前津巴布韦国农业面临的首要问题是解决人民温饱的粮食安全(food security)问题,而没有更多力量解决提高生活质量的食品安全(food safety)问题。在会谈中,津巴布韦农业部的总农艺师还向我们提出了援助其农业机械和农业技术的要求。

三、南非农产品质量安全立法情况

(一)食品安全法律体系

南非的食品安全法律体系大体上也由两部分组成:一部分是农产品质量安全管理方面的法律,另一部分是食品监管方面的法律。

1. 农产品质量安全法律

(1)《农产品标准法》(Agricultural Product Standards Act),1990 年制定,主要从农产品安全及质量保证标准的角度调整本国农产品的销售、出口以及进口农产品的销售。在根据该法制定的有关标准中,"初级农产品"被定义为接近其自然状态,但包括经过包装、分拣、清洗、打蜡、修整(未切割)的农产品。

(2)《肥料、农场饲料、农药和兽药法》(Fertilizers, Farm Feeds, Agricultural Remedies and Stock Remedies Act),1947 年制定,主要调整肥料、动物饲料、农药(杀虫剂等)、部分兽药(另一部分兽药根据《药品及有关物质法》进行登记)的登记以及日常管理。

(3)《农业有害生物法》(Agricultural Pest Act),1983 年制定,主要调整可能影响南非农林产业健康的进口产品,特别是对进口植物源性食品的检查，与防止有害病原菌，保证农产品质量安全密切相关。

(4)《动物疾病法》(Animal Diseases Act)，1984年制定，主要从动物防疫的角度调整对动物和动物产品(包括肉类、奶类、蛋类及其产品)的监控。

(5)《肉类安全法》(Meat Safety Act)，2000年制定，主要对动物屠宰进行调整，要求肉类和动物产品的加工处理、保存和运输必须符合适当的卫生标准。

(6)《酒产品法》(The Liquor Products Act)，1989年制定，主要调整葡萄酒和烈性酒的生产、销售及进出口，对上述产品的成分和特性以及与其销售有关的某些特点的利用进行监控。

(7)《转基因生物法》(Act on Genetically Modified Organisms)，1997年制定，主要调整转基因生物安全。

上述农产品质量安全方面的法律均由南非农业部(Department of Agriculture)的有关机构管理。

2. 食品监管法律

(1)《食品、化妆品和消毒剂法》(Foodstuffs, Cosmetics and Disinfectants Act)，1972年制定，主要从食品安全和公共卫生的角度调整所有食品的加工、销售和进口。

(2)《卫生法》(Health Act)，1977年制定，根据该法的有关规定，卫生部制定的一些规章对食品场所(包括挤奶场)和食品运输的卫生要求进行了规范。

(3)《国际卫生条例法》(International Health Regulations Act)，1974年制定，根据该法与食品有关的规定，用于港口、机场、船只和飞机上消费的食品源须经卫生部批准，上述食品也必须以卫生的方式加工处理。

(4)《药品及有关物质法》(Medicines and Related Substances Act)，1965年制定，根据该法，《肥料、农场饲料、农药和兽药法》调整范围外的兽药(veterinary medicine)要向卫生部登记。同时，有医疗效用或要求医疗报销的食品和食品添加剂也要向卫生部登记。

上述食品监管法律均由卫生部(Department of Health)的有关机构管理。

3. 其他有关法律

其他有关法律主要有《贸易计量法》(Trade Metrology Act,1973)、《商标法》(Trade Marks Act,1963)和《标准法》(Standards Act,1993)。其中,前两部法律主要涉及对食品标签的监管,由贸易工业部(Department of Trade and Industry)管理;《标准法》调整标准管理,由贸易工业部下属的南非标准局(South African Bureau of Standards)管理。

(二)管理部门

根据上述法律,南非食品安全的管理部门在中央主要是农业部、卫生部和贸工部。

1. 农业部

农业部作为农产品质量安全的主要监管部门,设有食品安全和质量保障局(Directorate Food Safety and Quality Assurance)、南非农业食品检疫和检查局(Directorate South African Agricultural Food Quarantine and Inspection Services)、动物卫生局(Directorate Animal Health)、植物健康局(Directorate Plant Health)和遗传资源管理局(Directorate Genetic Resources Management)等农产品质量安全监管机构。从监管对象来看,农业部的职能涵盖了下列产品:肥料、饲料、农药、部分兽药、种子等农业生产资料;农产品(包括玉米、小麦、谷物、新鲜水果和蔬菜、新鲜肉类及肉类含量少于10%的罐装肉类、奶产品、果汁、蜜汁饮料、果汁饮料和果味饮料,等等);酒类产品(包括葡萄酒和烈性酒)。从监管环节来看,农业部的职能不仅限于农产品的生产环节,而是向前延伸到农业生产资料监管,向后延伸到部分农产品的加工、销售以及进出口等环节,形成了一个相对衔接的管理链条。

2. 卫生部

卫生部作为食品的主要监管部门,设有食品监控局(Directorate Food Control)、药品管理局(Directorate Medicines Administration)等机

构，主要对食品的加工、销售和进口进行监管。此外，卫生部还根据《药品及有关物质法》负责部分兽药的登记。

3. 贸工部

贸工部除具有监管食品标签的职能外，其在食品安全方面的作用主要通过其下属的南非标准局（SABS）。根据《标准法》，南非标准局具有法人资格，属法定机构（Statutory Body，类似于我国的法律法规授权组织），负责促进和维护南非的国家标准，并对肉类含量超过10%的罐装肉类以及灌装和冷冻海产品进行监管。

（三）管理手段

总体上看，南非在农产品质量安全方面主要有以下管理手段：

一是严格管理农药、兽药、饲料和肥料等农业生产资料。早在1947年，南非就制定了《肥料、农场饲料、农药和兽药法》，要求肥料、动物饲料、农药和兽药必须向农业部登记，并对其日常监管及违法行为的处罚作了规定。农业生产资料的登记制度，显然有利于从源头上保障农产品质量安全。

二是制定标准，鼓励农产品生产者采用。根据《标准法》，南非国家标准由南非标准局制定、修改并由贸工部长公布，但农产品和酒产品标准的制定和修改，则要根据该局理事会和农业部总监（Director-General：Agriculture）①所订协议规定的条款和条件进行。值得强调的是，南非标准局制定的国家标准是自愿性的，相关产品和服务的提供者可以自愿选择采纳与否，但若在产品或其包装上标注符合某一标准而经检验又不符合的话，则要受到处罚。

三是制定技术法规，确保农产品符合质量安全要求。《标准法》规定，根据南非标准局理事会的推荐，为促进和维护安全、卫生、消费者保护和环境方面的标准和质量，贸工部长可以宣布某一标准为强制性规范（compulsory specification，即WTO所称的技术性法规）。但

① 南非农业部的部长和副部长均属政务官，与总统和内阁共进退；而农业部总监则是常任文官，是农业部日常事务的管理者。

在正式宣布前,必须给予不少于两个月的评论期,供利害关系人提出反对意见,并要征求有关主管部部长的意见。目前,贸工部共制定了70项强制性规范,涉及汽车、人类健康和环境、渔业和食品、电子和博彩等领域。不过,制定技术性法规并非贸工部的专有职能,农业部、卫生部等有关部门也可以通过规章的形式制定技术性法规,它们也具有强制效力。例如,根据《农产品标准法》,农业部长可以规定农产品中的药物残留容许量,农业部长指定的执行官(executive officer)可以制定出口农产品的质量标准及相关管理控制系统、包装、标识要求。[①] 目前,农业部等其他部门通过规章制定了约200项标准,上述部门也可直接采纳南非标准局制定的标准。

四是推行标志管理。为鼓励生产者采用有关标准,《标准法》规定符合特定标准的商品可以使用认证标志(certification mark),符合强制性规范的商品可使用区别性标志(distinctive mark)。《农产品标准法》也规定农业部长可对符合技术性法规要求的农产品及特定管理控制体系(management control system)规定区别性标志,符合要求的农产品及特定管理控制系统经授权方可使用区别性标志。此外,一些组织如Ecocert也在南非进行自愿性的有机食品认证并授权使用认证标志。

五是注意与国际组织和国外机构合作。与津巴布韦一样,南非在标准制定中也积极采用国际标准,在目前制定的5000多项国家标准中,20%—25%是由ISO、IEC标准转化而来的。此外,南非有关机构还注意与国外有关机构合作,对农产品质量安全进行非官方的监控。如与欧洲零售商农产品工作组(Euro Retailer Produce Working Group, Eurep)合作,推行良好农业操作规范(Good Agricultural Practice, GAP);农业部下属的易腐农产品出口管制委员会(Perishable Produce Export Control Board ,PPECB)经不列颠零售集团(British Retail Con-

① 2005年5月,农产品标准执行官即根据这一规定发布了《出口植物源性农业食品卫生安全标准》,规定受管制的农产品若达不到标准要求则不得出口。

sortium)授权,根据后者的全球食品标准对包装新鲜农产品的组织进行认证,获得认证的新鲜水果和蔬菜可以自动进入欧洲市场,从而大大便利了有关农产品的出口。

六是禁止不符合质量安全要求的农产品上市。根据《农产品标准法》,农业部长有权禁止下列农产品的销售:未按规定类别和等级销售的;不符合有关质量、类别和等级的标准的;不符合与管理控制体系、包装、标识有关的规定要求的;含有禁止物质或未含有规定物质的;包装、标识不符合规定方式或内容不符合规定要求的。此外,农产品须经农业部长指定的执行官批准后方可出口。

七是重视实验室建设,为执法提供技术支持。《肥料、农场饲料、农药和兽药法》、《食品、化妆品和消毒剂法》等法律都有化验员(analyst)任命的规定,授权主管部长任命化验员对送检对象进行化验、分析,填写有关报告,为执法提供技术支持。为此,有关部门都拥有或指定一定数量的实验室从事化验工作。如南非卫生部所属的比勒陀利亚和开普敦法医化学实验室负责对省和地方①主管部门提交的食品进行化验,南非卫生部还与 KwaZulu-Natal 省的病理实验室签约,授权后者对省和地方主管部门提交的食品进行微生物化验。此外,南非国家卫生计划还提出将实验室服务纳入初级卫生保健体系来予以加强。

八是重视日常监管。南非食品安全方面的法律都用大量的条文对主管部门的日常监管行为进行了规范,这些规定涉及检查员(inspector)的任命、检查程序、强制手段等。值得指出的是,在严格规范执法人员(检查员)的执法行为的同时(如要求执法人员应被检查人要求出示证件、原则上须在合理时间进行检查等),也授予了执法人员(检查员)充分履行职责所必需的权力。这些权力主要包括:对生产、加工和销售场所及有关物品进行检查,对当事人进行询问,检查、复制和扣押有关记录,取样分析,对检查中发现的违法农产品或食品

① 与我国不同,南非省以下的区域才称为"地方"。

采取查封、扣押和禁止移动、禁止销售等强制措施。必要的监管手段有利于防止违法农产品或食品流入市场,对于保护公众健康十分必要。

九是在信息公开方面,注意在保护公共利益和保障个人隐私之间取得平衡。《农产品标准法》规定,任何人对于在履行该法规定职责中获取的有关相对人的信息均不得披露,但下列情形除外:一是对该法的适当实施是必要的;二是符合公众利益或意在保护消费者的;三是为了进行依据该法所采取的法律程序的;四是有权法院命令披露的;五是经农业部长书面授权披露的。《食品、化妆品和消毒剂法》也有类似规定。这些规定既充分考虑了对商业秘密和个人隐私的保护,又充分考虑了对公众知情权的保护,客观上有利于督促业者自觉守法。

十是规定严格的法律责任。南非食品安全方面的法律对违法者规定了严厉的处罚措施。这些处罚措施除罚款、没收违法产品和工具外,还包括对违法行为人判处监禁,《农产品标准法》规定的最长监禁期限为 4 年,如行为人再次犯有类似罪行,规定的最长监禁期限也相应翻倍。例如,初次犯有冒用区别性标志的罪行,最长监禁期限为 2 年;再次犯有类似罪行,最长监禁期限则升为 4 年。这在一定程度上减少了违法行为的发生。

四、对我国的启示

通过对津巴布韦、南非两国的考察,我们有如下感受:

第一,农产品质量安全立法是农业发展到特定阶段后的必然要求。在与津巴布韦农业部会谈中,当得知我国全国人大常委会正在审议《农产品质量安全法》时,该部总农艺师表达了钦佩之情,并表示渴望学习中国的经验。我们感到,隐藏在上述表态背后的,是对我国农业发展阶段的钦佩。因为在农业生产尚不能解决温饱问题的情况下,对农产品质量安全进行监管包括立法只能是侈谈,根本不具备可行性。而在农产品“量”的问题解决后,“质”的问题就会凸显，成为制约农业进一步发展的“瓶颈”，相应地就要通过包括立法在内的手段来加以解决。无论是津、南两国还是我国的经验都证明了这一点。

第二，农产品质量安全监管与食品监管宜分别立法。津、南两国的食品安全法律体系均可分为农产品质量安全立法和食品监管立法两大部分，说明食品监管立法并不能取代专门的农产品质量安全立法。就目前掌握的其他国家的情况看，也是如此。这是由农产品和食品的不同特性所决定的：农产品生产主要是一个自然过程，影响因素较多；而食品加工则主要是一个人工过程，影响因素相对较少。这决定了两者的监管手段、方式存在很大差异，很难纳入同一法律进行监管，必须单独立法。

第三，科学减少食品安全方面的监管部门是一个必然趋势。与我国现行体制相比，南非食品安全监管部门并不算多，也不像我国这样“分段管理为主”，但仍被该国人士认为“支离破碎”。从各国食品安全监管体制的发展来看，适当集中监管职能、减少监管部门是一个必然趋势。值得注意的是，这种职能的集中和部门的减少必须奠基于科学分析之上，而不能是“为集中而集中”、“为减少而减少”。从各国情况来看，有关职能向农业部门和卫生部门集中，分别负责农产品生产和人体健康。食品安全监管集中，有利于充分利用既有人力、物力资源以及管理制度和经验，减少重复建设和职能重叠、冲突，明确管理责任，提高管理效能，从而有利于提高食品安全水平。

第四，应注重赋予监管部门必要的强制手段。两国有关法律都规定了主管机关对涉嫌违法物品予以查封、扣押的强制权力。从两国的实践看，这有利于防止不符合质量安全标准的农产品流入市场，有利于保护人民群众身体健康，是必要的，值得我们借鉴。当然，这一权力实践中可能被少数执法人员滥用，侵害相对人的合法权益，但这一问题在任何国家、任何部门客观上都难以避免，应通过改革执法体制、规范执法程序、加强执法监督来解决，我国《国家赔偿法》也对此类违法行为规定了国家赔偿制度，保证受害人获得充分救济。

第五,应制定严格的处罚措施。因为农产品质量安全直接关系到人民生命的健康安全。南非对违反《农产品标准法》规定可判处2—4年的监禁,维护了法律的权威性和威慑力,减少了违法行为的发生。世界其他各国也均有相似的规定,我国在立法中也应适当借鉴他们的做法。

后　记

2006 年 4 月 29 日,《中华人民共和国农产品质量安全法》经十届全国人大常委会第二十一次会议审议通过,胡锦涛主席签署第 49 号主席令予以颁布,自 2006 年 11 月 1 日起正式实施。这是我国农业和农村经济发展史上的一部重要法律,是农产品质量安全监管的重要里程碑,为新时期推进我国农产品质量安全事业奠定了重要的法律基础。

《农产品质量安全法》共分 8 章 56 条。第一章总则部分共 10 条,主要对立法目的、调整范围、管理体制、政府职责、风险评估制度、信息发布制度、发展优质农产品、科研与推广、宣传引导等内容进行了规定。第二章农产品质量安全标准部分共 4 条,主要对建立农产品质量安全标准体系、标准制定、标准制定要求、标准修订要求和标准组织实施等内容进行了规定。第三章农产品产地部分共 5 条,主要对农产品产地安全管理、基地建设、产地要求、产地保护和防止投入品污染等内容进行了规定。第四章农产品生产部分共 8 条,主要对生产技术规范和操作规程制定、投入品许可和监督抽查、投入品安全使用制度、科研推广机构职责、生产记录、投入品合理使用、产品自检、中介组织自律与服务等内容进行了规定。第五章农产品包装和标识部分共 5 条,主要对包装和标识管理、保鲜剂等使用要求、转基因标识、检疫标志和证明和农产品标志等内容进行了规定。第六章监督检查部分共 10 条,主要对禁止销售要求、监测计划和抽查、检验机构管理、复检和赔偿、批发市场和销售企业责任、社会监督、现场检查和行政强制、事故报告、责任追究、进口农产品质量安全要求等内容进行了规定。第七章法律责任部分共12条，主要对监管人员责任、检测机构责任、产地污染责任、投入品使用责任、生产记录违法行为处罚、包装标识违法行为处罚、保鲜剂等使用违法行为处罚、农产品销售违法行为处罚、冒用标志行为处罚、行政执法机关、刑事责任和民事责任等内容进行了规定。第八章附则部分共2条，主要对生猪屠宰管理和本法实施日期进行了规定。

为了便于各级农业行政主管部门、有关部门及社会各界学习《农产品质量安全法》，我们组织编写了《中华人民共和国农产品质量安全法释义》。本书的编者直接参与了《农产品质量安全法》的起草和协调工作，对法律的内涵、指导思想、精神实质和管理制度具有较为深入的理解和认识。本书对每条的解释基本按照释义、制定本条的目的、本条主要概念解释、本条包括的主要内容、本条执行中应当注意的问题等内容进行了详细的阐述和说明。相信本书的出版，定会对各级农业行政主管部门、有关部门、相关领域的政策研究者及社会各界学习和掌握《农产品质量安全法》有所帮助。但由于时间仓促，不免有疏漏之处，恳请读者对本书提出批评意见。

编者

二〇〇六年七月